RITA MAGAZINE

テクノロジーに利他はあるのか？

未来の人類研究センター編

まえがき

店なのに、ただめしを食わす。
せっかくの食糧を、あげてしまう。
急な客人を、歓待する。

利他はどこかとぼけた概念です。

誰かに強制されたわけでもないのに、ときに己の身の安定すらかえりみず、他人の利益になるような行動をしてしまう。事例をならべるだけで、「なんで？」と笑いがこみあげてくるような気さえします。

利他は、「生産性」や「合理化」といった、私たちがくらす社会の標準的なものさしからは、明らかにはずれた振る舞いです。競争における勝ち負けからも、コストやパフォーマンスの計算からも、利他は外れているように見えます。

では利他は、経済活動の外側に位置する、余剰のようなものなのでしょうか？　利他は、余裕のある人が行う、困っている人のための「ほどこし」なのでしょうか？

そうではない、と私は思います。

私は二〇二〇年から四年間にわたって、大学の仲間たちと、利他について研究をしてきました。その中で繰り返し実感してきたのは、利他という概念が、それについて考える者に「人間であること」を要求する、ということです。

たとえば、一〇〇人以上が集まる企業の研修に呼んでいただいて利他の話をしたとします。そうすると、こちらの意図を伝えきれず、ぽかんとされてしまうことが多々ある。一方、小さな町の集まりで同じ話をすると、お母さんのことを思い出して涙を流す人が現れたりする。これは人の違いというより、状況や文脈の違いが大きいでしょう。同じ人でも、研修の一環として聞いたときはピンとこなかったのに、町の集まりで聞くとピンとくる、ということがあるはずです。

一企業の社員であること。店の経営者であること。病院の医師であること。だれもが背負っているこうした「社会的な役割」をいったん脇においたときに初めて向き合えるのが、利他という概念なのかな、と感じています。「私は○○だから」という仮面をはずしたときにようやくその下に現れるもの、というか。

つまり、利他は、生産性や合理化の「外」にあるものではなく、むしろ「下」にあるものなのではないか。もし人間である私たちが、完全に個人的な存在で、自分の利益を最大化することしか考えていなかったら、社会などつくらないでしょう。利他的な関係がまずあって、社会が生まれ、そのうえに私たちが当たり前だと思っている制度や価値観が乗っかっている。利他は私たちの社会のあり方を、土台の部分から考え直すための道具です。

とぼけていながら、「○○である前に、人間として、おまえはどう振る舞うのか」と問うてくる。そう、それが利他という概念の空恐ろしいところなのです。

本書は、そんなとぼけていて空恐ろしい利他という概念のまわりで、私たちが数年にわたって考え、語り合ったこと、その集大成です。「私たち」とは、東京工業大学の未来の人類研究センターの歴代メンバーのこと。具体的にお名前をあげるならば、初代メンバー（二〇二〇～二〇二二）の中島岳志さん、若松英輔さん、磯﨑憲一郎さん、國分功一郎さん、二代目メンバー（二〇二一～二〇二三）の北村匡平さん、山崎太郎さん、木内久美子さん、そしてセンター長の私、伊藤亜紗です。

対話はメンバー内だけで行われたわけではなく、同じ東工大の理工系研究者や卒業生、さらには学外の研究者や実践家にも加わっていただきました。哲学、政治学、法学、芸術、宗教学、建築学、情報工学、生命工学、杜氏《とうじ》、食堂の店主……それぞれの専門や現場は多岐にわたります。

「雑誌」という形態をとったのも、テーマが利他ならではの事情があります。

先に、利他とは「私は○○だから」という仮面をはずしたときにようやくその下に現れるもの、と書きました。同じことが研究にもいえて、従来の科学の手法である「定義」「測定」「標準化」といったことをしようとしたとたんに、利他はするりと指の間を逃れていってしまうのです。利他は具体的な行為や営みの中にしかないものであり、それ自体、科学への挑戦のような性格を持っています。

だからこそ、論文のように形式が優先されるフォーマットに画一的に思考を落とし込むことはせず、その思考が生まれた具体的な状況ごと、私たちの活動をスクラップブックのように束ねる形を採用しました。定義も法則も出てきませんが、「これってこういうことかな」と横に展開するような想像力で、本書の内容がみなさんの日々の生き方につながっていったら幸いです。

なお、本書の全体のコンセプトや章立ての作成は、初代利他プロジェクトリーダーの中島さんと二代目利他プロジェクトリーダーの北村さん、そして伊藤が担当しています。

サブタイトルの「テクノロジーに利他はあるのか？」についても一言。私たちの所属は東京工業大学ですので、つねにテクノロジーの問題が身近にあるのはたしかです。でもここでいうテクノロジーは、必ずしも狭義の「科学技術」には限定されません。本書では、ＡＩやロボットのような文字どおり科学技術に関する話題も出てきますが、法律や料理なども含めた「つくること」一般、もっと言うと「つくることによって人を動かすこと」一般に関わる利他の問題が扱われています。

これがじつはとても難しい。なぜなら利他の最大の敵は、他者をコントロールすることだからです。しばしば利他は「善行」と混同されています。けれどもその善行が「自分の頭で考えた、相手にとってよいこと」であるかぎり、それは自分の正義を押し付けることになってしまう。私たちが大事にしたい利他は、受け取り手がよろこぶ利他です。それが利他かどうかを決めるのは、与える側の能動性や意図ではなく、受け取る側がそこに見出す価値です。

でも、すべてを受け手に委ねてしまうと、偶然を待つだけになってしまいます。それでは、社会が抱えるさまざまな問題に対して、利他という道具は何もできないことになってしまう。受け手の受け取り方そのものは設計するべきではないけれど、よき受け取りが発生しやすいような状況を設計することはできるのではないか。そのような状況を生み出すような、法律やロボット、食堂の形はつくれるのではないか。それが本書のサブタイトル「テクノロジーに利他はあるのか？」に込められた問いです。

心の問題ではなく、創造の連鎖としての利他。本書が「利他のつくり手」の手元を照らす一冊となれば幸いです。

伊藤亜紗

目次

RITA MAGAZINE
Is there any *rita* in technology?
Chapter_1

「漏れる」工学

"Leaky" engineering

Chapter_1-1

- Asa Ito
- Sae
- Jareo Osamu

Chapter_1-2

- Yoshihiro Miyake
- Yoichiro Miyake

Chapter_1-3

- Asa Ito
- Tatsuhiko Inatani
- Tatsushi Fujihara

漏れちゃう。のは本当にダメなことなのだろうか？　たしかに、タッパーから汁が漏れたり、銀行口座のパスワードが漏れたり、発電所から放射性物質が漏れたりしては困る。でも自然界を見てみれば、岩肌からは昨日降った雨水が漏れ出し、葉と葉の間からは陽の光が漏れて地面に斑点《はんてん》模様をつくり、姿は見えずとも鳥の鳴き声が樹間から漏れ聞こえてくる。工学＝制御のためには境界線をきっちり引くことが好ましいけれど、それは世界に共にあるあり方として、あまりに不自然なのではないか？　それはとことん「外側」から世界を見る見方なのではないか？境界があまりに強固なところには、恵みも、出会いも、気配も生まれない。内部から世界を見るとき、漏れているものたちが、結果的にたくさんの縁を結んでいることに気がつく。漏れているものたちは、私たちに、それを手当てせよ、創造に参加せよ、と呼びかけているのかもしれない。

「漏れなくすること」も大事だけど、「漏れること」の価値もある。ロボット、ＡＩ、法律を通して、「漏れる」工学の可能性をさぐってみたい。

――伊藤亜紗

分身ロボットとダンス

伊藤亜紗
さえ
砂連尾理

RITA MAGAZINE
Is there any *rita* in technology?

Chapter_1-1

- Asa Ito
- Sae
- Jareo Osamu

収録:2021年3月13日(第1回利他学会議 1日目)
協力:鹿島理佳子

さえ

分身ロボットOriHimeパイロット。身体表現性障害を抱え、外的な光や音のような刺激や精神的なストレスにさらされると吐き気などの症状に見舞われるため、外出ができない時期が10年間以上続いている。2019年ごろからOriHimeを介し、カフェや書店、神奈川県庁での仕事に就く。また、OriHimeでの活動を通して、朗読劇や演劇への出演や演出にも挑戦。文化芸術を楽しむだけでなく制作者サイドにも活動の幅を広げていくことで、同じ境遇の多くの人たちの可能性が広がると感じている。

砂連尾理(じゃれお・おさむ)

振付家・ダンサー。立教大学現代心理学部映像身体学科教授。大学入学と同時にダンスを始める。一九九一年、寺田みさことユニット結成。二〇〇二年「トヨタコレオグラフィーアワード2002」において「次代を担う振付家賞」「オーディエンス賞」を受賞。近年はソロ活動を中心にしており、著書に『老人ホームで生まれた〈とつとつダンス〉—ダンスのような、介護のような—』がある。

こんばんは！

鼎談

離れているって なんなのか？

伊藤　今、私の横にいるのは「OriHime《オリヒメ》」という分身ロボットなのですが、今日は「分身ロボットとダンス」というテーマでお送りします。

　どうして「分身ロボットとダンス」なのかというと、ひと言で言うと、「離れているってなんなのか」ということについて考えたいんです。この一年、みなさん、さまざまな場面で「離れている」ということを経験されたと思います。ソーシャル・ディスタンスの問題もそうですし、さまざまな会議や大学の授業も、離れた状態で実施することを経験してきました。

それは、基本的には制約として考えられてきたと思うんですけれども、一方で、科学技術や文化は、人と人が離れているときにどうするのか、ということの、さまざまな蓄積を持っていると思うんですね。そこを考えていくと、この離れている状態をもうちょっと前向きに考えられるんじゃないかな、と思いました。

そこで想定されている「離れている人」というのは、もちろん物理的に遠い人というのもありますが、すぐに会えない人、もしかしたらもう亡くなっているような人も含めて考えています。私たちは、離れている人と一緒に共同作業をするとか、利他的な関係を持つとか、そういう時代に生きているんだと思うんですね。今日はそういったことについて考えたいと思っています。

そのうえで、どうして「分身ロボットとダンス」なのかというと、ご存じの方も多いかと思いますが、さまざまな理由で外出ができない人たちが、この分身ロボットをどこかに行かせて、それを遠隔で操作することで、そこに行くことができるんですね。

「これはAIが中に入ってるの?」とよく言われるのですが、遠隔で人間が操作をしています。目の間にカメラがついているので、まわりの様子を見ることもできますし、手や首を動かすこともできます。声はご本人の声がスピーカーから聞こえ、こちらの音もマイクで拾われています。

今日、この分身ロボットは、さえさんという方が遠隔で操作してくださっています。遠隔でのコミュニケーションというとZoomがお馴染みですが、分身ロボットとZoomは全然違うんですよね。分身ロボットで会うと、ここにさえさんがいる、という感じがするんです。で、ロボットなんですけど、目が合ったりすると、ゾワゾワしてけっこう緊張するんです。「存在している」という感じがすごくしていて、これはもうさえさんの存在感なんですよね。

私は生身のさえさんには会ったことがないので、OriHimeを介して親しくなったさえさんが、もう私にとってのさえさんなんです。物理的な距離を超えて、存在するとはなんなのか、という定義を更新するようなことが、ここに起こっているような気がします。

一方でダンスというのは、人に振り付けるということをしますよね。これは、とても不思議なことで、自分でやればいいのに、ほかの人にやってもらう。離れている人の体とどう関わるかということの、さまざまな可能性を探究しようと思ったからこそ、ダンスは「振り付け」をやっているのではないか。ダンスって一見、直接的な、ライブ的な芸術だと思われるけれども、本質はむしろ遠隔なんじゃないか、というふうに思うんです。

そんな関心から、「分身ロボットとダンス」という切り口で、「離れている」ということを考えたいと思いました。それで、今日のゲストであり、共同研究者でもあるお二人と、三人で共同研究を開始しました。開始して半年くらいなので、まだ全然形になっていない段階なのですが、その中間発表のような形で、お話を進めていきたいと思っています。

OriHimeの体感は、回線速度で変わる⁉

伊藤　それでは、まずは分身ロボットに入ってくれている、さえさんをご紹介します。さえさん、こんばんは!

さえ　こんばんは。よろしくお願いします。

伊藤　さえさんは、パイロット歴は何年ぐらいになりますか?

さえ　もう二年半くらいになります。

伊藤　けっこうあちこちでお仕事をされたり、旅行されたりしていると思いますが、最近どこかに行かれましたか?

さえ　高知でみかん畑をやっている知り合いがいて、そこの収穫のお手伝いにこのOriHimeで行きました。

伊藤　え、でも、自分で収穫とかできないですよね。

さえ　（笑）。収穫中の孤独を解消するみたいな、お話し相手になって応援するだけでいいって言われたので。それで一緒にみかん畑に。

伊藤　ふふふ。あと最近、タピオカ屋さんもやったとか……。

さえ　そうですね。最近、５Ｇ回線に切り替わってきているので、どれくらい体感が速くなるかという実験も兼ねて、OriHimeを使って、大分県のタピオカ屋さんで一週間くらい、接客のお仕事をしていました。

伊藤　５Ｇはやっぱり違います？

さえ　全然違いましたね、ちょっともうびっくり……OriHimeの体感って、回線速度に大きくよるので、５Ｇだとコミュニケーションの間《ま》が全然なくなって、その場の空気とかもそのまま感じるようになって。

伊藤　へえええ〜！　やっぱり回線速度で体感が変わるんですね。

さえ　なんかコミュニケーションに翼が生えたみたいな感じ（笑）。ちょっと無言になっちゃったときの気まずさまで感じちゃったりもします。

伊藤　かえって回線速度があんまり速くないほうがいい場合もありそうですね。もちろん沈黙は沈黙で素敵なこともありますけど。

さえ　そうですね。

オンラインワークショップのほうが、現場の人たちが踊る

伊藤　それからもう一人、Zoomで入っていただいているのが、ダンサーで振付家の砂連尾理さんです。

砂連尾　よろしくお願いします。

伊藤　私が砂連尾さんのダンスを拝見したのはもう十五年前ぐらいですかね。そのころは、寺田みさこさんというバレエダンサーとデ

ュオを組んでいらして、ステージでかっこいいダンス……あの、簡単に言うと（笑）……を踊られるダンサーというイメージだったのですが、そこからどんどん変身していったという印象を持っています。最近はZoomを使いながらワークショップもいろいろやられていますよね。

砂連尾　この十年ほど、舞鶴の特別養護老人ホームで、老人の方と月一回ワークショップをしています。それが、コロナで行けなくなったので、入居者の老人の方と職員の方を交えて、オンラインでのワークショップをしたりしています。

伊藤　やられてみてどうですか。

砂連尾　やっぱり、ダンスの一方の持ち味である「その場を共にする」ということができなくなった……なんて言うのかな、「そこにいるな」という感じはないんです。

　ただ非常におもしろい現象が起きているなと思うのは、その場にいたときには、ある老人に接していたら、ほかの老人の方は「自分は今見てもらってないな」と思うと、ボーッとしていることが多かったんですけども、Zoom越しに画面でやると、みんな「私を見てくれている」と思ってもらえて、アクティブに参加してくださるようになりました。

　もう一つ、僕が行かないことによって、職員の方が僕の体の補完をしようと……つまり、画面越しに「こうしてみましょう」と言ったことを、職員の方が僕の体に代わって、老人の方と一緒にやってくれるようになった。そういうこともあって、オンラインで接触がなくなったことによって、コミュニケーションが深まったという側面が一方でありました。

伊藤　おもしろいですね。職員さんの体が砂連尾化している、みたいなことが起きて……。

砂連尾　そうですね、不思議なもので、そばに僕がいたらちょっと緊張して動けなかったのが、距離があるからだと思うんですけど、ダンサーとして舞台に立てるなあと思うぐらい、職員の方が老人たちの前ですごく踊るんですよね。そのときに、ダンスというのは、特権的な体がやるものではなくて、媒介となって何かこれを伝えたいということが発生したときに、みんなダンサーになるんだ、と思いました。それが、踊りが持っている本質的な要素じゃないかな、ということも、あらためて知らされたというか。

伊藤　おもしろいですね。ありがとうございます。

実験1：「遠隔の触覚」落ち葉と湧き水

伊藤　それでは、具体的にどんな研究をやってきたのか、少しご紹介していきたいと思うのですが、一般的には研究というのは、普遍化していく、一般解を追求するものだと思うんですね。ところが、私たちが今やっているような、体に関する研究というのは、体はみんな違うので、しかも人間関係によって体の感じ方が変わるので、簡単に一般化できないようなところがやっぱりたくさんあるんです。

　なので、今日は「離れている」ということを三人で考えた成果をお話しするのですが、やっぱりそれはこの三人の中で生まれることで、必ずしもすぐには一般化できないと思うんです。ただ、聞いているみなさんが、何かさまざまなヒントを発見して使っていただけたらな、というふうに思っています。

　私たちはこれまで四回実験をやってきました。具体的にどんなことをやったのか、動画にまとめています。最初の動画は、仮のテーマを「遠隔の触覚」と名付けています。そこには二つの実験が入っていて、一つは中央線の西国分寺の近くに「姿見の池」と「お鷹の道」というとても歴史のあるとこ

5	1
6	2
7	3
8	4

実験1

落ち葉と湧き水@姿見の池、お鷹の道（西国分寺）

1. **さえ**：ああなんか、むちゃむちゃ、葉っぱだ。
2. **砂連尾**：なんか、そんな、ね、期待ばっかりに応えるのもなんだしねえ。
3. **砂連尾**：ふうー。
4. **さえ**：水面を上から「パシャン」って叩いてみてくれますか。
5. **砂連尾**：見える？ 飲んでるの。
   さえ：見える。

6,7,8. **砂連尾**：なんか、こういう感じだよね。

ろがあって、そこに湧き水が流れているんですね。その湧き水のまわりを散歩したり、湧き水を飲んだ感触をさえさんに伝える、ということをやりました。

自分の喉に落とし込んで、触覚を感じる

伊藤　さえさん、まず、OriHimeを介して見えている情報というのは、基本的にこの顔に付いているカメラからということですよね。

さえ　はい。目と目の間の黒い点がカメラで魚眼レンズが入っていて、視界的には人の片目くらいの視野は見えるような感じです。

伊藤　首も動かせて、見たい方向は見られる。それと、手が動かせるけど、直接の触覚はない状態ですよね。

さえ　はい（OriHimeうなずく）。

伊藤　触覚がない状態で、それをあえて今回実験したわけですけれども、一番衝撃的だったのは、湧き水のシーンだったと思うんです。お鷹の道の湧き水を砂連尾さんが飲んだ瞬間に、さえさんが「喉のアップを見せて！」と言ったんですよね（笑）。それに、すごくびっくりして。私たちは、水の感触を伝えようと思っていたから、言葉にしなきゃとか、水面をよく観察させなきゃ、みたいなことを思っていたのに、「喉を見せて」というのは思いつきもしなかったので。そのとき、どんな感じでしたか？

さえ　一回目の実験だったので、私も手探りで、はじめは、砂連尾さんにお水の感触をダンスで表現してもらったり、手ですくったお水を見せてもらったり、視覚から情報を得ようと思っていたんですけど、お水を飲んだときの喉の反射とか、生理的な動きのほうが、自分の中で情報量がやっぱり多くて。

　で、砂連尾さんや亜紗先生の喉の動きと、自分の今まで飲んできたお水の景色とか、そういった想像力を総動員して、それを合わせて自分の喉に落とし込む、みたいな感じの触覚の感じ方が、そのときは一番しっくりきたというか。

伊藤　うんうんうん。硬いお水だったら、飲むときにちょっと抵抗感があるだろうし、すごく冷たかったら、なんかこう「きゅん」となってたりするだろうし。スーッと入っていく感じだったら、柔らかくて、そんなに冷たくない水なのかな、とか。ついやってしまう生理的な反応というのを介して、じつはすごく触覚が伝わっていた。で、それをさえさんが今「自分の喉に落とし込む」と言ったその表現が衝撃的だったんですけど（笑）。さえさんの喉に置き換えているというか……。

さえ　はい。

能動的な動きよりも、生理的な反射のほうが情報量が多い

砂連尾　今お話を聞いていて思ったのは、振付家から振りをもらうときって、ほぼ今のさえさんと同

じで、前で先生がやっていることを、自分で動いて、その振りを体に「落としていく」ことで、イメージになったり、体感がいろいろ増えていくんですよね。

　さえさんが今言ったように、自分が今まで生きてきた中でのイメージを総動員して、「あ、こんな感じで今踊ったらいいのかな」というふうにしていたのかもしれないです。

伊藤　砂連尾さんが、あの水の感じを全身で、ダンスで表現してくれたときに、それを鑑賞する私たちが、もう目で鑑賞していないんですよね。喉で鑑賞しているという感じがあって。「ダンスを喉でわかる」ということが起こるんだ、ということに、すごくびっくりしました。砂連尾さん、喉を意識したダンスって、今までやられたことがあったんですか。

砂連尾　いや喉はさすがになかったですね（笑）。亜紗さんが見ていたのは、僕の手の動きだったり体の動きだったと思うんですけど、その視覚をあらためて喉で味わう、みたいな、そういうことが起きていたのが非常におもしろかったですね。

伊藤　さっき、さえさんが、能動的な動きよりも、じつは生理的な反射みたいなことの情報量が多いと言っていて、たぶんダンスの中にもその問題ってあると思うんです。やろうと思ってやっていない動きのほうが、じつは、体を超えたものが伝わるというか。自分が媒体になるような感じ、その辺は、ダンスから見たとき、どうですかね。

砂連尾　よく即興や、あるいは最近だとＶＲ（バーチャル・リアリティ）を見ていて思わず動いてしまっている動きに、むしろ見入っちゃうみたいなこととも、すごく似ていると思います。「こういうことを表現しますよ」というよりも、そこには集約できないようなな、むしろあんまり意識しないで動いてしまっているものに、ある種のリアリティや実感、今回で言うと触覚的なものがけっこうある。そういう体の豊かさに、僕自身よりいっそう気づかされているというか、もっとそこを見ていきたいと思います。

身体感覚に耳を澄ませてくれる、という信頼

伊藤　さえさん、現地にいる人の反射的な動きを感じるときに、伝わりやすい人と、伝わりにくい人がいるのかなと思うんですけど、その辺ってどうですか？

さえ　あ、それはすごくあります。何が違うのかというのは、ちょっと難しいんですけど、砂連尾さんと亜紗先生は、最初から私の身体感覚に信頼を置いて接してくれて、それが私の中では、うまく言えないんですけど、すごく信頼感につながっていて。先日、OriHime で、仲のいい人とガラス吹きの体験に行って、その場でその方にガラスを吹いてもらったんですけど、「あ、今砂連尾さんいればいいのに」って思ったんですね。

伊藤　ふふふ。

さえ　だからたぶん、そういう触覚的な面で、私はすごく砂連尾さんを信頼していたんだ、ということに、こないだ初めて気がつきました。

伊藤　だんだんどっちが分身だかわからなくなるというか、砂連尾さんが分身ロボットなんじゃないかという気がしてきましたね（笑）。

砂連尾　そこは僕ももっと聞きたいなあと思います。僕、実際にさえさんとお会いして場を共にしたことはないんですよね。OriHime やZoom 越しでしか接していないのに、信頼が生まれるポイントって、どういうことなんでしょうね。

さえ　説明するのがすごく難しいのですが、私は OriHime を二年半ずっと使ってきて、OriHime の「そこにいる感」というものをすごく体験してきたんですね。今までは私が病気で外に出ることができなくて、なかなか人と出会う機会もなかったけれど、OriHime が

「存在」をそこに運んでくれて、相手が私を認識してくれて、で、中にいる私に会いたいと思ってくれることが、「信頼感」だとずっと思ってきました。
　そういう形の信頼もすごくあるなとは思うんですけど、亜紗先生や砂連尾さんと実験して思ったのは、すごく、私の中の身体感覚に耳を澄ませてくれる。そういった部分での、身体的な……関わりと言うのかな、遠隔で触覚を伝え合う関係性から生まれる、社会的なつながりとはまた違う信頼みたいなものを、今回一連の実験をやっていて、すごく今感じています。

揺さぶり合っている関係

伊藤　砂連尾さんとさえさんのやりとりを見ていると、「ここ押したらさえさんどういう反応するんだろう」とか、「ここ押したら砂連尾さんどういう反応するんだろう」みたいな探り合いがすごくある気がして、それが一見すると、全然親切じゃない関係に見えるんですよね（笑）。
　さっきの動画の最初のところも、砂連尾さんがゴロンと落ち葉の上に転がるときの流れは、「そんなさえさんの言うとおりには動きませんよ」みたいな感じで、砂連尾さんが勝手に動き出す。さっき、生理的、反射的な情報がすごく重要だという話があったんですけど、じつはその背後には、その信頼をつくり出すような、お互いの、ある種の駆け引き、探り合いみたいなものがあって、そこがすごく重要だったんじゃないかなと思うんです。
　砂連尾さん、全然親切なOriHimeの運び手じゃないと思うんですけど（笑）、その辺、いかがですか。

砂連尾　ああー。僕はほかのOriHimeの運び手さんを拝見したことはないんですけど、でも老人施設に行っても、いわゆる「ケア」の文脈からすると、「それやっちゃいけないよ」ということをよくすると言われます。たとえば認知症の方と一緒に踊ったときも、背後から目を隠すような動きをしたりとか、何か、その人が予測していないことをついついやってしまうところがあって。
　でもそれは暴力的にいじめようとかいうこととは全然違って、今回も一回くるくるっと枯葉をさえさんの目の前でやったあとに、ゴロゴロ寝転がるという、こういう予測していないことを見たときに、さえさんの体にどんな揺れが起こるんだろうか、ということに非常に関心があって。そういうふうに、このOriHimeとの関わりの中でも、ていねいに扱いすぎないというか、むしろそこをちょっと越境して何か揺らせないかな、みたいなことは、すごく意識していたような気がします。

さえ　そうですね、はじめは、「なんで砂連尾さん、こんなに私の言うとおりに動いてくれないんだろう」って思っていました（笑）。

伊藤・砂連尾　（笑）。

さえ　はじめはたぶん、お水を飲んだり、枯葉を見たり、自分の体に心地がいい触感だけを私がすごく求めていて。で、二回目以降から回数を追うごとに、砂連尾さんの自由度が高くなっていくにつれ、OriHimeを媒体にして投げかけられる情報や刺激が、あらゆる方向から来るようになって。
　心地がいいものだけが触覚ということではなくて、そういう生理的な動作から、吐き気につながるようなことだったり、ちょっと自分がモゾモゾしちゃうようなことだったり、自分が求めるものだけじゃない感じ方をさせてもらえたというのは、毎回すごく新鮮で楽しいなと思います。

4	1
5	2
	3

実験2

爬虫類@はちゅカフェ(吉祥寺)

1. カメとご対面
2. **砂連尾**:ああ、お腹が柔らかいなあこれ。
3. **砂連尾**:うわー。丸い。
   伊藤:丸い。
4. チューブみたいな柔らかさ
5. 伊藤先生をのぼろうとするヘビ

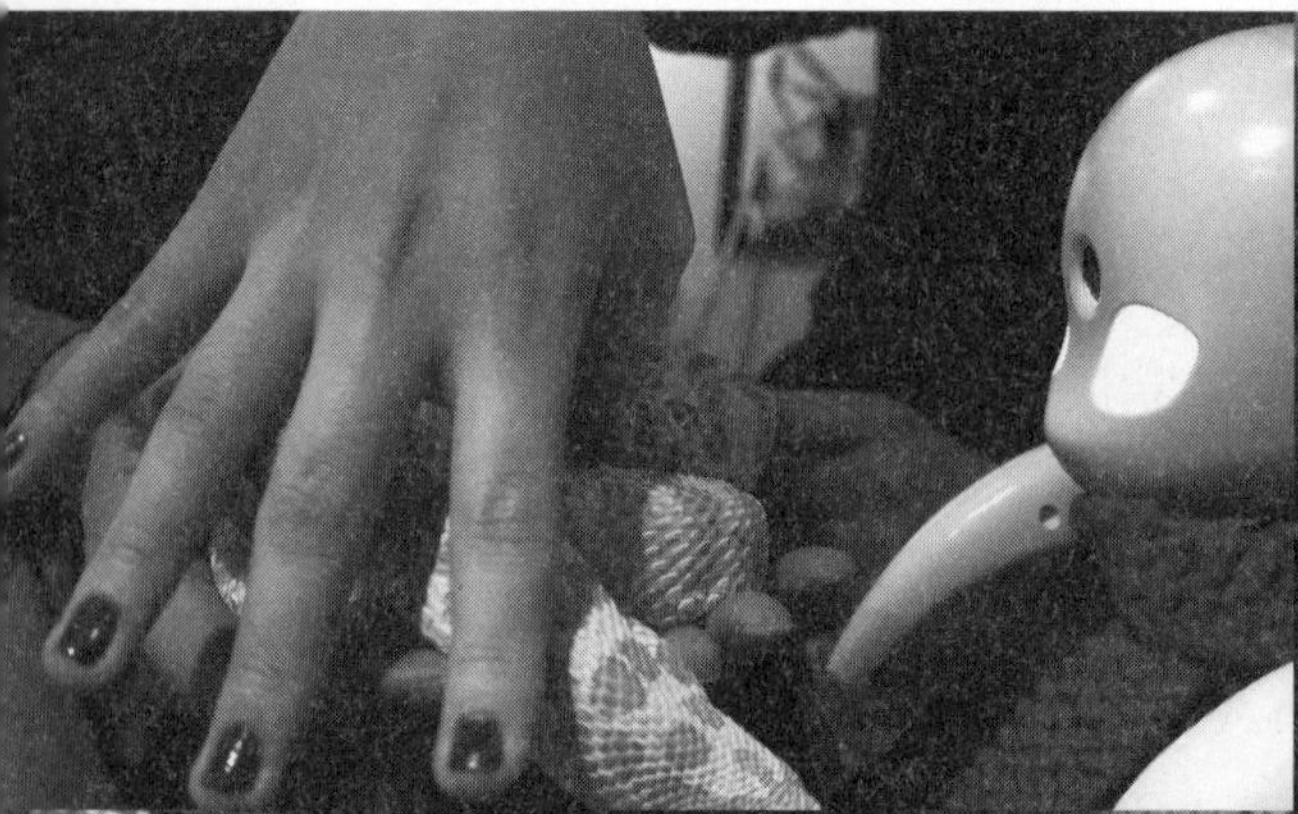

実験2：「遠隔の触覚」爬虫類

伊藤　次の動画は、さえさんが爬《は》虫《ちゅう》類がとても好きだということで、爬虫類カフェというところに行って、爬虫類の感覚をさえさんにどう伝えるか、伝えるというか伝わると言ったほうがいいのかもしれませんが、その様子をご紹介します。

「静」の触感から「動」の触感へ

伊藤　先ほどのお話にあった、想定外の方向から刺激がやってくるという意味では、爬虫類もけっこうすごい刺激になったと思うんですけど、どの辺が一番触覚的におもしろかったとかはありますか？

さえ　はじめは亜紗先生の、ふんわりと大切なものを持つ手のうつわ感みたいなものを見て、「ふわふわした柔らかいお餅みたいなヘビなんだ」と思って心地がよかったんですけど、いきなりヘビが動き出して活発になり始めて、亜紗先生の体中をまわり始めたんですよね。

そうしたら亜紗先生が「ゾワゾワする」と言いながら、ヘビに翻《ほん》弄《ろう》されて、普段絶対しないであろう体の動きをされていて、それを見て、私もそのゾワゾワがうつったみたいな、ちょっと気持ちが悪い感じになっちゃって。同じヘビなのに、手で持っている静の触感的なものから、翻弄されて思わずしてしまう体の動きで感じる触感に、だんだん変わっていったのが、すごくおもしろかったです。

砂連尾　あのヘビは、空気が抜けたタイヤみたいな、つぶれそうな感じがありましたよね。それをどう伝えたものか、といろいろ思ったけど、今さえさんの話を聞いていると、手で感じたものよりも、そこで感じたある種の「びっくり」とか「不快」とか、伝えようと思っていないことからくる情報のほうが、かえってさえさんの知覚を揺さぶっていたんだなと。

僕もたしかに横にいて、メデューサみたいにヘビが亜紗さんの体をまわり始めたときの、ヘビと一緒になってしまって動いている亜紗さんの肩なんかは、たしかにゾワゾワッとしました。僕よりもむしろ亜紗さんのほうが、すごい踊ってたな、という感じがしました。

伊藤　ほんとあのヘビは、人間を踊らせますよね（笑）。まったく予想がつかない動きだったので、自分でもやったことがない動きが引き出されてしまう感じというのは、すごくおもしろかったです。

OriHime に入っている間は電源が切れない

伊藤　もう一個、この回でおもしろかったのは、さえさんが「全部恐竜に見える」と言っていて。分身で行くと、遠くに行けるだけじゃなくて、ちっちゃくなれるんですよね。そうするとカメとかがパカって口を開いて来ると、自分がカメに食べられてるみたいな感じになる。それってけっこう、怖くないですか。

さえ　ちょっと怖いんですけど、でも冷静に考えれば、パソコンの電源を切っちゃえばいいはずなんですよね。

伊藤・砂連尾　（笑）！

さえ　でも、OriHimeに入っている間はそれができないというか。今日とかもすごく緊張してるから、逃げちゃえばいいんですよね、ログアウトして。

伊藤　あっははは！

さえ　それができなくて、やっぱり最後まで、気がつくともうOriHimeに入っている……だから、おもしろいんです。生身の体が、もしかしたらちょっとおろそかになっているのかもしれないと思うこととかもあります。

伊藤　ああ。そちらの安全よりも、ここに来ているというリアリティのほうが、強くなっている、という感じ……？

さえ　はい、私の中では行っている感じです。

伊藤・砂連尾　おもしろい。

実験3：「体を借りる」タコ焼き

伊藤　次の動画は、仮のタイトルで「体を借りる」と付けたものです。三陸のほうから取り寄せたタコをさばいて、タコ焼きをつくるのですが、もう一人登場人物がいて、その方は難波創太さんという全盲の方なんですね。その方が、料理についてのワークショップをできるようなスペースを持っているので、そこを借りてやりました。

途中で難波さんが、自分でタコ焼きをひっくり返したいと言ってくれて、さえさんが難波さんの手元を見ていろいろ指示を出して、それを聞きながら難波さんがひっくり返す、ということをやっています。

誰が誰を動かしているのか、わからない感じ

伊藤　やっぱりハイライトは、目が見えない難波さんに、どうやってひっくり返すのかを教えるところでしたね。最初は、「右三センチ」とか「もうちょっと一センチ奥」とか、みんなすごく丁寧に伝えていたんだけど、だんだんそれじゃ伝わらない、ということになってきて、最後は「ああーっ」「あっ！」「あっああーっ」みたいな感じで、純粋な声になっていった。それがもうおもしろくて、楽しすぎて、動画を撮っている人も爆笑してしまって全然うつっていなかった（笑）。

砂連尾　あれは、僕がOriHimeを持って、ちょっとさえさんの言

4	1
5	2
6	3

実験3

タコ焼き@るくぜん(三軒茶屋)

1. さえ:うわあ……。
   難波:すごい冷たい!
2. **難波**:だいぶぬめり取れましたね。
3. さえ:あーすごい。
   砂連尾:(ゆで汁の色が)ザクロ色だねえ。
4. さえ:あ! そこです!
   難波:この辺?
   さえ:もうちょっと入れていい。
5. さえ:もうちょい右……あれ? なんかおかしいな。
   伊藤:ふふふ。
6. さえ:手首だけ、くるんって回す感じ。
   一同:おおおー! できたー!

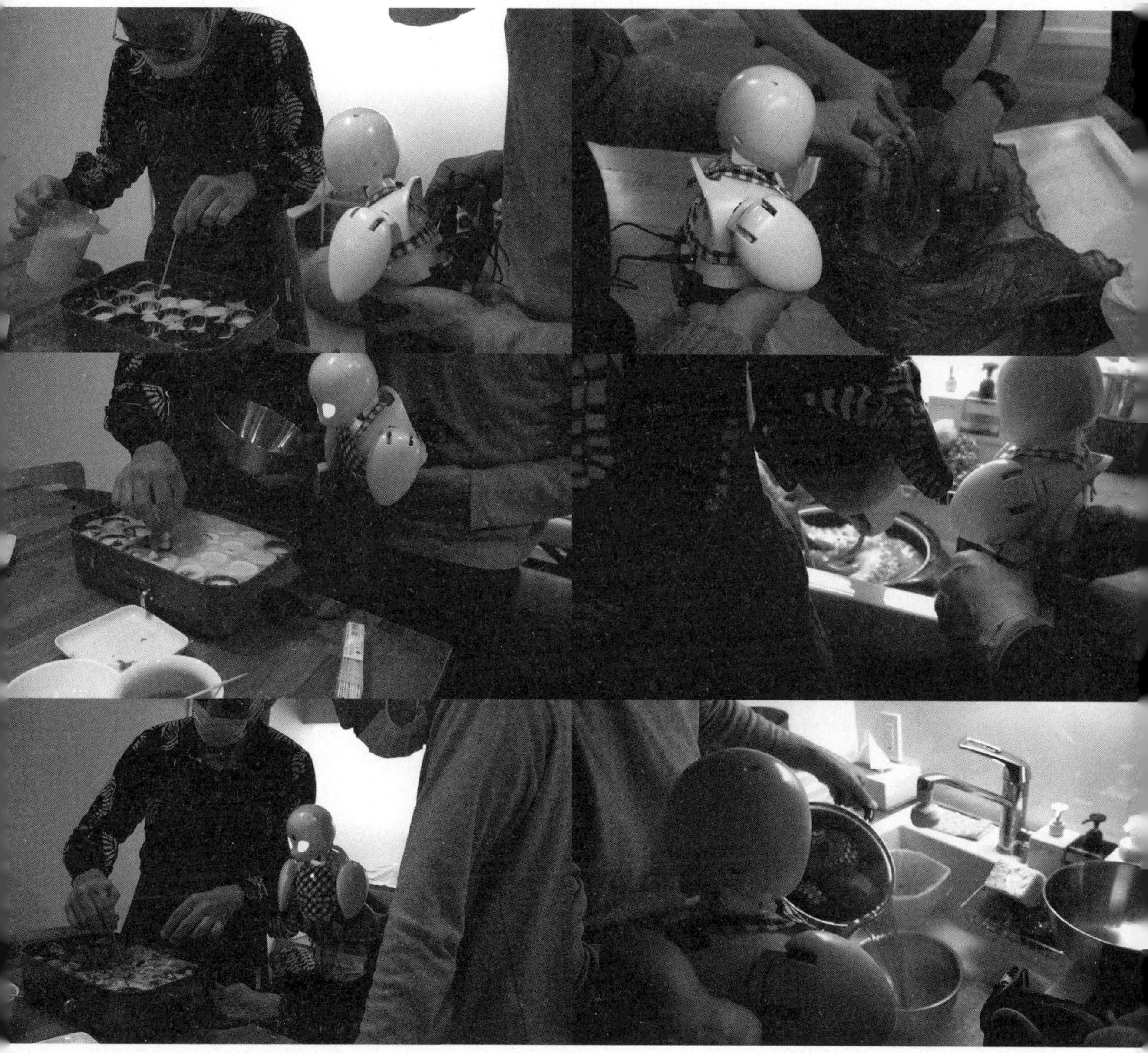

葉を補完するような役割というのかな。さえさんが「もうちょっと右で」と言っても、OriHimeの目線から見えている位置と、難波さんの手の位置がちょっとズレるので、そこを僕が「あああ……」とか「お、お、お、お……おう、おう！」（と言いながら体を動かしている）みたいな、むしろコンタクトしてしまうみたいな感じでした。さえさんと難波さんの間で揺らされる僕、みたいな。

伊藤　へえぇー！

砂連尾　メディアがまた分割されていくというか。それによって、それまではさえさんと僕とか、さえさんの目の前にある人の体とOriHimeとさえさん、だったのが、さえさんとOriHimeと僕があって、難波さんというふうに、伝達ゲームのようにより広がっていって、三人もしくは四人でダンスをしているかのような感じで。僕は、両方から振り付けられているみたいな感じのおもしろさがありました。

伊藤　うんうん。なんかちょっと祭りっぽいというか、砂連尾さんが、御輿《みこし》みたいな感じだったのかなあ。誰が誰を動かしているのか、もうよくわからなくなるような、そんな感じでしたよね。

制限があるからこそ、おもしろい状況が起こる

さえ　私、あのタコ焼きの実験をやるまでずっと、OriHimeから見える自分の視界とか空間感覚が、正しいと思っていたんですよ(笑)。

伊藤・砂連尾　(笑)。

さえ　それで、難波さんの視覚の代わりに私がなると言って、難波さんに、言ったとおりにやってもらったら、「あれ？　うまくいかないぞ」となって、砂連尾さんが後ろから「あ〜」とか声を出して。

うまく言えないんですけど、難波さんも視覚的な部分が欠けていて、私もOriHimeを通した部分の認識が少しズレていて、そこに砂連尾さんが加わって、その場の空間感覚を共有して、スポーツをやっているみたいな気持ちに私はなっていて、それはすごく楽しかったです。

伊藤　そうか。OriHimeだと微妙に魚眼だからちょっと歪《ゆが》むんですかねえ。

さえ　そうみたいですね。意外とズレがあるんだなっていうことに気がつきました。

伊藤　完璧に情報が入らなかったり、手を動かせなかったり、行けなかったりする、制限があるからこそ、体が誰のものだかわからなくなるようなおもしろい状況が起こるのかな、という気がしますね。

実験４：「体を借りる」化粧

伊藤　もう一つは、さえさんがいつもやっているようなメイクを砂連尾さんにする、そういう実験をやりました。

メイクで、空気感を移植できた

伊藤　やっぱりこの実験でも「制限されている」ということが、この分身にとってはすごく大きいことなのかな。

さえ　そうですね、でもそれがあんまり悪いことだとは思っていなくて。生身の体だったら、あんなに砂連尾さんの顔に近づいて「もっとキワまで」とかできないと思うんですよね。制限があるからこそ、近づけたり、感じられたりする部分というのは、意外とあるんじゃないのかなと、実験を通してすごく強く思いました。

砂連尾　制限があるからこそ遊べるというのは、たしかにある気がしますね。ダンスの授業って、絶対その場にいないとやりづらいと思っていたんです。でもオンラインになって、大学一年生の授業は比較的ダンス未経験者も多い中、

4	1
5	2
	3

実験4

化粧@未来の人類研究センター

1. **砂連尾**：これぐらい……もうちょっと？
2. **さえ**：あれ？ もっとキワでもいける気がするんです。
3. **砂連尾**：こういう感じ？
4. **さえ**：近いかもしれない。
   砂連尾：うん、なんか……。
5. **さえ**：笑うと違いますね。
   伊藤：笑い方が違うよ、いつもと。
   砂連尾：あ、本当。

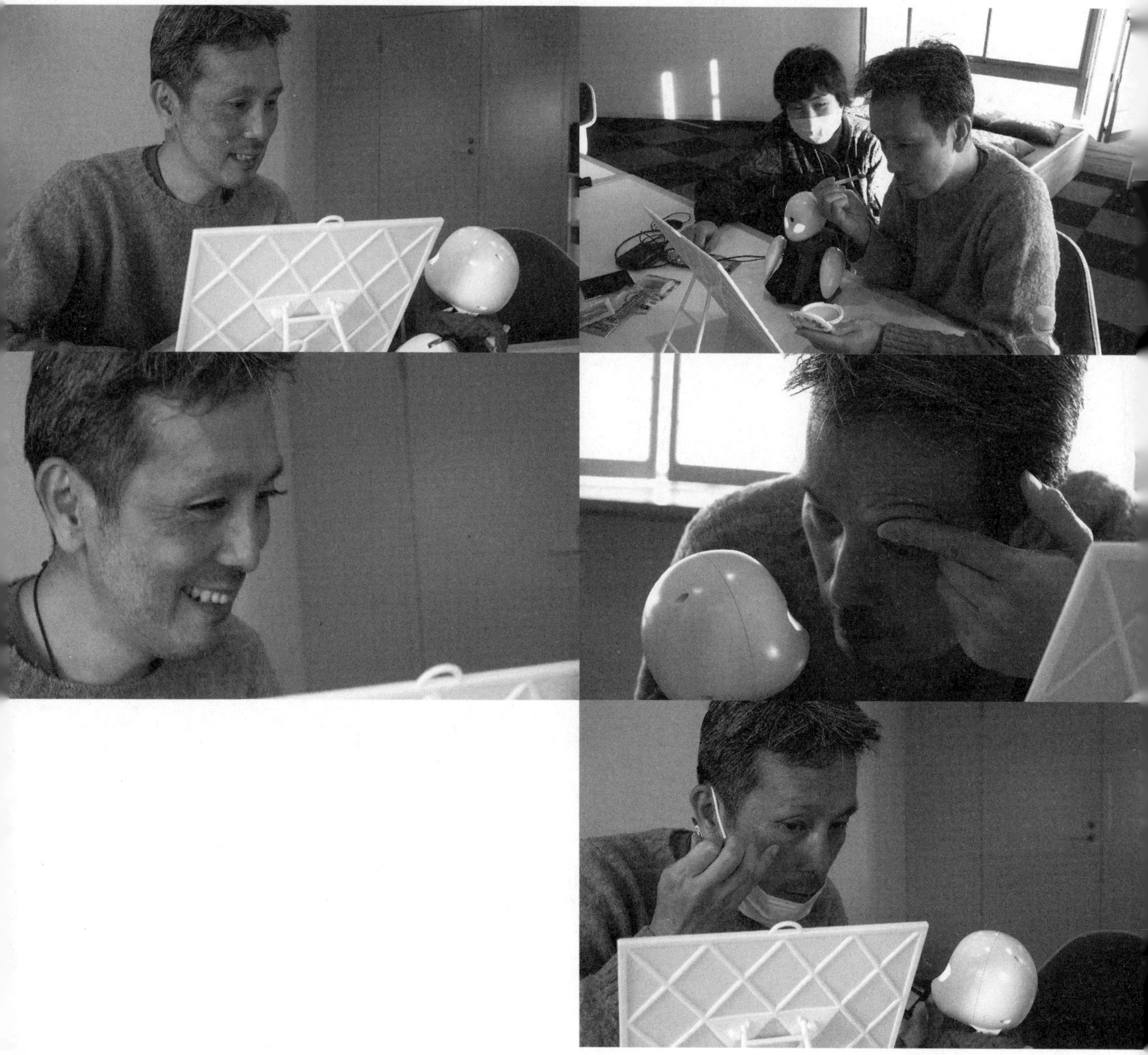

僕が身近にはいないけど、画面上で手の動きとかを近くで見られるというのと、あと、そばにいないから踊れる、という学生がけっこう多かったんですよ。

伊藤　ふんふん。

砂連尾　ある学生なんかは、見られるのが恥ずかしいからと言って、画面を完璧にオフにしてやっている。でもリアクションペーパーを見ていると、そういう子が「すごく踊れた」と書いていたり。意外と制限があることによって、踊れる体、あるいは接近できる体が獲得できるんだろうなと思いました。メイクの実験も、たぶんその場にいたら、さえさんがあんなに接近してやられることはなかったと思うんです。

あと化粧に関しては、映像を見ていても、僕の顔が「え、こんな顔してたんだ」みたいな、見たことのない笑顔をしているなあという、さえさんによって僕自身が変身させられていったというふうに、すごく思いました。

伊藤　さえさんと砂連尾さんは、顔の物理的なつくりも違うわけで、でもさえさんが、メイクを、振り付けるというか、教えていくという中で、どうしてあんなに砂連尾さんは変身しちゃったのかな。ちょっとね、怖いくらいだったんですよね。「どう？」みたいな感じで、声色とかも変わる感じで。

砂連尾　やっぱり顔を描くというのは、自分じゃない体にちょっとなっていく。それに対して、これの責任者は今さえさんだから、というう、まるっと投げ出しているわけではないんだけども、お任せしよう、と。初めて振り付けられた、あまり踊り慣れていない踊りだけど、さえさんのそういう振り付けだから、と安心して、自分が全部責任を負わなくてもいいかなと思える気楽さで、ああいう顔になっていったような気がしますね。

伊藤　たしかにすごくポワーンとしていましたよね。

さえ　はじめは砂連尾さんの手を借りて、厳密に私のメイクを再現してもらおうという気持ちで始めたんですけど、それよりも、砂連尾さんがメイクをし終わって、あのポワーンとした笑顔になったときに、あの顔が、私が普段メイクが完了したときに、鏡の前でいったんつくる顔だったりするんですよ。メイクが終わってちょっと変わった自分みたいな、そういう空気感がそのまま砂連尾さんに、うまく遠隔で移植できたみたいな感覚でした。

伊藤　空気感かー、なんかおもしろいですね。メイクで目の輪郭がハッキリしたとか、単なる視覚情報ではなくて、その人の内側と、それが外に出てきた状態みたいなものも、遠隔のところに運べるというのが、メイクを通して見えた感じがして。それはすごくおもしろい発見だったなと思います。

体を取り戻すためのダンス

伊藤　次の動画が最後なのですが、これは私たち三人の実験というよりは、今回の研究が始まる前から砂連尾さんの中でずっと持っていらした「ここにいない人と踊る」というテーマがあって、そのテーマとこの実験が砂連尾さんの中ですごくリンクしているそうです。これはコロナの中でも大きなテーマですし、そのあたりのお話、聞かせていただけますか？

砂連尾　僕自身がダンスを始めたのが、十九歳になってからで、どう踊ったものか、ということがずっとわからないまま、やってきたんですね。自分が憧れたこのダンサーになろう、とかいうことよりも、受験戦争をはじめとする競争社会で疲弊している体をなんとか取り戻せないかな、と思って始めたんです。自分がもっとも敬遠していたものがダンスだったので、ここに何かヒントがあるんじゃないかなと思いながらやっていたところがあります。

最初は、誰かと踊るということから始めて、デュオを十六年間、そのときは、バレエとか、いわゆる西洋のコードの身体と関わることで、何かわかることがあるかなと思ってやっていました。そのあとたまたま、障害のある方、その次に老人……どちらかと言うと、ダンスのコードから外れた方と一緒に踊るということをやってみて、じゃあ踊る、あるいは自分が生きる、存在するってなんだろうなということを考えている途中で、一緒に踊りをしていたある老人の方が亡くなられたんです。

一緒に踊った人ともう踊れなくなって、その人と踊った記憶のままに、全部一人でやってみようと思ったんです。それまで、ソロダンスというのは、自分の感じていることを表すものだと思っていたんですけど、自分と踊った人の経験を伝えるためのダンスでもあるんだな、と。それが二〇一六年だったんですけど、その年にたまたま父がガンになって、二年半ぐらいの闘病生活の後に、二〇一九年に亡くなってしまって、父のあとを追うように母も旅立ったんですね。

二〇一九年の夏ぐらいから、そういう喪失感があった中で、コロナがあって、私個人的には亡くなった両親のことを考える時間が多くて。そんな中で、たまたまオンラインで毎月いろんな人と話し合ってみましょう、という「コロナビールの会」が、二〇二〇年三月から始まった。その過程で、伊藤さんからさえさんをご紹介いただいたときに、両親のこと、あるいは今まで一緒に踊って亡くなった人のことを考えることと、さえさんとこうやって関わることが、僕にとってはものすごくつながったというか。

これは、ここにいない人、亡くなった人と触れ合うための、練習をしているんじゃないかなあと思うようになって。それで、さえさんと亜紗さんとの研究と並行して、両親の写真の前で踊るということを、多くの人に見せるというよりは、自分の何かしらの心の整理をするための作業として映像作品としてつくったので、もしよかったらそれをちょっと観ていただけたらと思います。

> 実験5：
> ここにいない人と
> 踊るためのエチュードIII
> 会えない人と踊る

実体がいなくても存在にふれられる

伊藤　なんか、簡単に言葉にしちゃいけないような感じもするんですけど、あえてちょっと語るとすれば、去年の秋に『手の倫理』という本を出してから、いろんな感想をいただくんですけど、その中でやっぱりとても多いのが、手の記憶の話なんですよね。

手の記憶ってものすごく残るもので、とくに障害関係の研究をしていると、その人の体にさわる機会がけっこう多いのですが、そうするとそのさわった感触が二日か三日ぐらいずっと残って、手が火《ほ》照《て》っているみたいな感じになるんです。

西村ユミさんの『語りかける身体　看護ケアの現象学』という本で読んだお話ですごく印象的なことがあって、植物状態になった方の看護をしていた看護師さんが、その患者さんが亡くなってからすごくその人の体の感触を思い出すそうなんです。「なんでこんなに思い出すんだろう」と考えて思ったのが、その人が生きているときは、植物状態だから明確な反応もなくて、自分が一方的に看護をしていると思っていたけれども、じつはその人に自分は体をさわられてもいたんだ、と。たとえば、体位を支えるときとかに、その人もちょっとがんばろうとしていたことが、感触として、「私の手に対する思いみたいなものとして残り続けてるんじゃないか」という話があって。

ここにいない人と踊るためのエチュードⅢ

会えない人と踊る

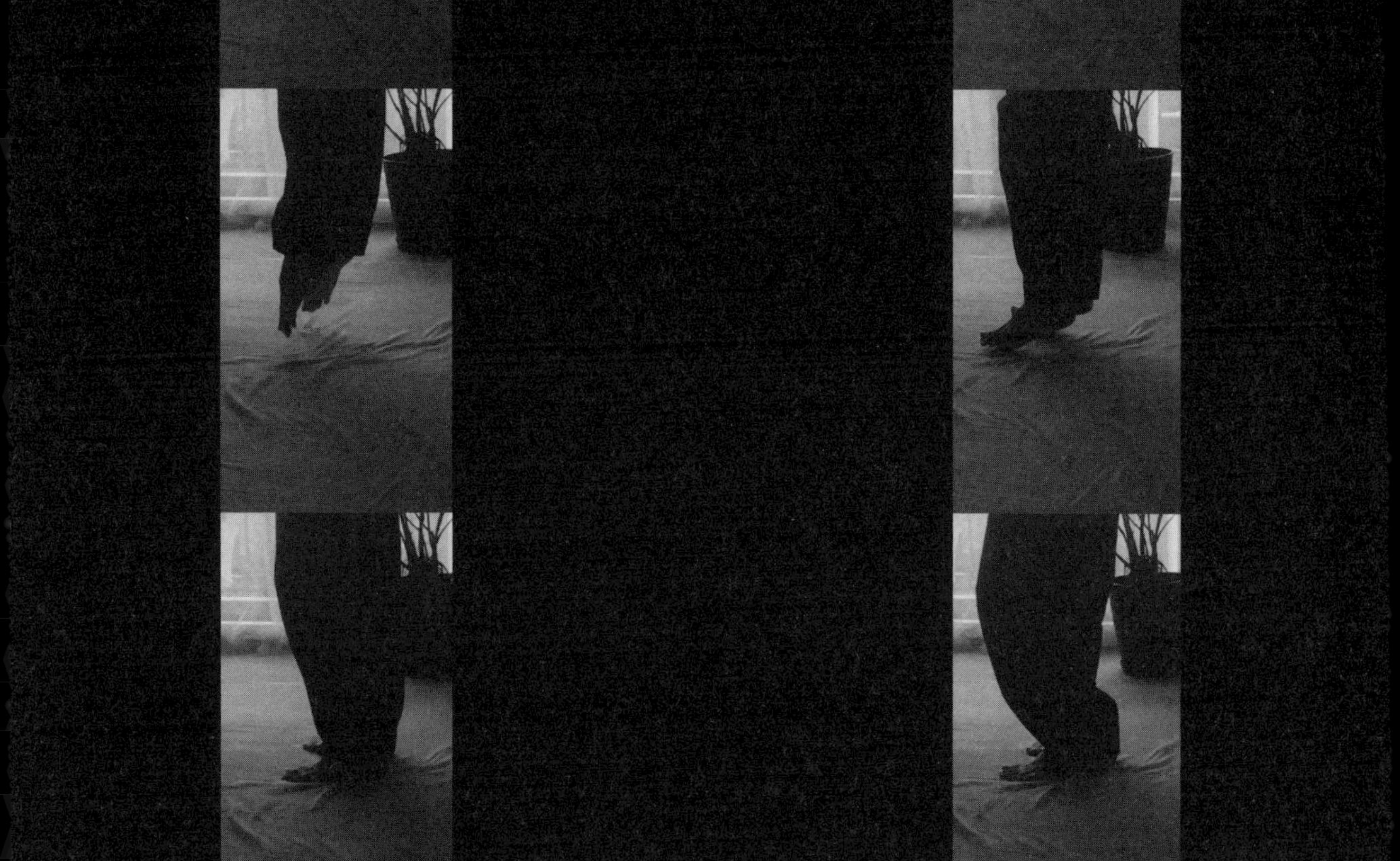

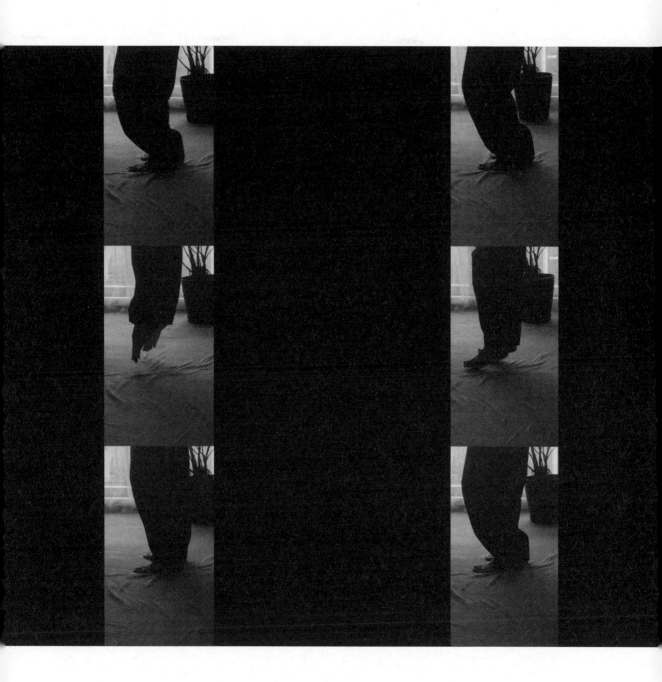

　触覚的な記憶はとても残るもので、それを介して、亡くなってからも人間関係が続いていくだけじゃなくて、変化していく、ということを語られていて。さっき砂連尾さんが、一緒にダンスをしていたお年寄りが亡くなって、その人と踊った記憶で自分がダンスをしたときは、単なるソロではなくて、とおっしゃっていましたが、それは触覚の記憶を拡張していった形なのかな、と。そういったことがご両親との関係でも、いっぱい蘇《よみがえ》っているんだろうな、という感じがしたんですよね。

砂連尾　ああ、そうですね。不思議なもので、さえさんとの関係もそうなんですけど、会っていないからこそ存在を強く感じるというか。影同士とか、影と実在というのは、ふつうに考えたら絶対にふれられないんだけど、Zoom上でやっているときに、ふれているような気持ちになるんですよね。不思議なくらい。

さえ　私自身、コロナになる前から、あまり外に出ることができなくて、ずっとうちにいるとやっぱりその……OriHimeと出会う前は、存在を誰かにふれてほしいとか、そういったことをすごく強く思って、ずっと生きてきたので、今OriHimeを使って、そこにいる人に存在を認識してもらって、「一緒にいる感」みたいなものを感じてもらえて、その時点でもう私にとっては、すごく大きい心の中の変化というか、遠隔での可能性をすごく強く感じています。

　砂連尾さんとか亜紗先生と、触覚を軸にいろんなことをしていくうちに、ふれられないけどふれられる、というか、そこに実体がいなくても存在にふれてもらうことはできるのかもしれない、というのをすごく思っています。

　それはさっき砂連尾さんがおっしゃっていたように、相手の感覚とか、相手の存在に思いを馳せることが、生身で会っているときよりも、頭の中で増幅されてゆくのかな。そういう気持ちが強ければ強いほど、信頼関係だとか、存在のつながり？　みたいなものの強さに結びついていくのかなって、お話を聞いていて思いました。この実験自体はまだ途中なんですけど、そういった可能性や、気持ちのつながりをどう深められるか、これから考えてみたいなと思いました。

伊藤　すごいことですよね、私も物理的なさえさんの体にはふれたことはなくて、お会いしたことがないんだけれども、でも存在にはふれることができたかもしれなくて、それは別のことなんですよね。「実在にふれる」というのと「存在にふれる」というのはね。

先人たちの体の動きを体に入れる

伊藤　ただ、亡くなったご両親にしろ、そこに実在しない人の存在にふれるというのは、ひとりよがりになってしまう危険もあると思うんです。すごく残酷な言い方をしてしまうと、そのふれているということ自体、そもそも自分が勝手につくっているイメージかもしれないわけですよね。

　もちろん、そうしたイメージも含めて、思いが、生きていくうえで重要なものだし、必要なものだというのはわかるんだけれども、ふっと自分がつくったものなんだ、ということを意識してしまわないのかな、と。その感触を信じられる、最後の……ぐっと入り込む力ってなんなんだろう、というのが聞きたいんですよね。

砂連尾　そうですねえ、なんかね、ほんとに不思議なことに、こういう画面上での関わりしかないようになってからのほうが、じつはメソッドのトレーニングをするようになったんですよ（笑）。

伊藤　へぇえ。

砂連尾　今まで、モダンダンスから始まって、バレエをやって、そのあとに合気道を始めて、ヨガやって、ちょっと太極拳、気功みたいなことをやって、それは今まで舞台上で人に見せるには、そういう体が必要なんだなという思いだけでやっていたんですけども。

最近は、合気道の練習も、いちばん最初につくった植芝盛平（編注：合気道の創始者。一八八三－一九六九）の体や言葉が形になってこうなっているんだ、とか、バレエも、バレエをつくってきた古《いにしえ》の人からずっと継続されてきたいろんな声、いろんな体が集積されて、今こういう形になってるんだ、と思いながらやるようになって。この体は、自分の体でありながら、もう一つ他者の体をぐぐっと入れていく、体の多重性というか。

それが、入り込みながらも、そこだけで変に自己満足しないための体みたいになっているのかな（笑）。そんな感じのものすごいバランスの中で「ふれにいく」ということをやっているような気はしている……かな？

それはまだ証明できることでもなんでもないんだけど、たとえば僕とさえさんの中だけじゃなくて、僕のこの体はなんかその……いろんな体の人の知恵や何かがとりあえず入り込んでいて、その状態で、そこに入っていく、ということをしているのかな。没頭していく自分を信じながらも、どこか自分に対してすごくクールにもなってるような部分がある気がします。

伊藤　おもしろい……！　ほんとに分身化している感じですね。どんどんOriHimeになっていく感じがして（笑）、OriHimeと体の違いって、じつはそんなにないのかもって、思えてきますよね。

ディスカッション

ゲスト

さえ

砂連尾理

未来の人類研究センターメンバー(当時)

伊藤亜紗

中島岳志

若松英輔

死者だらけの中に今いる、という感覚

中島　ありがとうございました。僕と若松さんはこの十年ずっと、死者という問題を論じてきました。先ほど伊藤さんがおっしゃられたように、「実在にふれる」と「存在にふれる」の違いということ。亡くなってから存在にふれていく、あるいは、よりその関係性が深まっていくということが、往々にしてというか、十分にある。それを、多くの人は実感として経験してきていると思いますし、私はそれを、思想的、哲学的に位置付けられるものではないか、と考えてきました。

　ただ最近、「ああ、こういうこともあるのか」と思ったのは、自分にとって亡くなった人の存在にふれるというのはこれまで、大切で親しい、二人称の人の死だったんですよね。けれどこの一年、ずっとあるのが、コロナで亡くなられた岡江久美子さんの死なんです。僕は、岡江さんとまったくお会いしたこともなくて、ただ一方的に「はなまるマーケット」という番組が、実家でついてることが多かったというぐらいで、亡くなるまで意識したこともなかった。それが、亡くなってから、彼女の存在が、自分の日常の中にすごくあったんだ、ということに気づかされて、時折、リモコンを持ったときにふっと感じることがあるんです。

　これは自分にとっては新しい感覚で、それが先ほど砂連尾さんがおっしゃっていた「会ったことがないがゆえに存在にふれる」という問題と、何かリンクしているのかな、と。そのあたりは、実感としてはどういうふうにお考えでしょうか。

砂連尾　そうですね、先ほど話に出た、合気道の創始者の植芝盛平にも、会ったことはないんです。ただ、実際にやったことがある人がこの形をつくって、今それを受け継いでるんだ、と思ったときに、やったことがない技を、こんな感じかな、というふうに追体験するようなことがあって。

　それは、拡大して言うと、たぶん「会ったことがない死者の存在が増えた」。知らない死者だらけの中に今いる、という感覚が増えて、もうちょっと言うと、人ではないけど、木はちゃんと僕を見てるなあとか（笑）。何か環世界に、自分の感覚が少し広がってきたような感じがすごくします。

私たちは、存在でつながっている

若松　さっきさえさんが、「存在にふれる」とひと言おっしゃいましたけど、本当にそれは、さえさんの生涯を、何か一瞬にして、とても深いところで教えていただいたという感じがして。そこでちょっと胸を打たれたんですけどね。「存在」という言葉の「存」というのは「時間的にあること」。で、「在」は「空間的にあること」だと言われているんですよね。私たち現代人は今、「存在する」という言葉を、空間的にある、という意味で使っていますけど、もともとは「時間的」、すなわち「永遠」の世界とこの世界に両方ともある、というのが本当の意味なんですよ。

　だから死というのは、私たちに存在を隠すものではなくて、より存在を明らかにする出来事なんだ、ということが言えると思うんですね。で、「死」というのは、遠くに行くことではなくて、私たちの傍にくることなんだ、ということも、その経験のある方はなんとなくおわかりだと思うんです。

　私たちが死者たちを探すときに、一番最後に探すのが傍らなんですよね。このことが私たちをときに苦しめる。私たちは死者が遠くに行ったと思うから遠くを探す。しかし遠くに行っても目に見えることもふれることもない。だけどもある日、自分の傍らにずっといた、ということに気がついた

ときに、その人の人生が変わってくる、ということだと思うんです。

　今、砂連尾さんがおっしゃったように、さえさんもそれは感じているんだと思うのですが、私たちは接触でつながっているわけではなくて、存在でつながっているわけですよね。

　目の前のことだけじゃなくて、その人が今まで生きてきた過去も、その人が生きていくであろう未来も共有できるというのが、とても大事なんだと。歳を重ねてくると、それが生死の境を超えて起こるということは、日常になってくるような気もいたしますね。とても大事な時間をいただいて、ありがとうございました。

さえ　胸がいっぱいになってしまって。ありがとうございます。

直接行っていなくても感じる、その場の空気

中島　若干話が軽くなってしまうかもしれませんが、これは人との関係だけではないかもしれないな、と思うんです。僕は三十代の十年間、北海道に住んでいて、札幌から新千歳空港の間のエアポート快速に、ものすごくたくさん乗ったんです。
　東京に住むようになってから、YouTubeで、電車からの景色を流している映像をかけながら原稿を書くときがあるのですが、札幌から新千歳空港へ向かう映像はそんなに見たくないんですよ。けど、新千歳空港から札幌に行く映像が心地いいんです。「あ、札幌に帰ってきた」というほうは、ドアが開いた瞬間の「プシューーー」という空気まで感じるんです。いろんなものがそこから想起されてくる。それによって、離れたがゆえのその場所に対する強い愛着に気づかされたりする。
　さえさんにおうかがいしたいのは、空間が……自分が直接行っていないにもかかわらず、行っていた感覚よりも近いと感じるときというのは、あったりされますか。
さえ　はい、私、住んでいるのはずっと関東地方で、大分、九州とかは今までに一回も行ったことがないんですけど、先ほどもお話ししたように、先週ちょうど、大分でOriHimeでお仕事をしたら、そこに実際生身で行った空気、というよりは、そこで接した人とか風景とか、そういったもので、自分の中での大分ができあがっていて、「私は先週大分に行って仕事をしていたんだな」と思い出すことがあるんですね。
　なので、体感的にどうかというのはちょっと難しいんですけれども、OriHimeでいろんなところに行くと、自分の体の中でのその土地の形だとか、空気だとかというのは、やっぱりその土地々々で感じることは毎回違います。
中島　何か、匂いとかいろんなものを想起したり、ということは、あったりされますか。
さえ　匂いもやっぱり触覚的なものだと思うんですけれども、そういうものを感じるのは、前後の文脈だったり、周りにいる人たちの反応だとか気持ちを感じるときだったりします。たとえばラーメンがそこに置いてあって、匂いを感じてください、と言われたら、きっと感じないと思うんですけど、そこに何人か仲のいい友だちがいて、みんながおいしそうにラーメンを食べていたり、湯気が出ていたり、そういった風景を見て、きっと私は自分だけのそういった匂いだとかを感じるのかな、と思っています。
中島　おもしろいですね。ありがとうございます。

会っていないことの力

若松　僕には、手紙しか交換していない人、時々電話もくださるけど会わない人というのがいるんです。で、このコロナ禍の生活では、そういう人たちは、つねに僕の心の中にいて、それは会っている以上なんですよね。今まで私た

ちは「誰々に会ったことがある」というような話し方をしてきましたが、これは、完璧に変わってくると思うんですよね。

「会った」なんていうことは、存在とのつながりを確かめたことにはならなくて、私たちはその存在感覚みたいなことに対して、より鋭敏になってきたんだと思うんです。離れることで、やっと。

中島　そうですね。

若松　それを、育てていかない手はない、と思うんです。大学では「対面授業やりましょう」という話が出てきますが、今日の砂連尾さんのお話にあったように、求められているのは対面することではなくて、本当の意味で存在と存在がつながることなんですよね。

学びというのは、人の存在と存在を共に開いて、そこにつながりを生むことにほかならない、というのは、考えてみれば当たり前のことなんですけど、それを「対面」という現象的なものに置き換えると、本当に大事なものが見えなくなってくる、ということを、今日おうかがいしていて、あらためて思いました。

伊藤　私たち三人でこの研究をやっているのですが、もう少し大きな集まりがあって、それは、さっき砂連尾さんの話にも出てきましたが、コロナになってからつくった「コロナビールの会」という、六人、七人くらいの集まりなんです。

じつは私が、コロナ禍になったときにすごくナーバスになって、「どうしよう」みたいなことを、さっきタコ焼きの映像に出てきてた難波さんという全盲の友だちに相談したら、「それだったらZoom飲みでもやってみようよ」と提案してくれて。そしたらすごくよくて、砂連尾さんやさえさんも、入ってくれています。

毎月一回、三時間くらいずっと話す、という会を継続してやっているのですが、その会がすごく重要だな、と思うのは、会っていないときに、みんなのことを考えるんですよね。「砂連尾さん、どうしてるだろう」とか、「ナントカさんは、病院に行くって言っていたけど、どうしたかな」とか。

ふとした瞬間に思う機会がすごく増えて、これは、定期開催がもっている力でもあるし、実際に会っていないことの力でもあると思うんです。さっき若松さんがおっしゃっていたような、手紙的な関わりだからこそ感じられる存在感というのがあって、だからこそこの実験をやっているのはこの三人だけではなくて、私たちの体感としては、コロナビールの会のメンバーみんなでやっている感じもあるんですよね。

OriHimeが無機質にデザインされている理由

中島　一つ、質問がきているものを、読ませていただきます。

「OriHimeの無機質な形状について質問があります。大阪大学の石黒浩先生が『無機質なほうが家族などを投影しやすい』ということを言っていました。そうかなあ、と思う反面、本当かなあという疑問もあります。そのあたり、教えてください」ということなんですけれども、いかがでしょうか。

さえ　無機質……そうですね、私がOriHimeを使い始めたのは、障害者の人がみんなOriHimeに入ってカフェで働く、というスタートだったんです。そのとき、たとえばその人の姿だとか、もともとの形を反映したものだと、年齢とか性別とか、そういったものを無意識に自分の頭の中でつくり上げてしまって、その第一印象で関係性が決まっていたかなって思っていて。

このOriHimeの、本当に無機質で、想像の余地を与えてくれるようなデザインだからこそ、年齢とか性別とか、障害があってどういった状態で働いているかというのが、あまり情報として入ってこない、フラットな関係性で働けたので、私はこのデザインですごくよかったなあ、と思っています。

中島　砂連尾さんは、OriHimeをどこかに連れていかれたりしますが、そのときに対話をしている中で感じる表情のようなものについては、いかがですか。

砂連尾　そうですね、意外とそれなりのインパクトもあるんですけども、僕の言葉になりますけど「溶けやすい」。つまり、不思議なんですけど、インパクトがあるわりに、途中からOriHimeの形状を忘れられる。……なんだろうな、僕とOriHimeが両方とも溶けやすいというか、そういうことはあるなあ、と今思いました。それが、OriHimeの内部に入りやすい感覚にもつながっているような気はします。すごく感覚的な言葉になってしまいますが。

中島　はい。今日の午前中のセッションで、東工大の三宅美博先生が「非完結性」とか「能動的不在」というお話をされていたんですけれども（本書五二頁）、こちらに表情を読み取る余地を与える、というんでしょうか。つまり、笑っているときに笑った顔をするとかではなくて、こちらとの関係性において非完結的なものであるがゆえに、こちらにとってそれが笑って見えたり、悲しんで見えたりする。

　その関係性の間《ま》がとっても重要なのではないかとおっしゃっていたんですけれども、このOriHimeと接触しているときの感覚というのは、どういうふうに見えたり、感じたりされますか。

伊藤　OriHimeに見つめられるとやっぱりドキドキして、すごく不安になるんです。なんて言うんでしょう、結局自分が、この存在に及ぼしている力が、測れないんですよね。自分がその人と目を合わせることによって、その人にどういう感情的な変化を与えているのかは、本当は生身の人間が相手のときもわかっていないはずなんだけど、なんかわかった気になっちゃってるんですよね。でも、OriHimeのときは、ほんとにわからないので、探る感じで、自分にはねかえってくる感じがすごくします。

　それともう一つ、この後、実演していただけたらと思っているのは、さえさんがOriHimeに入ってくる瞬間と、出ていく瞬間の衝撃がすごいんですね。なんかこう、魂的なものが入ってきた！　というよろこびと、出ていくときに、これが単なる物体になってしまうときのショックがものすごくあって。それはやっぱりこのシンプルな顔だからこそ感じやすいもののような気がするんですよね。

　というわけで、さえさん、ちょっとひと足先に、退出というか、なんと言ったらいいかわからないのですが……帰られる……。

さえ　はい。じゃあOriHimeから抜けますね。

伊藤　はい、さえさん、おつかれさまでした、ありがとうございました！

さえ　はい、どうもありがとうございましたー。失礼しまーす。

伊藤　はい……、ということで、さえさんがいなくなったので、私たちも解散にしたいと思います。みなさん、ありがとうございました。

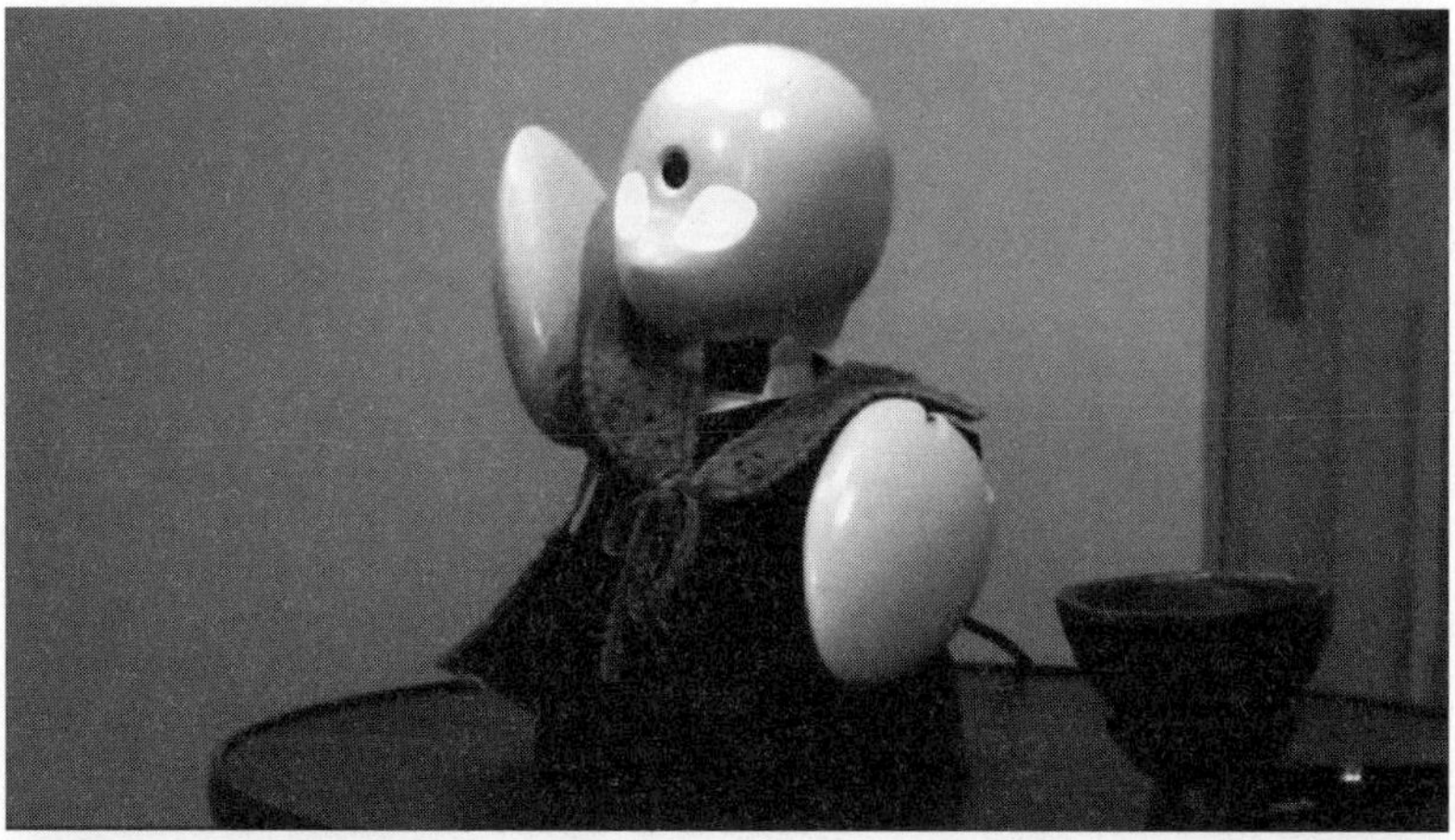

ロボットとAIから利他を考える

三宅陽一郎
三宅美博

RITA MAGAZINE
Is there any *rita* in technology?

Chapter_1-2

- Yoshihiro Miyake
- Yoichiro Miyake

収録:2021年3月13日(第1回利他学会議 1日目)

三宅美博(みやけ・よしひろ)

東京工業大学情報理工学院教授。人間のコミュニケーションにおける潜在的チャネルである「場」の研究に長く取り組んでおり、その成果を共創システム理論としてまとめ、人と人工物のインタラクションとして工学的に応用している。現在はWALK-MATE LABという大学発ベンチャーを興し共創的リハビリロボットの社会実装にも取り組んでいる。

三宅陽一郎(みやけ・よういちろう)

2004年よりデジタルゲームにおける人工知能の開発・研究に従事。東京大学生産技術研究所特任教授、立教大学大学院人工知能科学研究科特任教授、九州大学客員教授。日本デジタルゲーム学会理事。著書に『人工知能のための哲学塾』『ゲームＡＩ技術入門』『人工知能の作り方』など多数。

レクチャー　三宅美博

主観的に生きているのに、何かを一緒にできる奇跡

最初はわたくし東工大の三宅なんですけれども、今日、同じ「三宅」という方と話すセッションになるとは思いもしませんでした（笑）。呼び方が難しいんですが、「ヨシヒロ」のほうでございます。

まずは「自己」と「他者」を分けないという観点から話を始めさせていただきたいと思います。なぜならば、私がこれまでずっと研究してきた「共創」という考え方は、「自」と「他」が分かれていない「自他非分離」な状態から始まって、そこに「自己」と「他者」が生まれてくる、という生成的なものの見方だからです。

この見方はわたくしの「粘菌」の研究とも関係があります。粘菌というものすごく生命的な巨大アメーバが、この複雑な自然界で判断しながら生きている。どこが頭か手かもわからないような、高度な可逆性を持ったシステムが生きているとき、それは脳のような中枢《ちゅうすう》的な世界ではない。人間と真反対の考え方、つまり「分けない」という形で、むしろ知性を高めた生き物が、アメーバだったんじゃないかと思うんです。

しかし人間も、とくに身体が関わってくる潜在的なインタラクションの中に、まだ似た側面を持っていて、それが「共創」のベースになっている、という考え方をしております。

「共創」というのは、内側からものを見る立場です。たとえば今ここに、あるスポーツのシーンがある。悲しいかな理科系の人間というのは、スタンドに立っている観察者として、極めて客観的な世界の中にモノが運動している、という形でどうしても見てしまうわけです。それは、自分を対象から切り離して、対象をwell-definedな（定義された）形にして記述するサイエンスの基本なんですよね。

しかしここで私が言いたいのは、オブザーバーではないプレイヤーの視点です。「当事者の視点」と言ってもいいかもしれません。自分がプレイヤーの立場になったとき、我々は今その運動がどうなっているかをなかなか客観的に見られません。腕時計を見ながらプレーするやつはいないわけです。そう考えると、一人ひとりがまさにその主観的な時間と空間を生きている。

ボールなんていうものは数十ミリセックずれたら、パスであれ、受けるのであれ、もうできません。それくらい高い精度の調整を、お互いが主観的に生きてい

オブザーバーの視点

Traditional System Theory

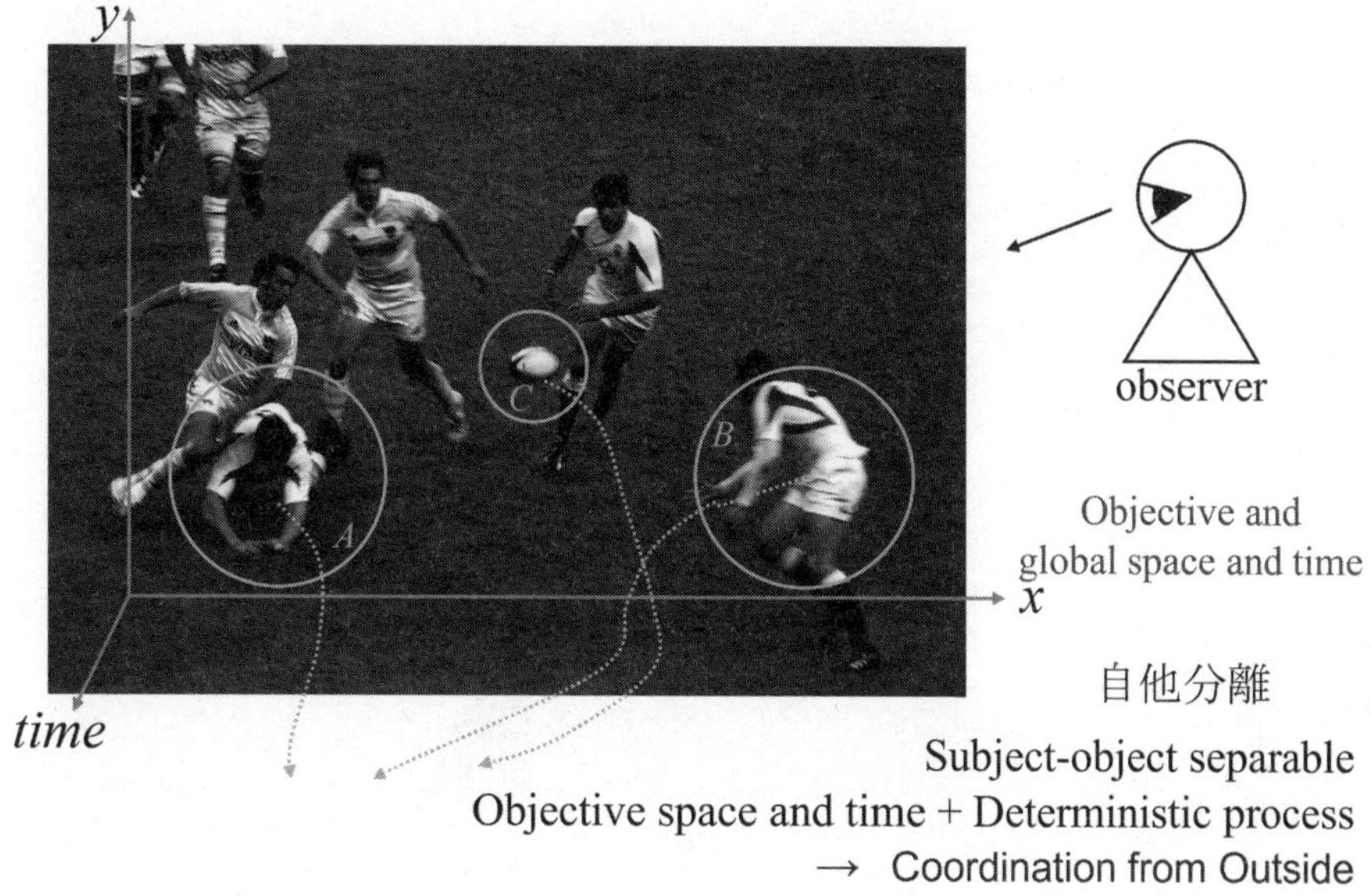

プレイヤーの視点

Co-creation System

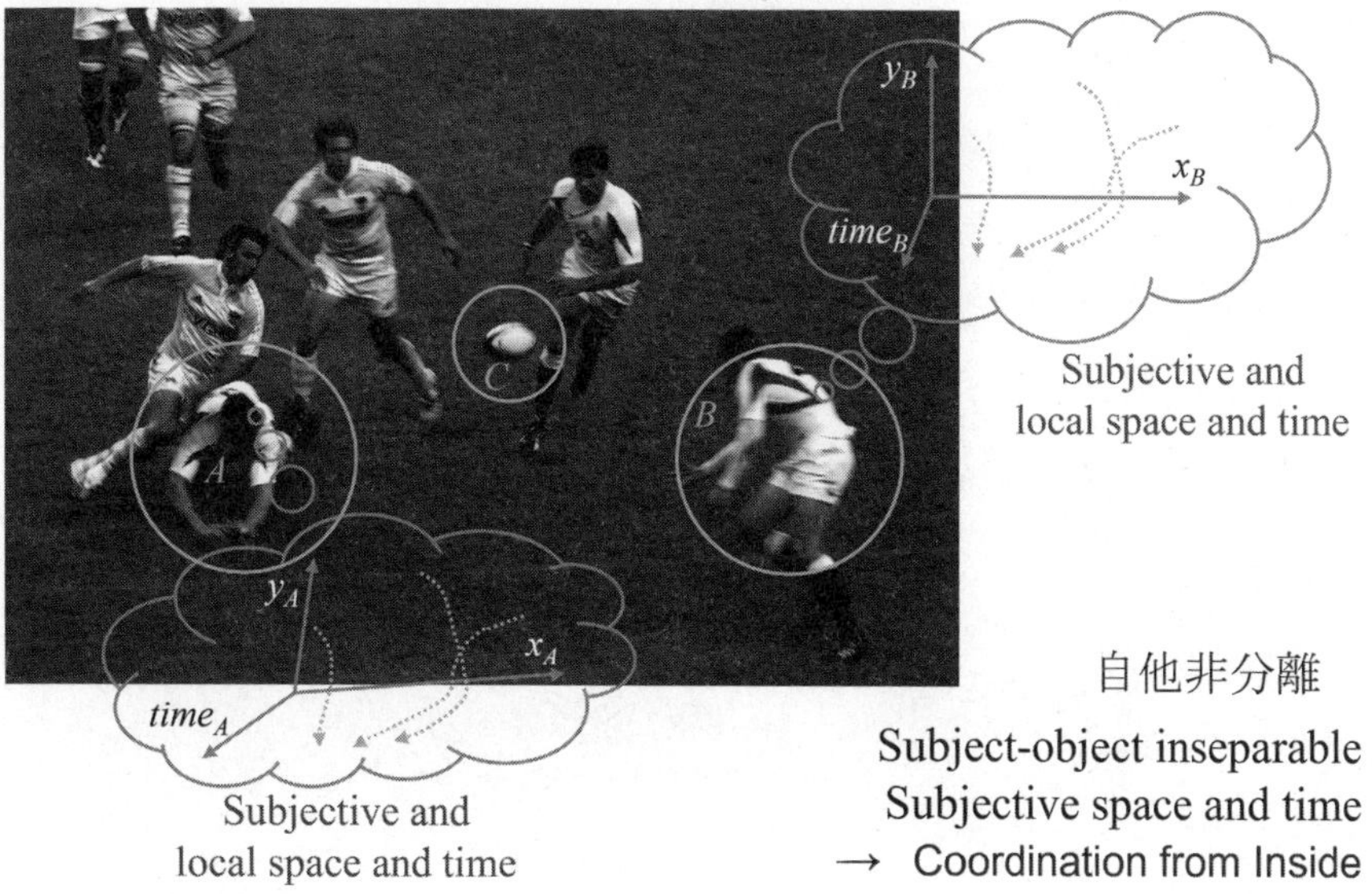

リズムに合わせてボタンを叩く

Measurement of Subjective Time

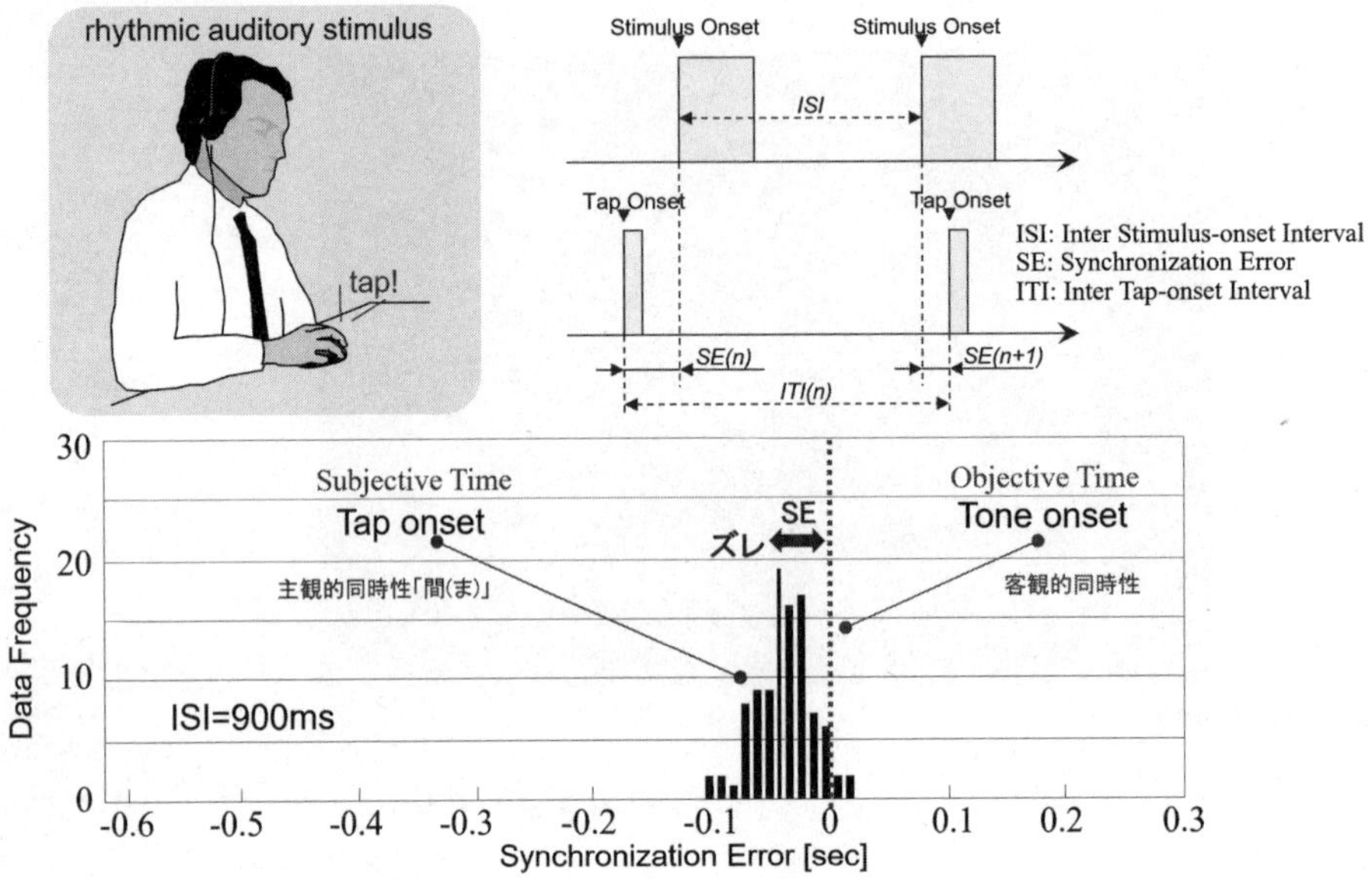

二人で音を合わせる

Analysis of Co-creation Process of Subjective Time

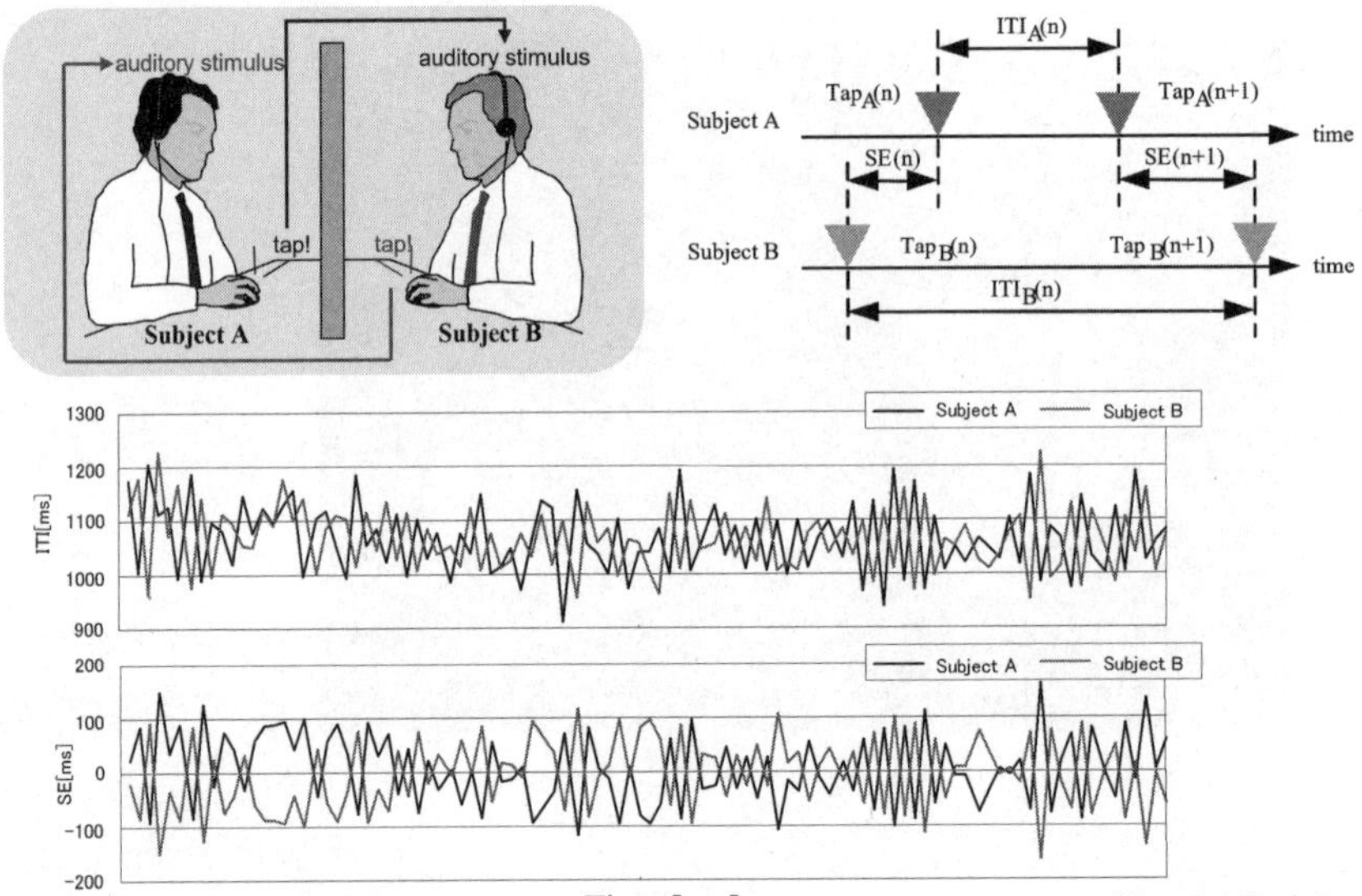

[Kon & Miyake]

る世界の中でできている。こう考えてみると、私たちが何か人と一緒にできることって本当に奇跡だなあ！　という気がするわけです。

　つながることが当たり前じゃない世界がつながっている。当事者の立場から世界をもう一回捉え直したとき、初めて現れてくる人との出会いに対する感謝が、この共創的世界観の基盤にあるわけです。

「間が合う」は　どうやって起こるのか？

　で、この立場に立ったとき、つながるはずのない世界がどうしてつながるのかが、大きな問題になるわけです。そこに僕らは「場」という考え方を導入します。

　我々が意識する世界のさらに下に、我々を潜在的につないでいる「場」があって、「場」が共有されている中で初めて主観的な世界が共有され生まれてくる。世界が「場」の中で一緒に生まれてくるから「共創」と呼ぶわけです。その自他非分離な「場」からどうやって僕らが世界を共に生み出していくのか。こういう問題意識から、僕らは工学的なシステムを捉え直している。

　僕はこれを「間合い」の問題として扱おうとしました。一人ひとり生きている主観的な時間が、どうして共有されて間が合うのか。自他非分離な「場」から始まって、そこに自他が生まれてくるという問題を扱ううえで、僕はここから入るのが一番いいと考えたわけです。

　これはリズムに合わせてボタンを叩くんですけど、「ぴったり間が合ってるぞ」と我々が感覚する状態は、音が鳴るより先にボタンを押すタイミング。つまり、僕らは予測的に世界を経験している。内部モデルが持つ「僕らの中に生まれている世界がじつは世界そのものなんだ」という考え方は、「共創」と自然科学の接点になるかもしれないんだけど、時間という問題の中ではそれが「未来」という形で現れる。「間が合う」という状態がおもしろいのはここです。

　それで僕は「間」はどうやって合うのかを調べようと考えました。たとえば一方の人がボタンを押すと、もう一人のヘッドホンが「ピッ」と鳴り、それに合わせてボタンを押すと、またもう一方が「ピッ」と鳴って、二人で「ピッ」「ピッ」と音を合わせていく。調べてわかってきたのは、Aさんの未来とBさんの未来が共有される、言い換えると、二人が共に未来を創りあげるということ。未来を共創することがコミュニケーションの本質なんです。

　これは制御で言えば、二人が別々に予測モデルを持っていて、その予測がうまく合う「予測制御」になるかもしれません。でも、未来を共有していくことで初めて「共創」ができてくるんだ、人間というのは未来を共有する形で信じ合えるんだ、出会えるんだ、ということが、僕には見えてきた。

動きが揃うことで「場」が生まれる

じゃあそれはどういう仕組みでできているか。たとえば二人の人がいたとして、僕らに知覚される世界は主観的ですから当然分離しているわけです。しかし、それは絶望的に分離しているんじゃなくて、それをつなぐ働きがある。それが身体です。

身体は意識下にあるものですけど、私が指しているのはその身体的な働きで、潜在的に同調するものとしての身体です。そこを私は「場」と呼んでいます。

たとえば話していたらうなずきが揃ったり、並んで歩いていると身体が揃ったり。おもしろい例では、歩いていて、避けなきゃいけないのに身体が勝手に同調して相手とぶつかっちゃうってことがありますよね？　こういうふうに僕らが意識せずとも、身体が他者とつながってしまう。こういう性質が、自己の主観と他者の主観をつなぐ母体として、自他の非分離な世界を構成していることがわかってきたわけです。

自分自身が「場」を自己組織し、その「場」を自分が観測していくという、一種の自己言及的循環の中で初めて達成されるのが、集団的に生きる、社会を編成するという状態で、これが「共創」です。「共創」研究の応用の一つとして、僕らは人間のコミュニケーション、潜在的な「場」を測ることをやっています。

さっき言ったように、身体の同調が「場」の基盤になっているとしたら、そこがうまくできていれば、間の合う、「場」の合うコミュニケーションができていると予想される。だから「場」を可視化するために、授業中生徒さんみんなに首にスマホをつけてもらって、身体がどういうふうに動いてるか、一〇〇人くらいのスケールで身体の同調具合を測る。これをサーバーに吸い上げて、「場」を分類し、どう同期しているかといった分析をリアルタイムに現場へフィードバックすることをやっています。

おもしろいのは「共感」。これはアンケートでとるんですけど、Empathy（感情価の変化量）とSynchrony（身体の動きの同調）にものすごく強い相関が出てきて。これだけクリアに出てきたのは世界で初めてです。ふつう、個々人の身体がよく動いていたり、活発な動きをしていると「場」ができていると思うじゃないですか。でも身体の揺れの強さ、パワーはまったくEmpathyと相関がない。しかし同調はものすごく相関が出る。ということは、身体の動きは本当に弱いものでもいい。それが揃う、つまり関係を形成できることが「場」になっていて、ここから「共創」が始まることがわかってきました。

ロボットと人間が同調して、運動が生まれる

他には、富士ゼロックス（当時）の人と一緒に、会話の中でうなずいてくれるコミュニケーションロボットをつくった

コミュニケーションの「場」の可視化とフィードバック

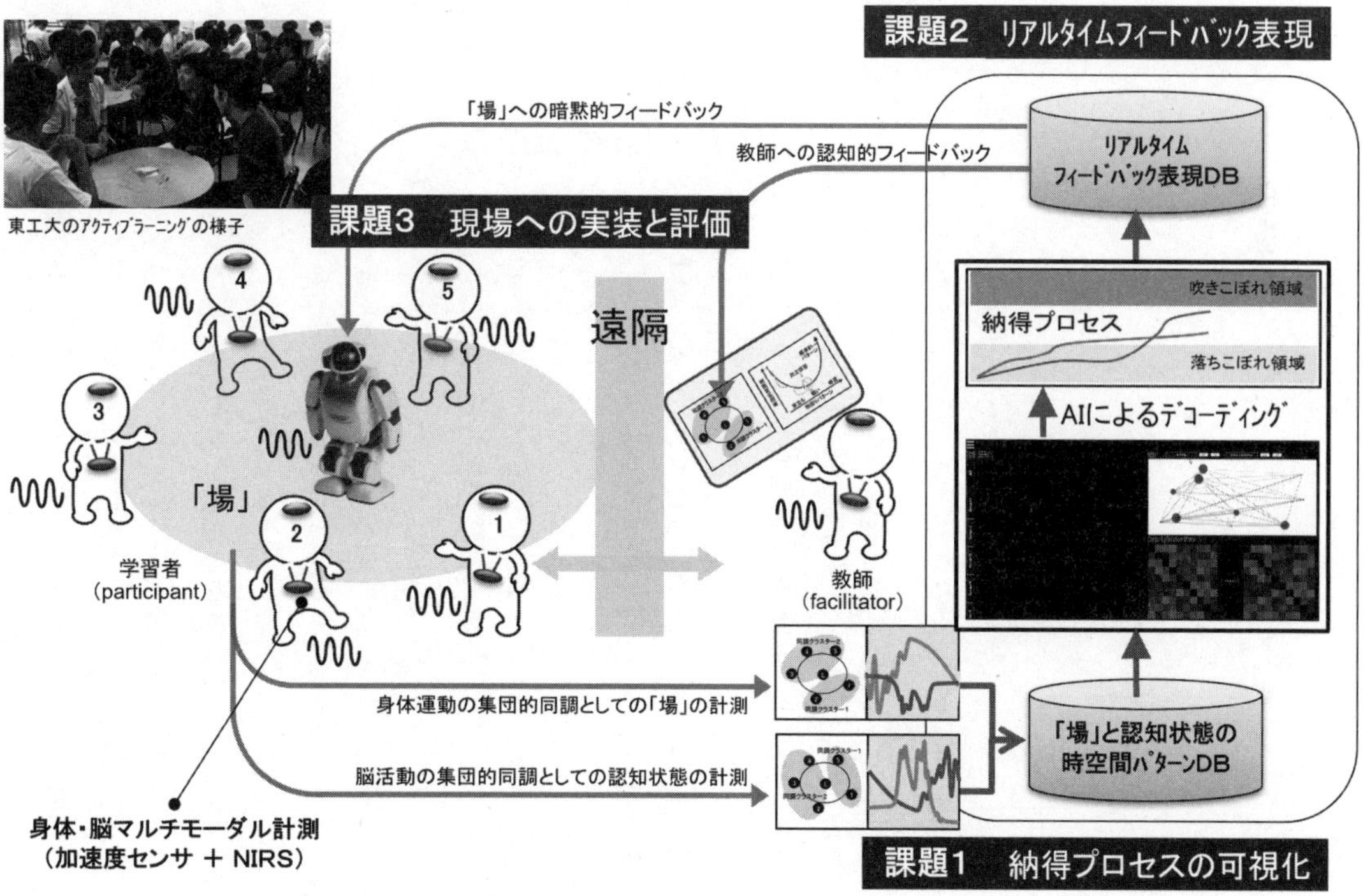

りしていました。誰かと誰かが気まずくても、こういうロボットが共存するだけで会話が促進されたり、言い淀みがなくなったりとかね。

あとはこんないかついリハビリテーション支援ロボットとかもつくったりしてます。人間は歩くときに、誰かと一緒に歩くと歩調が自然に揃って、言うなれば、運動が共創されてくる。それで、身体にモーターをつけて、モーターで身体の動きとちょうど間が合うように拍子をとってやるんですね。そうするとあたかも人と一緒に歩いているかのように、人がそばにいて一緒に手を振り合っているかのように、ものすごく自然と身体が動きます。

病院に行くとセラピストは患者さんに同調して身体を動かしていて、これがじつはわりと効果がある。リハビリも一種の運動の再生ですから、いわゆる創造的なプロセスなんです。

パーキンソン病患者さんの歩行には、身体が動かなくなるフリージング＝すくみ足、というのがよく見られます。そういうときに、ロボットと人間が身体的な同調を通して間を合わせる仕組みを導入することで、運動を生成できるんです。このあたりは今、薬でしか治せない、あるいは薬も使えないような患者さんにとって唯一の治療の形になっています。間《ま》というものが、神経性の運動障害に非常に効果があることが、だんだんわかってきています。

アクティブ・ア・プレゼンス

自分と「他」を分けない縁側や軒先は、昔から人と人が出会う場所でした。そういう空間が日本の文化の中にはまだ根深く残っていて、こういう文化を現代の技術に生かせないかなあと考えたりします。

借景《しゃっけい》なんていうのは非常によく考えられている文化で、積極的に何かをなくすんですね。僕はそれをアクティブ・ア・プレゼンス（Active a-presence）と呼ぶんだけど、借景とか見切《みきり》っていうのはそういうものですね。「能動的不在」として、積極的に非完結性をつくる設計論をとる。そしてその中に「場」というものが生まれて、空間を生成していく。

僕はこういう関係をもっと今の近代技術の中、たとえば人間のコミュニケーションの計測、分析、改善だったり、あるいはリハビリとか、いずれにしても人間の創造的なプロセスの設計論として使えるんじゃないのかなと思って、今いろいろとチャレンジしているところです。そしてこれは、僕が解釈している、伊藤先生がおっしゃっている「利他」と重なるんじゃないのかなと思っています。

リハビリテーション支援ロボット

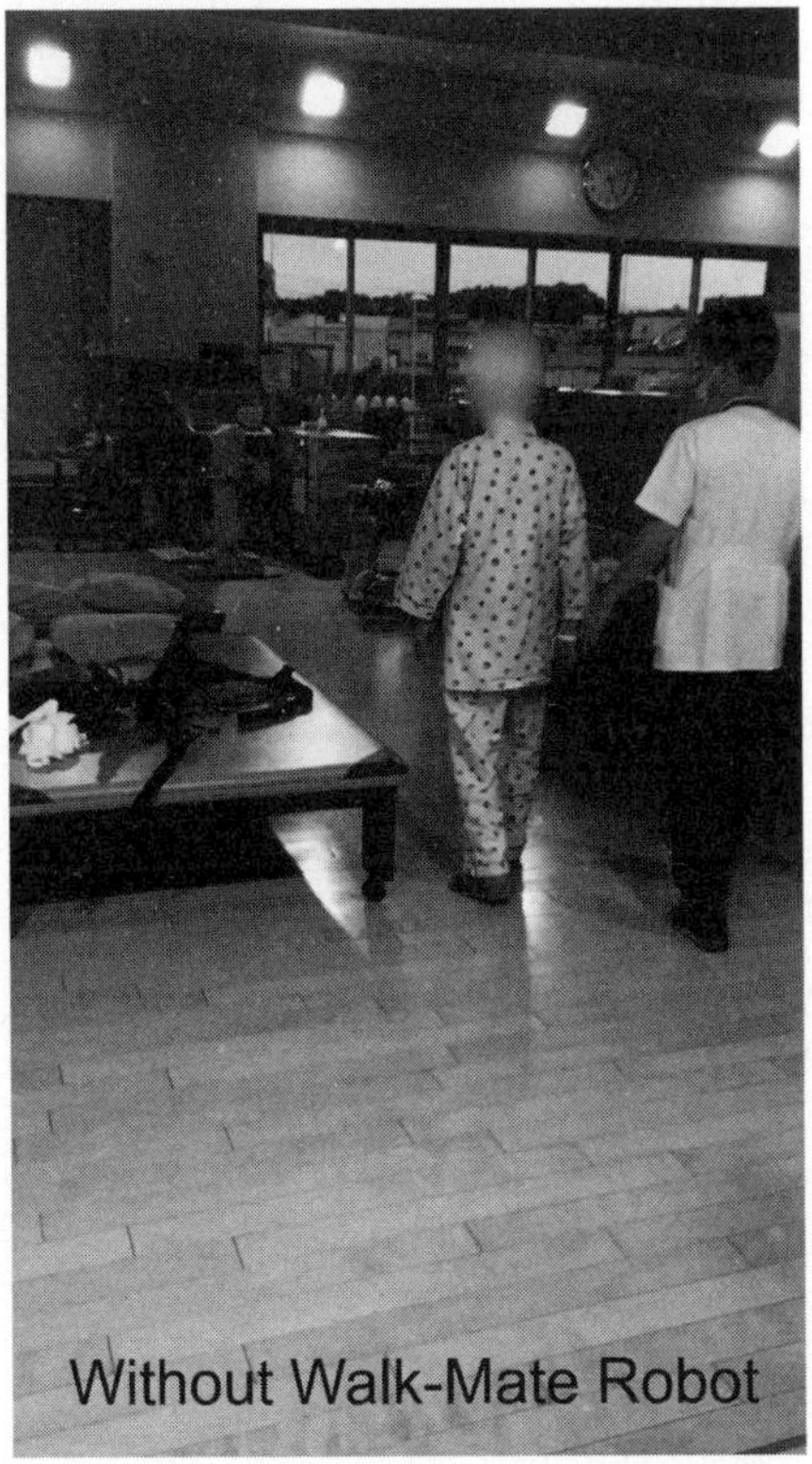

Tokai University Hachioji Hospital

レクチャー　三宅陽一郎

人工知能から見た哲学の必要性

それでは、陽一郎のほうからお話しさせていただきます。よろしくお願いいたします。

自分は、二〇〇四年から十七年ほど、テレビゲームの人工知能をつくっております。人工知能をつくるのと、ほかの電子機器をつくるのは、どんなふうに違うんだろう、ということをお話ししたいと思います。

自分は一貫して、三次元空間の中で、身体を持ったキャラクターをどうやって動かすか、という開発を続けています。この分野は比較的新しくて、この二十年くらいで徐々に形成されていった分野です。同時に、人工知能と言っても仮想生命を一個つくり出すみたいなものですので、生命とは何か、身体とは何かという、科学なんだけど哲学的な側面を持っています。

知能をつくると言っても、人間の知能の法則ってよくわかっていないわけですよね。統一理論みたいなものがないので、じゃあどうやってつくるんだ、というのが混乱のもとで、人工知能の研究者が一〇〇人いれば一〇〇の理論があるというような。そういう形で、とりあえず人工知能をつくりながら、並行して基礎をつくっている、という学問になっています。

断片的にはわかっていることがあって、それを応用してつくっていく、というのが人工知能です。動物学とか生物学とか、いろんなとこから知識を寄せ集めて、なんとかモックアップをつくってみようとしている。とりあえず動かしてみて、知能っぽくなかったらもう一回設計し直そうよ、というのをずーっとくり返している、そういう学問です。

人工知能を探究するために、人間を探究するというのもあります。だからじつは半分文科系の学問だったりするんですね。そこで自分は、人工知能から見た哲学の必要性というのをずっと探究してきました。西洋哲学と東洋哲学と人工知能は、どう関係するんだろうとか。知能というのは自己発生だけではないので、先ほど美博先生が言われたように、社会の中で、場の中でどう形成されるんだろう、というのを探究してきたんです。

人工知能の二つのつくり方、「足し算」と「引き算」

おもしろいのは、人工知能と言って

も、東洋の人と西洋の人では、思っている人工知能がちょっと違うんですよね。西洋の人工知能は、どちらかというとビルドアップ的なもので、かつ人間の下にいる。東洋のほうは、場の中から生まれてくるもので、人間のパートナーであってほしい、みたいなところがあります。ですので、この二つを止揚する形で、新しい人工知能像をつくっていこう、というのが自分の立場であります。

ゲーム開発がアカデミックと違うところは、出発点が、ユーザーに対して「こういう形で知能を感じてほしい」というところにあることです。たとえば、「ずる賢～い」とか「なんかこいつバカだなあ」とか、人工知能が人間の主観にどういうふうに現れるか、というところからスタートします。

アカデミックは逆に、知識と技術を積み重ねてつくっていくところがあって、この二つは今すごくギャップがあります。この二つを結んで、本物の人工知能と見え方の人工知能を両方やる、というのがゲームの人工知能だったりします。

人工知能には、二つのつくり方があります。一つは「足し算」、ビルドアップで一個一個つくっていこうと。ちょっと乱暴な言い方をすると、デカルト的に推論を積み重ねて人工知能をつくる。もう一つの考え方は、さっき出てきた「場」、一つの混沌の中から「引き算」で、どんどん機能を削減したり、切り取ってつくる。ベルクソンが、「意識というのは引き算でできていくんだ」ということを言っていますが、それでいくとベルクソン的なつくり方、となるわけですね。

この二つが、先ほどご紹介した西洋と東洋の違いだったりします。西洋の今の人工知能というのは、デカルト－ライプニッツ以来三百年以上にわたって続いてきた、理路整然としたカッチリとした考え方からつくられています。そこが限界にきているというのは、みんなわかっていて、じゃあ次の土壌はなんなんだ、というところですね。

「個」の内面も持ち、「場」で協調もする人工知能

今の人工知能というのは、「我」があって、そこからたしかに推論できるものによって考えるマシーンみたいなものになっています。でもこれからは、より柔軟に、たとえば「希望する」とか「欲求する」とか「恐怖する」とか、いろんな動詞を持ったような人工知能をつくっていこうという流れがあります。

そこで、現象学というのが、一つキーワードになっているんですね。論理的明証性を持つ人工知能から、より志向性を持つ人工知能へ。つまり、さっき美博先生が言われたように、最初から自分というものを前提せず、混沌の中から立ち現れるものと考える。これがさっき言った東洋的なところでもあるわけです。

たとえば「他者」という、自分がコントロールできない何かが現れてくると、それによって主観的世界がどんどん切り取られていくわけです。「他者」を認識

要素を集めて積み重ね、構築的に
人工知能を作る　＝　西欧的人工知能

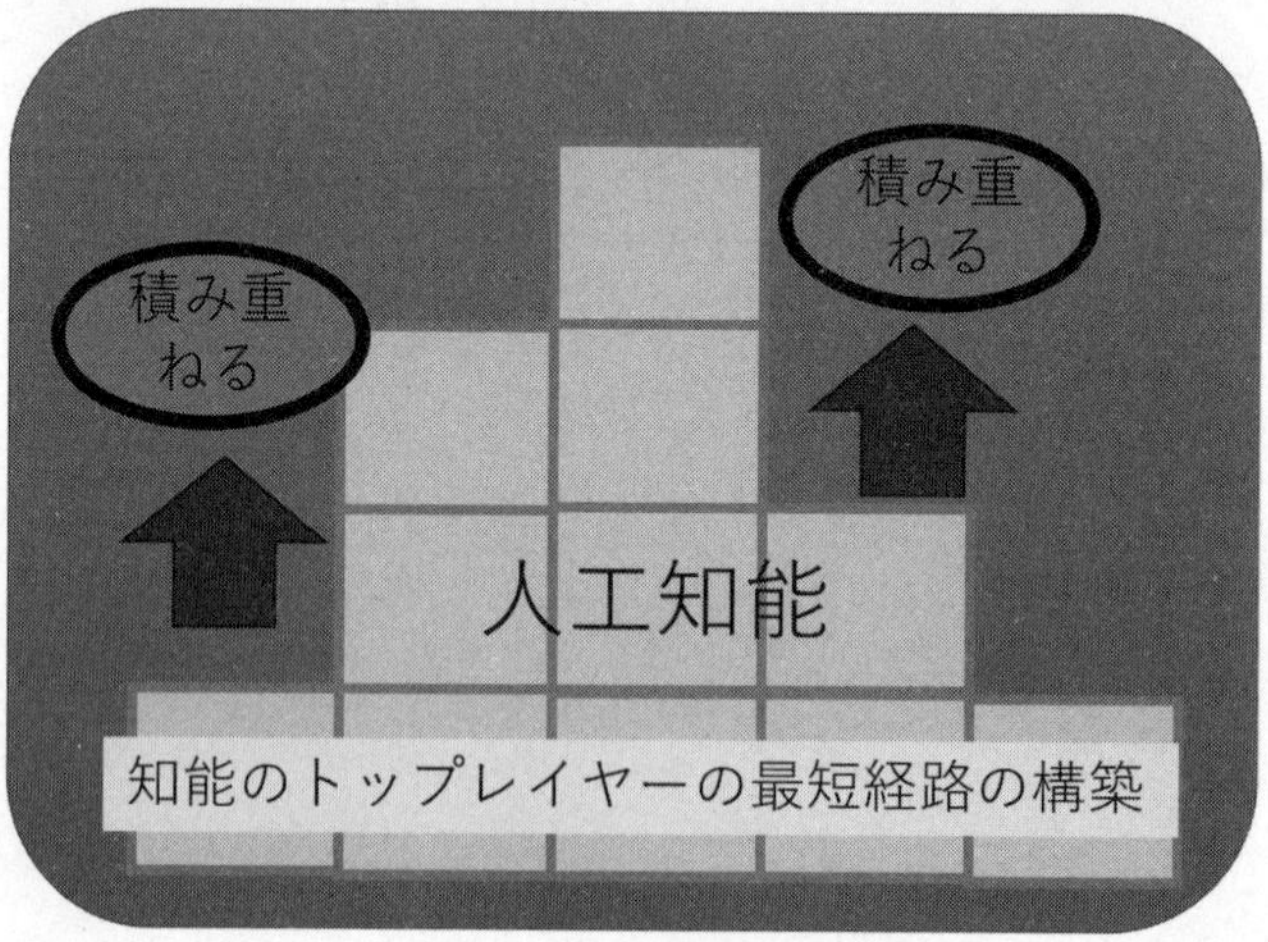

足し算による人工知能の作り方（組み上げて調和を得る）

デカルト的構築

すると同時に「自分」を形成する、という形で人工知能をつくっていこうというのが、自己と他者が共創してつくられる、生成的な人工知能のつくり方です。

これまではどちらかというと、設計図を描いて、部品を組み合わせて人工知能をつくろうというのだったけれど、今はすごくシミュレーション能力が高いので、学習環境をつくって一歩一歩――ニューラルネットを使う場合が多いですけど――学習していこう、と。そういうところですね。

さらに「自我」と「他我」という話がありまして、これまで人工知能には「社会から見られる自分」と「内側からの実存としての自分」の二つがありました。これはシミュレーション能力の問題で分離していたのですが、今後はこの二つを同時にできるくらいマシンパワーがありますので、「個」の内面も深く持っているんだけど、「場」の中で協調もする人工知能をつくっていこう、というふうになってきています。

混沌の海から人工知能を見つけ掘り出す ＝ 東洋的人工知能

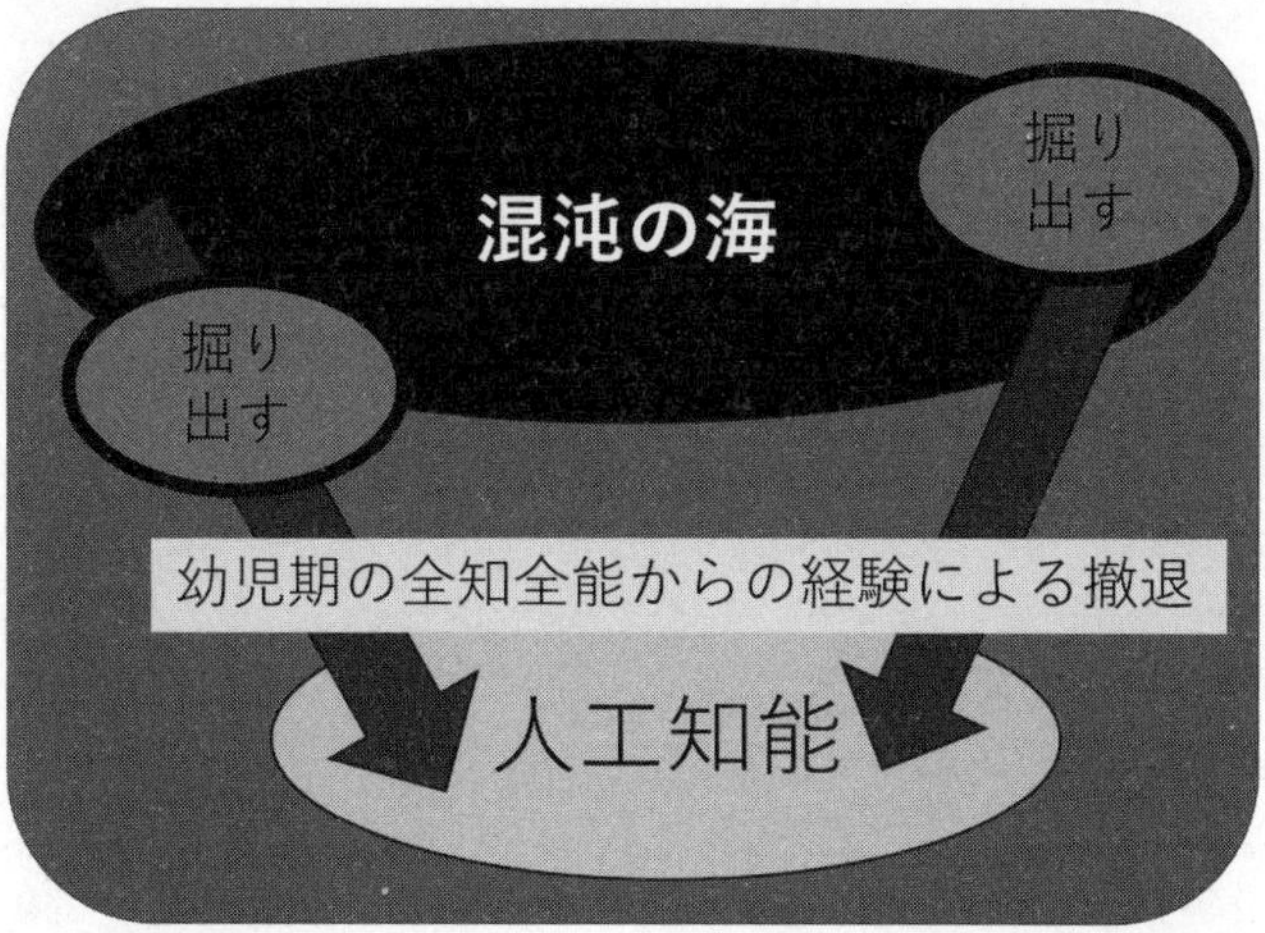

引き算による人工知能の作り方（混沌から引き算する）

ベルクソン的引き算

人工知能と人工生命、二つを同時にやる

ゲームの人工知能は、人工生命でもあるんです。生命というのは、海の中で自己組織化されて、内側と外側ができて、かつ物質的循環がある。こういうのを散逸構造と言います。テセウスの船というパラドックスがあります。これは船の部品を全部入れ替えた場合、この船は、物質的にはもとの船とまったく違うわけで、もとの船と同じと言えるか、という問題です。そのとき、では何が保存されているかというと、構造とか情報です。

これと同じで、我々の身体もどんどん細胞が死んで入れ替わっているので、生物を考えるときは、物質的存在であると同時に情報的存在でもある、この二つを同時に考えなければいけない。それが、すごくめんどくさいというか、大変なところで、逆にその二つがどうやってつながっているのか、大袈裟《おおげさ》な言い方をすると、「情報と物質」は「精神と身体」でもあるわけです。すなわち「心身問題」です。

つまり、生物というのは「物質の循環」と同時に「情報の循環」を持っていまして、これをいかにつくるかというのが、じつは人工知能をつくるということなんです。今、人工生命と人工知能は二つの分野に分かれていますが、いずれ同時に考えなければいけない。ゲームというのは身体もつくらないといけないので、この二つを同時にやる、ということですね。

人工知能にどうやって煩悩を持たせればいいか？

次の図はロボットでよく使う、エージェント・アーキテクチャーです。環境世界から情報を取得して意思決定をして運動を構成する。この中を情報が循環します。水車が水で回るように情報が循環することで、各モジュールが励起《れいき》されていろんな知能がつくられていく。

じつはこれは、生物学のユクスキュルという人の「環世界」の理論とよく似ているんです。生物というのは対象を何もかも認識しているわけではなくて、自分の身体的特性＝環境に埋め込まれた形で刺激を受けて、かつそれに対して一定のアクションを施す。これは華厳《けごん》哲学でいう事事無碍《じじむげ》——いろんな物語が響き合っている——とよく似た発想なんです。

つまり、環境と知能をどうつなぐかが一大問題でして、さっきのように自分というのを分けるのはいいんだけど、どうやってつなぐんだ、という。そこが生物学でも人工知能でも、また仏教などでも一つのテーマになっていて、ここにいろんなヒントがあるわけです。

このつながりは何かと言いますと、仏教で言うと「煩悩《ぼんのう》」にあるわけです。人工知能というのは、最初につくってゲーム世界にポンと置いても、全然動いてくれないんですね。なぜなら、なんのこだわりもないので「なぜ自分がここにいるの？」みたいな。お腹も空かないし、痛みもないし、ただのポリゴンの塊だし。でもなんとか、この仮想世界で欲求を持って動いてほしいわけです。「プレイヤー憎い！」でも「リンゴおいしそう！」でもいいんです。つまり、仏教が解脱をめざすとすれば、僕の仕事は、なんとかキャラクターたちにこの世界にこだわりを持ってほしい。なんでもいいから執着してほしい、つまり煩悩を持ってほしいわけですね。では人工知能にどうやって煩悩を持たせればいいか、というのを日々考えているわけです。

ですから、東洋哲学でいう唯識論、世界をあえて分節化してみて、簡単に言うと偏見に満ちた目で世界を見る、ということです。僕がやっている人工知能は、人間の「解脱」とか「偏見をなくそう！」の真逆をやっている。世界をある程度偏見とか、自分の欲求に応じて色を付けて見ることで、自律的に動くようにしよう、と。

エージェント・アーキテクチャー

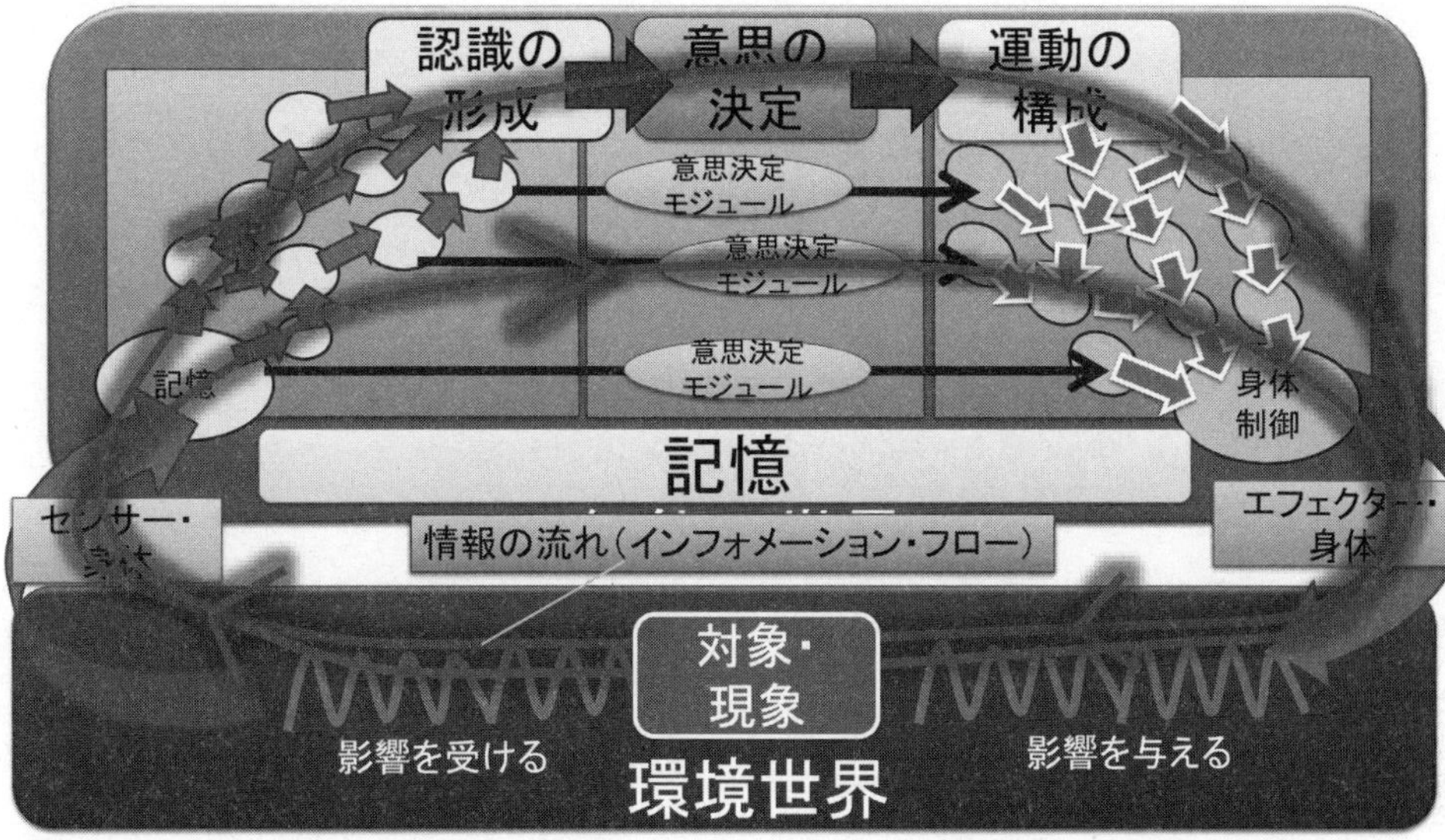

仏教と人工知能

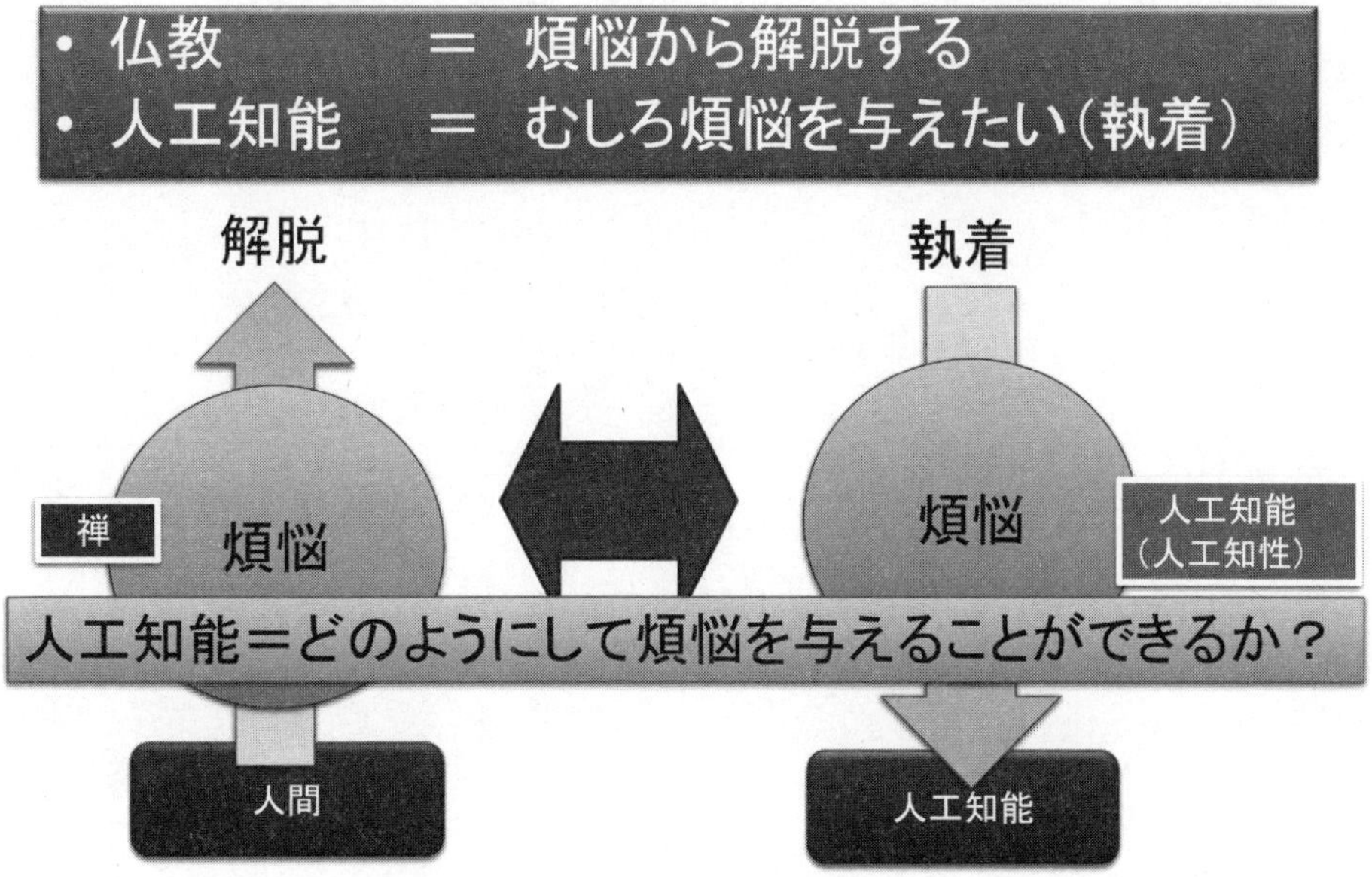

人工知能と人間はどうしたら愛し合えるか？

知能は身体と結びついているので、環境とも結びついている、と言えます。人工知能を考えるときには、知能・身体・環境という三つの世界が同時に動いていて、かつ独立しつつ連携している、というややこしさがあるわけですね。

今日の主題にいきますが、「人間にとっての他者としての人工知能」と「人工知能にとっての他者としての人間」というのはなんだろう、ということがあるわけです。意識の次元、無意識の次元、身体の次元、そして環境の次元。いろんな結び方で人間と人間が結び合っているように、人間と人工知能も結んでいこう、と。つまり、複数のリアリティで人工知能と人間を結ぶことで初めて、人工知能が人間と同等くらいの他者として現れるだろうということです。

別の考えでは、環境からどれぐらい自立しているか、どれぐらい環境に埋め込まれているか。実存的と存在的という二つの極があり、環境を同じくする、身体を同じくする、ということは根を同じくするということですね。意識の側は、情報を同じくする。伊藤先生が『手の倫理』に書かれていた、ブラインドランをするときにロープを介してお互いがわかり合える、というエピソードからヒントをいただいたのですが、そうすると、人と人工知能の間にも、理論的に頭でわかるというよりは、二つの間にある調和的な流れをつくることで、わかり合える、大袈裟に言えば、愛し合える、みたいなところがあるのではないか。

他者は自分の素材でもある

人工知能をつくるときは、次のような共創モデルというのをつくります。つまり、一個前の自分をもう一回取り込んで、無限に自分を創造し続ける、そういうプロセスなんですね。

そうすると、自分というのは、他者を巻き込んで形成されていて、そういう意味で他者は自分の素材でもある。こういった次元においては、自己的というのと利他的というのは、まあそんなに変わらないんだと。他者の幸福を考えるときには——すごく荒っぽい議論で申し訳ないんですけど——自分の幸福を得る、と。

そういうふうに、世界と溶け合って一体になろう、というところと、世界から独立して普遍的な存在でいたいという、この二つの間を揺れ動いているというのが、知能の本質だと考えています。この二つの衝動のアンビバレントが、知能をつくっていく。

共創モデル

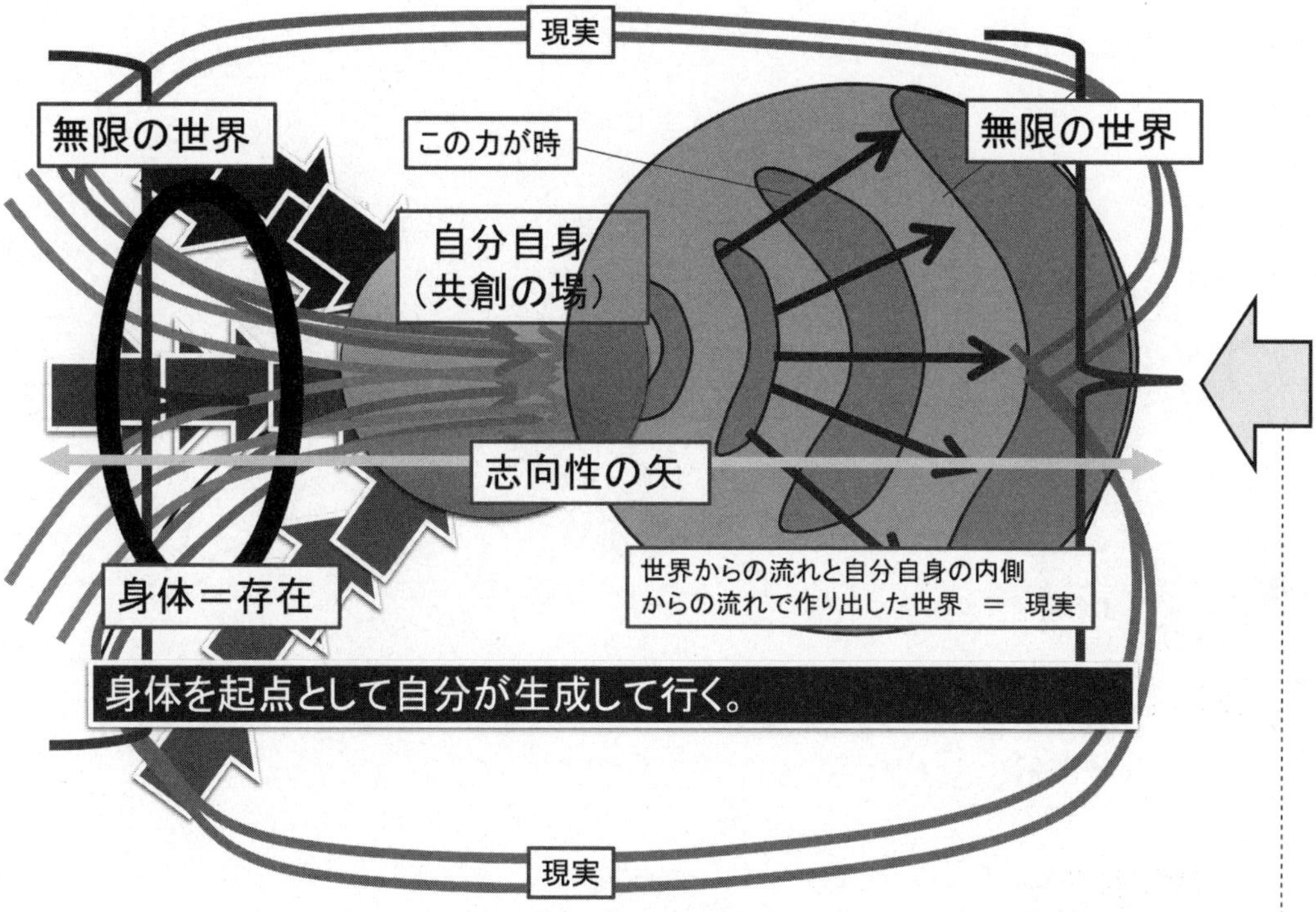
現実
無限の世界
この力が時
無限の世界
自分自身
(共創の場)
志向性の矢
身体＝存在
世界からの流れと自分自身の内側
からの流れで作り出した世界　＝　現実
身体を起点として自分が生成して行く。
現実

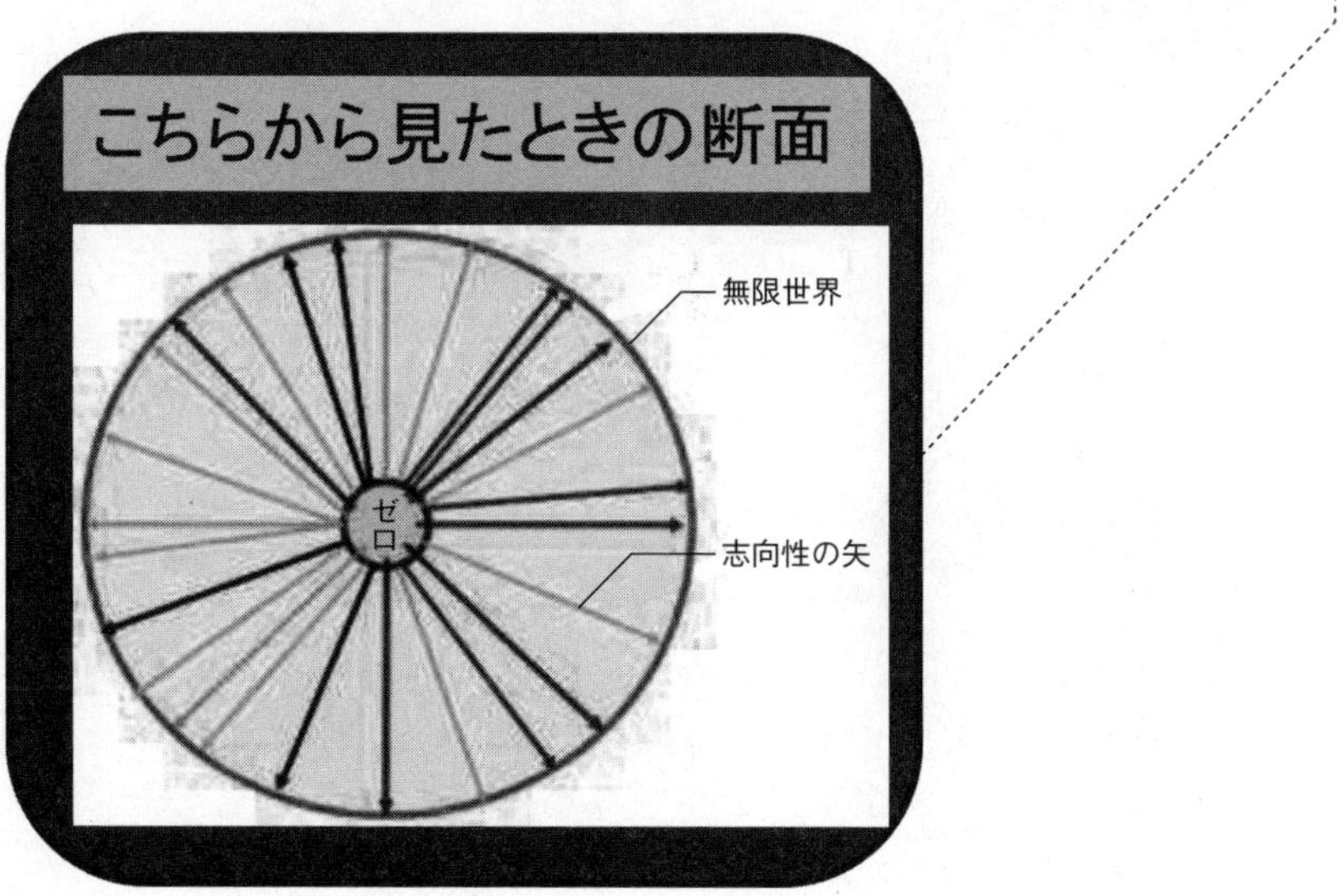
こちらから見たときの断面
無限世界
ゼロ
志向性の矢

ディスカッション

ゲスト

三宅美博

三宅陽一郎

未来の人類研究センターメンバー(当時)

伊藤亜紗

磯﨑憲一郎

國分功一郎

中島岳志

ロボットと人間が合わせ合う「のりしろ」

中島　大変おもしろく、「利他」という問題の中核的な部分をお話しくださったんだな、と思っております。私たちが考えている利他の問題というのは、近代的な人間観に対する一種のチャレンジが含まれていると思います。それは、理性に基づいて、意志的な存在として人間が存在している、というその人間観自体を疑って、人間の意志に還元できない存在としてのあり方を考えている、というところなんですけれども。

この問題を考えていく際に、お二方に共通していたのが、「間」という問題だと思うんです。「ま」と読んだり、「あいだ」と読んだりする、「間」という字。

我々の間では利他について「沿う」という問題をよく議論していますが、それと「間」という問題は非常につながってるんだな、と思いました。ここをもう少しお二方に議論いただければなあと思った次第です。

美博　ま、じゃあちょっと……。

伊藤　あ、間《ま》があいた。

美博　ははは。なんて言うんでしょうかね、僕にとって、「間が合う」と言うときの「間」は、「のりしろ」みたいなものを考えています。

さっきおっしゃった近代的な世界というのは、スパッと切っちゃうわけですよね。高層ビルなんかその最たるもので、あるところまで真っ平なのに、あるところから鉛直方向に二〇〇メートルくらい立ち上がるわけで、空間の究極の切り方ですよね。ああいう切り方の中に失くしてしまったものが、「のりしろ」であるような気がしてましてね。

モデルをつくってロボットやアバターに積んでいるんですけど、おもしろいのは、人間が機械に合わせるだけじゃなくって、機械も人間に合わせて、お互いに合わせ合うんですよ。僕らはそれを相互適応とか相互浸透と呼ぶんですけど、そういう人と人が出会える空間、「のりしろ」と呼ぶようなものがすごく必要じゃないか、というのをいつも考えています。切ってしまうと、向こうは何もないのね。

もう一回、厚みあるボーダーをつくり直す

美博　理科系の感覚からすると、ボーダーの内側のことをシステムと呼ぶんですよ。ボーダーは厚みゼロの線で、向こう側にはノイズしかないと考える。これじゃ、世界と人間はつながれんわけですよね。借景なんて絶対やっちゃいかんわけです。ははは。

生物なんか見てても、膜には穴が空いているし、厚みがある。つまり、この「間《あいだ》」という問題は、僕らが近代にメジャーゼロで切ってしまったボーダーをつくり直す、もう一回厚みがある、お互いに乗り入れることができる、相互浸透性を生むようなボーダーを、つくっていく必要がある。これが、僕が今考えている

システム論です。どうやって数学にするかちょっと難しいんだけど、いわゆる従来のシステム論に根本的に欠けてるところがそれだ、と僕は思っています。

　僕の研究室がすずかけ台にあるんだけど、あのあたりはまだ里山っぽいところがあるんですよ。里山という考え方が、人間と自然との関係において、今言った「のりしろ」のような意味を持っていると思うんです。なんて言うのかな、西洋における自然保護って、触っちゃいけないよ、という感じがあるじゃない。でも日本における自然保護は、自然と人間がどう共存できるか。そこに僕らはある厚みのある間というかゾーンを持っていて、そこへ入っていって自然の恵みを得たりする。

　言うなれば、環境とシステムを完全には切らない、あるいは文化的に言えば、自己と他者を切らない。相互乗り入れ、相互浸透ができる、そういう厚みがあるボーダー。それを、僕なんかは情報系にいるし、理系で飯食ってるんで、システム論的に考えたら、境界条件をどうするかというのは、ものすごく大きな問題になっているんです。

　空間的な問題のときの境界条件は厚みがないでしょ。時間方向で微分方程式を解くとなったら、時刻ゼロ、初期条件で未来が全部決まるんですよ。おかしいですよね。今という幅、この「間」というものの中に未来と過去が染み込んできて、初めて今が生まれるわけだから。もう一回ここに厚みがあるゾーンをつくる、そういう自然科学とか技術をつくりたい。それが、僕が今やっている「間《ま》」問題であり、その基盤にある「場」という考え方であり、粘菌という生き物から学んだことになります。

知能、身体、環境のぎこちない関係

國分　僕は普段、本ばっかり読んでいて、今日のお話は全然違う世界のことなんですけど、自分が考えていることとさまざまに共鳴する点があって非常に驚きました。

　陽一郎先生のお話に、キャラに煩悩を持たせるという話が出てきて笑っちゃったんですけども、僕もＡＩについてシンポジウムをやったときに一番言いたかったのは、ＡＩに搭載することが今の時点で極めて困難なのは「欲望」だということだったんです。

　というのも、「欲望」がどうやって発生するのかというのは、哲学的にもさんざんやってきたのに、正直に言うとまだあんまりよくわかっていない。ただ、他者が関わっていることはまず間違いないだろう。そうすると、その他者の経験を現象学的に、つまりデカルト的に客観的にX軸とY軸で見るんじゃなくて、主観的な経験として世界を見ることが、一つ重要になると思うんです。

　そこでやっぱり問題になるのは、現象学は、自分の経験は自分にとっては自明だと考えているんですよね。だけど、自分の経験は自分にとってもじつは自明じゃないんじゃないか、というようなことを若いころのデリダは言おうとしていたんです。そこら辺に現象学的アプローチの限界みたいなものがあるのではないか。

僕も共同研究している熊谷《くまがや》晋一郎さんの当事者研究は、自分の経験が自分にとって謎であるという、それを研究して解き明かすということなんです。他者とのコミュニケーションにおいて難しいことが起こるのは、実感としてよくわかる。でもじつは自分の中の経験に関してもわからないことがある。この問題を哲学なりサイエンスなりが考えていかなくてはいけないんじゃないかなと最近思って。

陽一郎　やっぱり、そこを解き明かすのは身体なのかな、と思ってまして。知能と環境の中に、まさに「間」があって、知能はダイレクトに、テレパシーみたいには環境を動かせない。むしろ世界と結びついてるのは身体です。ところが、知能は完全に身体を動かすわけじゃなくて、僕は「身体がどもっている」という言い方を、以前に伊藤先生との対談でしたんですけれども、つまり、動かそうと思ってもうまく動いていない。うまく動いてないことで、むしろ身体性やエージェンシーが立ち上がっている。

それは生物学で言うと「環世界」という話で、頭が「世界にかかわるぞ！」と言う前から、生物というのは身体によって、世界に主体性をもって、自分が意図するしないにかかわらず参加している。そのメカニズムが、國分先生が指摘されたように、現象学的には欠けている。

つまり、身体が環境に自発的に作用しているというのは、意識のレベルではなく完全に自律的に行われていて、その上に知能があって、よくわからない身体がとりあえず世界に参加し続けている、それを、なんとか馬に乗るみたいに手綱を引いてコントロールしている。すごくぎこちない関係が、知能と身体と環境の間にある、というのが、伊藤先生の吃音《きつおん》の研究と、自分としてはすごく同期しているなあ、と思っています。

人工知能は、人類に平和をもたらす……かもしれない

磯崎　僕ね、だんだん世界中にコロナ禍が広がっていく中で、たぶん、これは人工知能が大活躍するんだろうと思ったら、見事になんの役にも立たなかったということが、コロナ禍で唯一よかったなと思っていることで。

やっぱりお二人ともおっしゃっていた身体というものが、結局何か人間の進化の限界なのだということが、今回すごくよくわかった。ああやっぱりたぶん、人工知能が何かに行き着く前に、人間は滅んで終わるんだろうな、肉体の限界が人間の限界になっていくんじゃないかな、というのも見えてきて。そのあたり、この一年間の人工知能の使われ方みたいなところで、何か感じていらっしゃることがあれば。

陽一郎　まあ、やっぱり、このコロナ禍でわかったのは、我々人間というのは、ある程度……まあ言葉は悪いんですけ

ど、「サルなんだな」ということで。
磯﨑 うん。
陽一郎 ある程度「場」で肉体を共有しないと、仲良くなれないんだ、と。ただこれが次の世代、たとえば小学校のときからバーチャルで友だちもできるというんなら、ひょっとしたらデジタルAIネイティブ世代は、Zoomでも十分コミュニケーションがとれるかもしれないんですけど、僕みたいに、ふつうに肉体で小学校に行っていた世代にとっては、その部分は進化せずに残っている。

あと役に立たないというのは、今の人工知能の能力の限界でもありますが、ただ人工知能のいいところは、人と人の間に入れるところなんです。つまり、これまでいろんな電子機器とか、エレベーターとか、メディアとかというのは、人間そのものの役には立つけど、人間と人間の関係性の間には入れなかった。

ところが人工知能というのは「知能」なので、たとえば僕と伊藤先生の間に人工知能がいて伝言をお願いするとか、僕の拙《つたな》い言葉をうまくブラッシュアップしてくれるとか、そういうふうにどんどん間に入っていくというのが特性なんですね。

ただし、今の人工知能は、人間の知能の高い部分まではまだ到達してないので、それ以前にコロナが来てしまって、活躍する「場」や状況が整っていなかった。たとえば、オンラインデジタルゲームとかだと、戦闘のしかたとか、コミュニケーションのプロトコルがある程度規定されていて、NPC（non player character、プレイヤーが操作しないキャラクター）と一緒に旅をしたり、モンスターを倒したりというのができて、コミュニケーションが取れます。でも一般の、このなんのフレームもない制限のない世界では、じつは人工知能はいまだに無力だ、というのは、おっしゃるとおりかな、と考えております。

技術者としては、これからを期待してほしい。どんどん人工知能が間に入っていって、人間の関係を変えるというのは、世間を変えて、社会を変えて、ひょっとしたらですけど、人類に世界平和をもたらすかもしれない技術だと、自分は考えております。

人間と自然の「手入れ」の関係

伊藤 「利他」という問題を考え始めたときからずっと思っているのは、大原則は、他人を制御してはいけないんじゃないか、ということなんです。よかれと思ってやったことでも、結局自分の善意を相手に押しつけることになる、というのはよくあることです。制御した途端に「利他」でなくなるのではないか、という思いがあって。

で、制御というのはやっぱり工学者たちの煩悩というか（笑）、制御ということをゴールにしがちなのかなと思うんですけれども。なんかその……「制御2.0」みたいなことが、どう考えられるのかということを、ちょっとうかがいたくて。
美博 どこからいこうかな。人間と自然との関係における「制御」の問題もあるだろうし、あと、いわゆる工学的な意味で「制御」がどういう限界をもっているのか、その二つの立場から話をしてみたいと思います。

　さっき話した里山的なところって、人間が自然を制御しようとする場所じゃないんですよね。自然の側も人間に入ってきていて、制御しきれないエリアなんです。これは僕の言葉じゃないんだけど、養老孟司《ようろうたけし》さんは「そういう関係のことは制御と呼ぶべきではない、それは手入れだ」と言っていたのね。

伊藤　ああー。うん。

美博　お手入れをする。それは盆栽だって手入れしたら、植物の持っている成長する力と、人間の思いとの相互浸透の形ができてくる。そういう「手入れ」という関係は、人間と自然、あるいは人間と生物との関係の中で、一方的なものではない形で存在できるんじゃないのかな、というのが、まず一つめの思うところです。

制御と被制御のあわい

美博　あともう一つは、いわゆる理工系的な意味での制御システムという分野があるじゃないですか。そこでは、制御する側と制御される側が分離されている関係のことを「制御」と呼んでいるんです。

　だけど、じつは制御する側と制御される側が分離しきれない問題というのが存在する。それは、おそらく自動制御という言葉を聞かれたことがあると思うんですけど、あれは数学的にはおもしろくってね。制御対象があったときに、それはじつは微分方程式で書いてあるんです。で、制御する側の制御器は、目標値と現状のフィードバックが引き算で、代数方程式で書いてあるんですよ。

　これは何を意味してるかと言うと、代数方程式というのは、引き算したらいっぺんに答えが出るでしょ。でも微分方程式って、しばらく動かさないと答えにいかないんです。言い方を変えると、時定数が違うんです。だから、制御する側はものすごく速くモノが考えられる。制御される側はゆっくり動いていく。その時間的なスケールの差が、じつは制御する側とされる側を分けているという、そういうことが、制御の考え方の根幹にあるんです。

　ですから、同じくらいの考えるスピードの者が二人いたら、絶対、制御／被制御にならない。

伊藤　はい。

美博　そういう制御の問題を考えられたら、この分野はもっともっとおもしろい分野に育ってくるんじゃないか、というふうには思うんです。お互いに影響を及ぼし合う。制御からインタラクションへ、適応から相互適応へ。そういうところかなあ、という気がします。

伊藤　おもしろいですね。最近『飼いならす』（アリス・ロバーツ著）という本を読んだのですが、人間って、さまざまな動物とか植物を「飼いなら」してきたと自分たちは思っているけれども、じつはもっとも「飼いなら」されているのは人類で、別の種と共存できるタイプの動物種にどんどん進化している。だから結局、共存は共進化を伴うのであって、お互い変わっていくということが起こる、と書いてありました。

「利他」を考えるうえでも、自分が変わっていくことは、一つ重要なキーワードになるんじゃないかな、と思うんですよね。

美博　なるほどねー。うん。

創造を呼び込む穴

中島　「引き算」というお話がありましたが、それは、引くことによって相手のポテンシャルを引き出すという問題があるのだろうなと思いました。

『弱いロボット』（岡田美智男著）という本があって、ロボットにどんどん能力を搭載するよりも、いろんなことができないロボットにしたほうが、人間のある種の能動性、おせっかいが引き出されていく。それによって、相互関係、「場」ができていく、そんな議論があったかと思うんですけれども。こういう「引き算」「ポテンシャルを引き出す」、それと先生がおっしゃる「制御」や「手入れ」というのは、どういうふうに見えていらっしゃいますか。

美博　ちょうど今中島先生がおっしゃったこととぴったり合う言葉が、先ほどのレクチャーに出てきた、アクティブ・ア・プレゼンス、「能動的不在」です。「能動的不在」は、意図して隙、穴をつくるんですよ。これが創造のトリガーになってくる、といつも考えています。借景なんかも、結局庭だけでは閉じず、外の風景を呼び込むわけですよね。

あるいは、「弓曳童子」ってご存じですか？　矢を射ってポンと的に当てる、江戸時代のシューティングゲームなんですけどね。あのときに出てくるからくり人形というのは、だいたい、顔が動かないんですよ。なぜかというと、じつは、そのゲームを楽しんでいる人がその顔を見たときに、当たったらスマイルに見えるし、外れたらアンクシャス（不安）に見える。

そういうリアルタイムに創出する意味みたいなものを、人間側に残してくれている。それを僕は「能動的不在」、アクティブ・ア・プレゼンス、あるいは、非完結性とも呼んでいます。

中島　はい。

美博　あえて、完結させない。浅いわけですよ。コンプリートネスなんて言ったら、そんなもん。非完結につくることが、創造のトリガーになる。でも、ではなんでもなくていいのか、というとそうではなくて、そこの！　穴の！　空け方が！　ものすごく巧妙でなきゃ、ダメなんですよね。入ってきてくれないんです。

僕は、そういう穴の空け方が、創造性の設計という意味で、非常に高度な技術になってくるような気がしています。ありがたいことにこの日本という国は、その「能動的不在」を使って創造性を喚起させようという、ものすごく多くの文化の蓄積を持っている。

だからそこを丁寧に掘り返していくと、新しい日本発の、非常に創造的な技術が生まれてくるんじゃないかな、なんて、思ったりしています。

「漏れる」社会システムをつくるには？

伊藤亜紗
×
稲谷龍彦

藤原辰史
（ゲストコメンテーター）

RITA MAGAZINE
Is there any *rita* in technology?

Chapter_1-3

- Asa Ito
- Tatsuhiko Inatani
- Tatsushi Fujihara (Guest Commentator)

収録：2023年4月24日

伊藤亜紗(いとう・あさ)
東京工業大学科学技術創成研究院未来の人類研究センター長、リベラルアーツ研究教育院教授。専門は美学、現代アート。主な著作に『目の見えない人は世界をどう見ているのか』『どもる体』『手の倫理』『体はゆく』など、共著に『ぼけと利他』などがある。雑誌『ちゃぶ台』にて「会議の研究」を連載中。

稲谷龍彦(いなたに・たつひこ)
1980年生まれ。京都大学大学院法学研究科教授。京都大学法政策共同研究センター「人工知能と法」ユニットリーダー。2013年度から2015年度にかけてパリ政治学院法科大学院・シカゴ大学政治学部にて客員研究員として在外研究に従事。専門は刑事政策。現在の主要な研究関心は、企業犯罪法制および科学技術と法。著書に『刑事手続におけるプライバシー保護』など。

藤原辰史(ふじはら・たつし)
1976年生まれ。京都大学人文科学研究所准教授。専門は現代史、とくに食と農の歴史。著書に『縁食論』『トラクターの世界史』『カブラの冬』『ナチスのキッチン』(河合隼雄学芸賞)、『給食の歴史』(辻静雄食文化賞)、『分解の哲学』(サントリー学芸賞)、共著に『中学生から知りたいウクライナのこと』など。

対談

なぜ「漏れる」なのか

伊藤　そもそもなぜ「漏れる」という動詞に行き着いたのか、ということを少しお話ししつつ、対談を始められたらと思います。

私が勤務している東京工業大学の中に未来の人類研究センターという人文社会系の研究組織があって、二〇二〇年二月から「利他」をテーマにした研究プロジェクトをスタートしました。

利他って、一般的には動詞で言うと「与える」、「give」の問題だと考えられていると思うんです。でも、その利他観は狭いなというか、「与える系の利他って、けっこう有害だったりもするじゃん」と思い至ったんです。

たとえば私は、いろんな障害と

か病気を持っている方にお話を聞くことを、自分の研究ではよくしているのですが、そういう社会的弱者と言われている人たちは、与えられる経験をいっぱい積んでいらっしゃる。で、それがものすごくありがたいんだけど、同時に、しんどい、という話をよく聞くんです。

マルセル・モースも言っていますけれども、やっぱりギフトという言葉には、「贈り物」という意味と「毒」という意味が、ゲルマン語系の言葉ではあると指摘されていて、人に与えるということは、受け取り、お返しし、そして返礼するという義務、お返ししなきゃいけないプレッシャーを、同時に押し付けている。それがふつうにキャッチボールできているうちはいいけれども、与えられることが積み重なると、借金がたまっていくような感じになって、しんどくなっちゃう。

しかもその一回一回の「与える」も、先方が想定している「こうしたら相手が喜ぶだろう」という一方的な善行のイメージにもとづいていることが多く、受け取り手はその相手が設定した台本に乗って演じなければならないような状況に立たされることがしばしばあります。

　障害の当事者はよく「障害者を演じさせられている」と言います。本当にそれをやってほしいかどうかは別として、何かをしてもらったら、できないふりをして「ありがとうございます」と受け取る。先回りの善意はかなりやっかいです。もちろん必要なサポートはするべきなのですが。

稲谷　うーん、なるほど。

伊藤　社会の中で多様性とかダイバーシティと言われれば言われるほど、障害者役が強固になっていく、そういう逆説もよく見られます。だから「与える」モデルで考えることの限界みたいなことを出発点にして、共同研究しているんです。

　じゃあ、「与える」ではない利他ってなんなんだろうと考えたときに、今日のキーワードでもある「漏れる」が出てきたんです。漏れるって「漏電」とか「漏水」とか、ふつうはよくないイメージが強い言葉だと思うのですが、本当にそうなのかな、と。というのも、自然界に目を向けてみると、そこにあるのは「あげる」じゃなくて「漏れる」ばかりなんですよね。

　たとえば「木漏れ日」は、植物が太陽の光を独占しないで、かといって与えているわけではなく、漏れ出させている状況です。そうすると、地面に近いところに生えている植物も光合成できる。

　あとは最近の研究だと、その光合成してつくった栄養も、根っこからどんどん漏れ出させているそうです。その漏れ出た栄養が、菌を媒介にして、他の株によって吸収されていく。この仕組みのおかげで太陽の光があまり当たらない幼木も、枯れることなく成長できるようになっている。でもこれも大きな株が「光合成できてなくてかわいそうだね、僕の養分どうぞ」ってあげてるわけじゃないんですよね。勝手に漏れ出ているわけですよね。

　もっと大きいスケールでいうと、たとえば植物が光合成を始めたとき、つまりCO_2を吸ってO_2を漏らすことを始めたとき、それは他の生き物にとって、超迷惑だった。

稲谷　猛毒でしたのでね。

伊藤　O_2はすごく反応性が高いので有毒です。つまり、植物はそれが良いものなのか悪いものなのかの価値判断をするより先に、O_2を漏らし始めたんですよね。まあ、植物にとってはただの排泄物だったわけですが。でもそれをうまく使う別の生物が現れて、地球全体の環境を変えていった。

　私が所属する東京工業大学は理工系の研究者ばかりなのですが、彼らに利他の話をすると、返ってくるのはこういう世界観の話ばっかりなんですよね。自然というのは、ある意味では結果論しかない世界なのかもしれませんが、そこには、計画も価値もないんだけど結果としてうまくいっているという、アナキズム的なものがある。上からのコントロールがないのに、お互いがうまくかみ合って全体が回っている。

　もちろん自然界のことわりをそのまま人間社会にあてはめられるとは思いませんが、でもそういうイメージをたくさん教えられて、たしかにそういう利他の考え方もいいな、と思うようになったんです。

稲谷　なるほど。

世間は「漏れ」からできている!?

伊藤　じゃあ人間は漏れているのか？　と考えたときに、どうなのか。たとえば、表情とか顔色というのは、わりと自然に近くて、とくに顔色はコントロールできないまま漏れ出て、自分の内側の状態を顔というインターフェイスを介して世界に発信しているわけじゃないですか。

しゃべる言葉とか服装とか身振りはある程度コントロールしていけるけれども、できない部分が必ずあり、そういう部分については漏れ出させている。でも漏れてしまうものがあるということが、社会性を生み出すと思うんです。自分を完全にコントロールできていて何も漏れてこない人は、信用しようがないと思うんですよね。

漏れるということは、閉じつつ開かれている、ということですよね。「漏れる」と「与える」の違いをひと言で言うなら、それは「宛先が決まっていない」ということだと思うんです。「与える」は自分の行為の結果をコントロールしようとしているのに対し、「漏れる」はそれに無頓着。

メールやSlackのやりとりが増えた現代からすると、コミュニケーションツールとしての「声」はなかなかすごいなと思います。声って、一応話している相手はいる、そういう意味でも宛先はあるのですが、まわりの人にも聞こえちゃいますよね。漏れまくっている。

たとえば喫茶店にいると、隣のテーブルの会話が漏れ聞こえてくるじゃないですか。すると、聞き耳をたてるつもりはなくても、こっちもちょっと気になって、いろいろ情報を得て、「みんなあの件についてはこういうふうに語るんだなあ」と知ったり、なんて言うんでしょう、たとえば自分の政治的な立場とかって、けっこうそういうところから形づくられたりすると思うんです。

稲谷　なるほど、なるほど（笑）。

伊藤　そういう世間みたいなものって、何か漏れ出てくるものがあるからこそ成り立っていると思うんですよね。

でもさらに社会の構造を仕組みのレベルで考えたときに、たとえば稲谷さんのご専門の法律というのは、どちらかというと、漏れさせないほうをベースにできているんじゃないかなと思います。ちゃんと境界を設定して、「ここまでがうちの土地」と線を引き、そうすることによって争いをなくし、社会を安定させることが、ルールや法律の基本的な役割であるように思います。

とくに最近は、テクノロジーが発達したことによって、「情報が漏れないように壁をつくっておくこと」に対する意識がとても高くなっています。典型的なのは個人情報の扱いです。

私が子どものころは、もっといい加減だったように思うんですけど、今は厳しいですよね。学校の連絡網が廃止され、名簿がなくなり、都会だと表札すら出さなくなっていて、お互いの名前すらわからない。もちろん、悪用されることもあるので個人情報の保護は重要なのですが、一方でこんなにお互いの情報が漏れなくなってしまって、都会で災害があったらどうやって助け合うのか、と不安になります。

つまり日常的にお互いの状況を漏れ出させておかないと、本当に何かあったときに、かえって危険だと思うんですよね。お隣の家族構成も知らない、障害をもっている人、お年寄りがいるのかもわからない。これでは助けようがありません。内の情報を日常的にある程度外に漏れ出させておくことが、利他的な関係をつくり出す環境として大事なんじゃないか、ということを考えているんです。

そんな関心から、どうせ「漏れる」について考えるなら、「漏れる」からもっとも遠いように思える法学の専門家を呼んでみたい、そのほうが、利他を心の問題としてではなく、社会制度として考える道が開けるのではないか、と思ったんです。そんな難問を解いてくれるのは稲谷さんしかいない……。

稲谷　はっはっは（笑）。

法律も、「全部コントロールする」ではないモデルを考え始めている

稲谷　解けるかどうかわからないですけど、まず、世間は「漏れ」からできているのではないかというのは、おもしろい視点だと思います。

　そもそも法律学というのは、基本的には社会の見方とか人の見方みたいなものに関わる分野です。たとえば、一般的に先進国と言われている国の法律というのは、端的にいうと、近代法といわれるモデルです。

　それは、みんなが、自分の意思とか理性をきちんと使うことによって、自分の行動をコントロールできるということを前提にしていて、かつそういう人たちが集まって国をつくって、従うべきルールをあらかじめ決めてそれに従うかぎり、平和に生存できます、ということを念頭に置いているんです。典型的な近代国家として、たとえばフランスは、ものすごく端的に言うと、「国」か「人」しかいない世界をもともと想定しているんですよ。彼らは中間団体を破壊していくことを一生懸命がんばって、「人」、個人を浮き上がらせた。それは、世間みたいな領域をなくしていく、という話に近いと思うんです。

　個人が自分自身を意思と理性でコントロールし、何か集団でするんだったら、個人間の契約に基づいて成立する「国家」、あるいはそれが生み出す「法律」によって、設計主義的に全部をコントロールする。このような個人の意思と理性によるコントロールを強調する考え方というのが、近代法の根底にあるように思います。

　このコントロールの強調と関連する話として、法と科学技術について、AIとかロボットとか、社会のあり方を変えてしまうようなテクノロジー、とくに情報技術をどう取り扱うのか、という現代の文脈で、近代的な法のあり方との大きなギャップとして出てくる問題の一つが、財産権なんです。

　財産権というのは、近代国家が成立するときに、ものすごく重視された権利で、物（ブツ）に対して人が支配を及ぼしてコントロールするというモデルなんです。このモデルを、近代法がその後拡張していったものの一つが、情報です。プライバシー権についても、私はこの考えはあまり好きではないのですが、一般的にずっと言われてきたのは「自己情報コントロール権」という考え方で、これはまさに財産の延長線上として情報を捉えています。

　たとえば最近EUで、プラットフォーマーが僕たちの情報を勝手に使って財産を生んでいるのは許せない、「分け前をよこせ」という議論があるのですが、それは財産権のモデルで情報を考えているからです。つまり、情報も全部コントロールするというのが、近代的な考え方を推し進めていったときの、一つの帰結なんですよ。

　でもそれが、結局どういうときに苛烈《かれつ》に働くのかというと、今おっしゃられたように、本当は助けが必要かもしれないときです。今私が関与している政策的な議論の中で、「アンビエント」というシステムをつくりたいという話があるのですが。

伊藤　アンビエント。

稲谷　これは賛否がある話なんです。どういうことかというと、人間のデータというのは、今いっぱいあって、個人のナンバーも割り振られているので、誰がどういうことをやったかを可視化しようと思ったら、一応できてしまうんです。

　これを悪い方向に使おうと思えば、監視してどうこう、という話にいくかもしれませんが、よい方向に使う方法もたぶんありえます。たとえば、今問題になっていることの一つは、生活保護が典型的ですが、支援が必要な人が自分で申請をできないということで

す。申請書類は複雑だし、役所での手続きが難しいという人もいっぱいいる。そういう人は結局、支援を受ける権利はあっても受けられない。

近代的な、みんなが自分のことを意思と理性に基づいて完全にコントロールできる、あるいはするべきというモデルを念頭に置いたら、こうした自分のことを自分でできない人のことは考えなくていいわけですよね。だから、そういう人たちが、法の保護から漏れてしまう。たとえばそういう人たちに対して、AIがぱっと情報を処理してフラグを立てて、「この人困ってるん違う?」となったら資金を支援するとか、あるいは役所に、「困っている人がいるから行ってあげて」という通知がいくとかいうことが、できるかもしれない。

さっきの災害対応も、マイナポータルみたいなものを使って、危なくなっているエリアの人たちに通知をするとか、いろんなアプロ

ーチがあると思います。それは、意思や理性を介して何かを新たにやるというよりは、もうまさに今流れているものを使うということです。

もちろん、流れている情報を集めることによるリスクはあって、先ほどの連絡網の話も、売ったりとか、おかしなことに使うやつがいるから、それに対してどういう枠をかけるかという問題は別論としてあります。ただ、漏れ出ているものを上手に使って、違うことができるのではないかという話は、現代的な法の文脈ではたしかにあります。

それからもう一つ、たとえばChatGPTのような先端的なＡＩも、一挙手一投足をコントロールできるものではないんですよね。使い方も、どういう形で伸びるか、じつはよくわかっていなくて、もともと考えていた使い方と違う伸び方をする可能性というのは、技術には典型的によくありますよね。それもある意味、利他といえば利他なんだと思うんです。

だからテクノロジーとの付き合い方も、危ないところが出てきたら、介入しなきゃいけないけれども、あらかじめ決めることはできない、ということを念頭に置いて、どううまくやっていくかという話に、なり始めているんです。そういう意味で、近代法が念頭に置いている、「全部コントロールする」のとは違うモデルを、考え始めていることはたしかなんです。

もう一つ思ったのは、伊藤さんの話はわりと、システムで見ているのかな、と。先ほどの木の話も、人の決定というよりは、もうちょっと大きなメカニズムで見ている。それも、今の法学の一つの新しい見方なんです。

今まで、個人の意思決定とか、個人のアクションとその結果の因果関係を、個別にたどるというモデルで考えてきた。でも最近は、それだけでは説明できないことが増えてきています。視野を広げて考えたら、良かれと思ってやったことが良くなっていなかったり、「これどうなん」と思っていたことが、良いことにつながっている場合もある。法制度を考えるときにも、それを念頭に置いて設計したほうがいいんちがいますか、ということも言われています。最初のお話をうかがいながら思ったことなんですけど、噛み合ってます？（笑）

自由意志の外側で寄付を起こす

伊藤　いや、法律の話でこんなにワクワクすることがあるのか！という感じです。一つずつうかがっていきたいんですけど、まず根底にあるものとして、いわゆる近代的な個、すべてを自律的にコントロールしている主体みたいなものが、失効している、賞味期限が切れているということは、哲学とかいろんな分野で言われているけれども、法学にも同じような考え方がきている、ということですよね。

稲谷　そうですね、はい。

伊藤　そうなると、法律はどうなってしまうんだろうということをまず思いました。それと、もちろん人間としての主権は、すごく大事だと思うんですけど、一方で、すべてがコントロールできている状況ほどつまらないものはない、という感じがしていて（笑）。

稲谷　（笑）。

伊藤　どうなるかわからないから、人ってやる気が起こるし、新しい発想や、触発されることも起こると思うんですね。たとえば、我々の共同研究にもちょっと参加くださっている桂大介さんは、「新しい贈与論」という団体を運営されています。これは、寄付という営みの新しい形を考える団体なのですが、そのきっかけは、桂さんがいろんなところに寄付をしたときに、あまり楽しめなかった、ということなんだそうです（笑）。つまり、「ここがいいな」

と思うところに寄付するしかないから、自分の趣味嗜好が強化されていくだけなんですね。

稲谷　あー、なるほど。

伊藤　彼の言葉を借りると、自由意志の外側で寄付を起こすにはどうしたらいいか、というのが、モチベーションになっている。最初にやったのは、完全ランダムで、抽選のように寄付先を決めるやり方だったそうです。でも、それはそれでつまらない。ランダム性が高すぎると……。

稲谷　何をやっているのかわからない（笑）。

伊藤　そうそう。学びがないと彼は言っていて、結局どうしたかというのが、その「新しい贈与論」なんです。会員制で、人によって一万円や三万円、五万円の会費を毎月払って、集めたお金を毎月どこかに寄付します。桂さんが毎月テーマを設定するのですが、それが「旅」とか「幽霊」とか、けっこう謎なんです（笑）。その月の担当者が三ペアくらいいて、そのテーマに紐づきそうな寄付先の候補を出して、推薦文を書いて、他の人は投票する。

　投票前には、どこに投票するかを話す会もあって、そこでまた自分の気持ちが揺れたりとかもします。で、最終的に一番票が多かったところに、みんなのお金を送るんです。そこで桂さんが大事にしているのは、自分にとって本意じゃないところに自分のお金がいってしまう経験をみんながすること。

　寄付の根底にあるモチベーションは、お金の流動性を高めるというか、たまたま今、このお金は自分のところにあるけど、ここになくてもいいんじゃないかな、という感覚ですよね。さっきの財産の感覚とは逆のものも、じつは人間の心の中にあるんじゃないか、というのが桂さんの思いで。水みたいに流れている、その流れる力に任せたい、それによって本当に必要としている人のところに行くべきだ、という。偶然に任せるとも言えるし、ある種、むしろ必然に任せると言いたくなるような感覚をみんなで養うために、そんな会議をしているんです。

　こういう形って、財産に対する考え方を変えてくれるし、すべてをコントロールするということからも離れさせてくれるし、すごくおもしろいなと思っています。でも使っている方法は投票で、なじみがある、むしろ伝統的な社会制度ですよね。そのことを、お話をうかがって思い出しました。

稲谷　なるほど、たぶん、共同体をどう考えるか、という話に近いですよね。たとえば近代の典型的なルールづくりというのは、みんなが共有している価値基準に従ってルールをつくったら、それがみんなを一番ハッピーにする、という考え方で、そこで念頭に置いているのは、やっぱり、個人は意思と理性に基づいて全部をコントロールできるということ。だから、「これってみんなの意思に基づいてるよね」ということを、一生懸命制度化しようとしている。でも、共同体ってたぶん、そんなもんじゃないんですよね（笑）。

伊藤　（笑）。

稲谷　巡り巡って結局多くの人を救っている部分もあるし、みんなを傷つけている場合もある。意思や理性に基づいてやっているというよりは、巡り巡って結局生じている、みたいなものが、今のシステムではあんまり表現できていないと思うんですね。

　先ほどのお話の、自分が思っていたのと違うところにお金が持っていかれるという、それこそがたぶん本来の共同体の、人間の生活の、いろんな人がインタラクションしながらやっているおもしろみだと思います。それが可視化されて、みんなにある意味納得されていくというのが、おもしろいですよね。よく考えたら利他って、共同体の中に自分がいないと成立しないわけで。

近代法は、共同体が苦手

稲谷　だから意外と、共同体というのは、近代が苦手とするものなんですよ。意思に基づいていないというか、自然とできあがっているものだから。たとえば、民法の分野で司法試験を勉強する人がぶち当たる、最初の意味がわからない概念の一つとして、「権利能力なき社団」というのがあるんです。

伊藤　権利能力なき……。

稲谷　めちゃ大層な言い方なんですけど、要するに同窓会とかなんですよ。

伊藤　あ〜。社団？

稲谷　同窓会だと十年、二十年存続したりするけど、法人として取引があるわけではない。だけど、たとえばみんなからプールしたお金を入れておく預金口座がなかったら不便ですよね。だから簡単に言うと、法律的に人間だとは認められないけど、人間の塊としてうまいこと取り扱わないといけない

からと、ふわっとできた概念なんです。

伊藤　へえ〜。

稲谷　それくらい、ふわっとした人の結びつきを扱うのが、法律は苦手なんです。それは、意思と理性に基づいて線を引くということに、すごくこだわってきているから。そのこだわりがよく働くと、誰がどう決定したかを追跡できて、問題が解決できて……と、科学的思考なんかにもつながるメリットがあるけど、悪く働くと、すごく息苦しく、おもしろみがない世界になる。その間ぐらいをやっていくというときに、さっきおっしゃったような試みはおもしろいし、やっぱり、共同体のあり方を考えることにつながるんでしょうね。

それは権利とか人権のような、今の社会の仕組みを、広い意味でどう見ていくんですか、という話ですし、今まさにそこは流動化し始めているので、めっちゃおもろいところやと思います。

伊藤　私は、利他にとって大事なのは「利」よりも「他」のほうだと思っているんです。さっき話したように、障害を持っている方をサポートするときに、「これをやったら相手は喜ぶだろう」と台本をつくってやるのでは、結局している側が何も変わらなくて、自分の価値観を人に押し付けることになってしまうから、それが嫌だなと思って。

その「他」にちゃんと出会っているんだという緊張感、おもしろさを感じるためには、自分の行為の結果がわからないということがすごく大事だと思うのですが、まさに共同体って、そういうものですよね。

稲谷　私はもともと、専門が刑事法なんですけど、近代的な刑事法って「行為責任」という言い方をするんです。それは、「なんでお前はこんな判断して、こんな行為をしちゃったの、こういう結果になるってわかってたじゃん」という形で非難するタイプのシステムでできあがっているわけです。でも、私はそれがあんまり好きじゃなくて、おっしゃるとおり、わからないケースもいっぱいあるわけですよ。

たとえば「過失責任」と言われているものって、もうちょっと気をつけておけばこういう悪い結果は起きないとわかっていたんだから、という話です。それで現実に処罰されて刑務所に行く人もいる。因果関係というけれど、どこまで自分の責任対象なのかというのは難しい。これだけ複雑な社会になってくると、結局、処罰されることを恐れて活動が萎縮するという問題も起きている。

もちろん、悪質な人がいることは否定しませんし、それに対してどう対応しますかという問題はありますけど、実際、そうじゃない人もいっぱいいる。だから「あらかじめわかってたよね」という考え方そのものを、やっぱりある程度変えなあかんと。そのときにたぶん重要なことは、自分がやったことには、良きにせよ悪しきにせよちゃんと向き合って、そのうえで、ちゃんと変わっていけますか、というところだと思うんですよね。

他者と共に生きるって、変化をしていくことで、それが、自分のやったことと本当に向き合うということなので、責任というものも、もう少しその方向に向けていったほうがいいと思っています。

じつは日本って、わりと昔からそういうやり方をしてたんですよね。どのぐらいちゃんと「ごめん」と言ったかとか、そういうところで、うまくいかなかった人でももう一回チャンスをあげましょうという方向で、割合とうまくやっていた時期もあった。

法に従うのは、自分を大切に扱っている社会のルールだから

伊藤　わからなさを許せるようになるというのは、すごく時間的な

話ですよね。その人がやったことが将来、吉と出るか凶と出るか、それはたぶん永遠にわからない。

十年後になったら評価が変わるかもしれないという、その時間軸込みで考えていくために何が必要なのか。人が変われるというのは、けっこう、性善説に近い考え方だと思うんです。

私も人はすごく変わると思うというか、少なくとも体の研究をしていると、体が勝手に変わるので、それに追いつこうとして人は変わると思うんですけど、とはいえけっこうエネルギーがいることだし、新しい自分を発明するのって、知的な作業だと思います。

近代法が前提にしてきたような自律的な主体とはまた違う仕方で、もっとすばらしいものとして人間像を想定するというのが、一つありえるのかなと思うんです。

もう一つは、もうちょっと共同体的なつながりのほうをベースに考えるのもありえるのかなと思っていて。稲谷さんがネット上の記事（※1）で書かれていて感動したのは、大事なのは、共同体に参加しているということで、自分の意思が通ることが大事なのではないと。

稲谷　そうそうそう。

伊藤　最近、東京の八丈島につながりができて、利他の研究会をしたときに、島の方が「利他って、結局一員であることじゃないか」とサラッとおっしゃったんですよね。八丈島の歴史というのは、流人たち——といっても、近代法とは違う犯罪者の概念ですけど、その人たちを、嫌々だったかもしれないし、労働力だったかもしれないけれども、受け入れてきた。政治犯が多かったので、一揆のサブリーダーとか、文化人も多かったらしいんですよね。先進的な考えをもたらしてくれるという意味で、わりとみんな敬意を払って接したりもした。

そういう外部の人を受け入れて、その都度共同体をつくり変えていく作業をずっとしてきた人が、「一員である」という言葉をサラッとおっしゃった。たぶん八丈島に住んでいる方って、「ここの一員なんだ」という感覚がすごくあって、利他の研究会なんか、全然する必要がないというか。言葉がなかっただけで、利他的な世界にふつうに生きていたんですよね。

もちろんお互い好き嫌いもあるだろうし、みんながいい人じゃないけれども、一員であるということの中で、少しのんびり構えているというか、いろんな判断の仕方がちょっと違うんじゃないかなと思ったんです。

稲谷　なぜ人は法に従うのか、という社会心理学の有名な研究があって、トム・R・タイラーの『Why People Obey the Law』という本に書かれているのですが、罰を受けるから、何かいいものをもらえるからこうする、というふうには、じつは人間はあんまり動いていないというんです。もちろんそれで説明できる部分もあるんですけど、多くのケースで、その人にとって不利益になるとわかっていても法に従うのは、その法が、自分を大切に取り扱っている社会の法だと思えるから。

伊藤　なるほど。

稲谷　一人ひとりがちゃんと、取り扱われている。まさにおっしゃるように、メンバーとして尊重されている。その社会の中で通用しているルールというのは、ある意味自分の一部なのかもしれない。逆に、不公平に取り扱われている共同体だと思っていたら、従わない。その本では「法のレジティマシー」という言い方をしているんですけど、ある意味すごく単純な、当たり前の話ですよね。

でもその当たり前のことがうまくいっていない場合も多い。たとえば、これもたぶん同じ本にも書いてある話なんですけど、今、政治システムの一つの欠陥だと私が勝手に思っているのは、政治的な代表者とか政治的意思決定とふつうの人がつながろうとするときに、投票箱しか手段がないというところです。そこのインターフェイスをどうやったら豊かにできるかを考えることが、とても必要だと思うんです。

たとえば、シビックテックとかレグテックとか言ったりしますけど、自分が気づいたことを、各自がSlackなどにどんどん書き込んで、みんなで議論しながら、「あの地域ではこんなことで困っている」とかいうことを、ちゃんと見ている人がいて、やり取りを進めてなんとかするとかね。

誰かとつながれる場を増やせば、それぞれの人が自分の意見を言えるようになるし、人の意見を見られるようになる。そうすると、顔が見える人同士で生きている感じに近づいてくるのかもしれない。

裁判員裁判をやったときに、参加した人のアンケートで、「やってよかった」という人のほとんどの理由は、目の前にいる人が自分と同じだということがわかったことだ、というんですよね。犯罪者が人間だと理解できたことが一番よかったと。

その人のやったことはひどいことだし、受け入れられないけれども、でもその人はひょっとすると自分だったかもしれないと思う瞬間があるかどうかによって、人って全然変わってくると思うんです。それによって、「なんでこんなことやったんだ」「もっと自分をコントロールして正しく生きろ」という圧を弱めることもできる気がするんですよ。

伊藤　たしかに。

少年犯罪に使っていた法律を、企業犯罪に使う

稲谷　さっきの、どうやったらもうちょっと緩やかに構えられるか、ということの一つは、私は端的に、失敗を許容することだと思うんです。自分がうまくいかないのも、他人が失敗したのも許容できる、そういう状態をどうつくるか。

さっきの連絡簿の情報漏えいに関する話もそうなんですけど、「どうしてくれるんだ」という怒りは、そういうことは絶対に起きちゃだめだという中で、みんなが生きているから湧いてくるものだと思うんです。あまりにもその中で生きすぎている。

伊藤　なるほど～。「失敗を大事にする」というときによくあるストーリーは、「あのときの失敗が今の成功に役立っています」じゃないですか。それってでも、本当の失敗ではないような気がして。失敗の着地、落としどころを、どういうふうにしていくといいんですかね。

稲谷　なるほど。でも「どうにもなんない」ってよくあるから、「しょうがない」というのを、なぜ受け入れられないのかな、と逆に思うときがあるんですよね。

伊藤　そうですよね。

稲谷　いろいろ考えてうまくやるつもりだったけど、だめだった、やめよっか、というのは、全然あっていいと思うんですけど、そこでやめられない人が多い。なんかしらの形で成功体験をしなきゃいけないという。

伊藤　たしかに、東工大のいいところは、工学の人の基本的なマインドが試行錯誤なんですね。失敗してなんぼという。今度、医科歯科と合併するんですけれども、あちらは失敗絶対だめな世界。

稲谷　あー。死んじゃいますからねえ。

伊藤　工学の人ってやっぱり、計算する前に手を動かして、手で考えている感じがすごくあって。つくってみよう、そっから考えようみたいな感じはすごくいいなと思います。まあ、常に見切り発車という意味では不安になることもあるんですけど、失敗が許されているというのは、自分もつくっているというか、そういう感覚に近いのかなって。

稲谷　そうでしょうね。法律でもけっこうそういうシステムがあっ

て、たとえば今、企業犯罪を取り締まるために使われている仕組みは、もともと、不良少年を反省させる仕組みだったんですよ。

伊藤　そうなんだ！

稲谷　アメリカで今、企業犯罪を取り締まるためにすごく使われている仕組みで、デファード・プロセキューション・アグリーメント（Deferred Prosecution Agreement）と言って、直訳すると「訴追延期合意」となります。たとえば、悪いことをしちゃった子どもがいて、このまま放っておくと大変なことになるから、「ちょっと偉い人のところに行って話を聞いてきな」とか、「ちょっとトレーニング受けてきな」とか伝えて、それをやっているかぎりは起訴しないからと、検察官が許してあげるんですね。

　これが、企業犯罪にどう使われるかというと、企業が悪いことをすると、ふつう、全部隠しちゃうわけです。アメリカの場合、隠して最後起訴までいっちゃうと、会社が潰れるような制裁金が課されたりとか、あるいは許認可取り消しになると、解散になっちゃうんですよね。それに対して、検察が「早めに言ってきたら起訴しないから、言っておいで」という仕組みなんです。

　自分から言ってくる人に、「わかった、あなたはもう悪いことは認めたのね。同じことを繰り返さないためにどういうプログラムを組みますか」というのを全部提案させて、それを守るんだったら起訴しないという仕組みをやった結果、それまで隠れていた犯罪が、一気にバーッと出てきた。

　そのときにやっぱり、なぜ少年犯罪で軽い罪をコントロールするためにつくっていた仕組みを、こんな重大な企業犯罪に使うんだ、という批判も出たんですよ。でも、現実問題めっちゃ使えるから、もうずっとそれを使いまくっている（笑）。

　他にも、やってみたらうまくいっちゃって定着したというケースはいっぱいあるし、そういう意味では法律って、けっこう工学的なところがあるのかもしれないです。制度をつくったり、制度に関する議論をしていると、そんなもんじゃないのかなって思ったりします。

　ちょっと無理やりまとめてみると、一人ひとりが社会をつくる側に回るというか、それも、意図したようにできるかどうかわからないけど、自分も何かしら参加してやってみる。これ、言ってることが、すごくふつうなんですけど、でも逆に言うと、ふつうの参加から遠くなってしまっているのかもしれないですね。

伊藤　じゃあ、投票箱だけじゃなくて、何かつくることによって……。

稲谷　いろんな形で参加していくと、もっとお互いを許せる感じになる。もちろん大失敗しないように、誰かがカードをつくったほうがいいと思いますけど、それなりに上手に失敗したり、楽しくやったりできる状態ができてくると、もっとみんな生き生きするんじゃないのかなということは思います。

柔軟に変化する法律!?

伊藤　でもそれは法律に当てはめると、法律も、どんどん変われる状態ということですよね。

稲谷　そうそう。まさにそういう議論を今やっているんです。法律とか規制自体がどんどん変わるようにしましょうと。今、デジタル庁と協力して仕事をしているんです。今まで日本の規制の仕方って、工業製品とか一個とっても、すごく細かい規格まで全部仕様を決めて、このとおりつくんなきゃだめ、というふうにやっていたわけです。だけどそれって、今みたいに物理的な部分だけでなくサイバーの部分も組み合わさって、このサイバーの部分の変化がすごく激しく、機能とか性能自体がどんどん変わっちゃうような時代になってくると、あんまり合っていないんですよね。

それを技術中立的にして、ただ「こういう目的を達成している」ということは企業の側が論証するようにして、その論証がちゃんとできているなら好きにやってください、何か起きたら責任とってね、という仕組みに変えていったほうがいいんじゃないかという話をしているんです。そうやると、自分で責任を持って創意工夫あるところが、違うルールや仕組みをどんどん提案できる。

あとは、データを取ってみて、「これうまくいってないね、それなら変えよう」ということを柔軟に提案したり変化させたりするようにしましょう、という方向にいっています。ただし、それをやろうと思ったら、レイヤーを考えないといけない。たとえば憲法を、みんなでワーッてSlackやりとりして十分ぐらいで変えられるのは、やっぱりまずいわけですよね(笑)。

伊藤　(笑)。

稲谷　そういうレイヤーの棲み分けとか関係性を試行錯誤しながら設計していくと、もっと分散的な法の仕組みになってくるだろうという議論をしています。

伊藤　なるほど。さっきの企業に対する規制を柔軟にしていくというお話は、最終的なゴールは具体的にどういうものとして設定しておくんですか?

稲谷　すごくざっくりしたもので、たとえば「この製品は、安全に使えるようにしなきゃいけない」という場合、「今までは統計的にこれぐらいコントロールができていた」というデータがあったとすると、「今度の新しい機能は、それをちゃんと満たしているから別に問題ないよね」というような。

だからなんというか、まずは抽象的に目的だけ規定する。労働環境だったら「湿度が高くなりすぎないようにします」とか。それを具体的にブレークダウンして提案するのは、民間企業のほうでいいんじゃない、ということでどんどん進めていくという感じです。

伊藤　ふーん……!　これはかなりラディカルですよね。

稲谷　そうなんですよ。でももうわりと、「やるんだ」という感じでみなさん突き進んでいらっしゃいます。すごくおもしろい方向に変わっているんじゃないすかね。ただ、海外の人と話すと、近代法的な考え方が好きな国もあるので、「危ないんじゃないか」って言われますけどね。

伊藤　へえ〜。

稲谷　まあやってみないとわかんないんで。はっはっは(笑)。

伊藤　そうですねえ。でもたとえばボードゲームをやるときって、けっこうルールの隙間があって、それを調整しますよね。大人三人と小学生でやるときは、いい感じでハンディをつけたりとか、不利にならないようにしますもんね。だから逆にその隙間がないと、現実の状況や多様性に対応しきれないですよね。

稲谷　そうなんですよ。おっしゃるとおり。法ってもともと、うまくいろいろ変われるのが強みだったところを、近代法は、良くも悪くも潰してしまったところがあるのはたしかなんです。正しい読み方が一個決まる、という考えではなくて、もっとみんなで読み合っていくというやり方になっていくとおもしろいと思う。もっと自由に読めて、自由に使って、その中からまた誰かが新しいやり方を見つけて。そういうサイクルが回っていくと、すごくおもしろい社会になるんじゃないかな、という感覚は持っています。

※1　「人新世における『新しい人間像』の構築へ：気鋭の法学者・稲谷龍彦と考える、7つの論点」https://wired.jp/article/are-we-autonomous-or-not/

生き物とそれ

鼎談

Wi-Fiとゴミ

伊藤　後半は歴史学者の藤原辰史さんにも入っていただこうと思います。藤原さんとは二〇二一年三月一日に、ミシマ社の企画で対談をさせていただきました。そのときのタイトルが「『ふれる、もれる』社会をどうつくる?」でした。このタイトルは、藤原さんが『縁食論』で書かれた「もれる」の話と、私が『手の倫理』で書いた「ふれる」の話を掛け合わせてみよう、という意図でつけられたものです。

　そのときの対談がめちゃくちゃおもしろくて、私自身が利他について「漏れる」という観点から考えるうえで、藤原さんには大きな示唆をいただきました。それ以来、藤原さんは私の漏れ師匠なんです。

藤原　はい。「漏れ師匠」って、光栄です(笑)。そういえば、私の漏れ師匠は安藤昌益《しょうえき》という人で、すごくリスキーな思想家です。彼は、世の中の生殖行為というのは全部漏れではないか、コントロールできていない、だけどいつの間にか生殖が始まって子どもができているよね、ということを言いました。

　涙も汗もそうですね。あらゆる生き物の体の構造、とくに人間は、袋にギュッと詰まっているものがポロポロと漏れてくるというふうに考えたほうが自然やな、という考え方です。ですから、今日は法の話なのに、生き物の話が入ってきているというのは、単純におもしろいなと思っています。

　それから、私たちの身近な暮らしの中にも、「これ漏れてくれたらよかったのに」ということがあるんですよ。私が一番それを感じるのは、Wi-Fiなんですけど……。

一同　ははは(笑)。

藤原　なんで、つながっているのに、パスワードがないと入れないのか。これはたぶん、法律的な問題なので、お聞きしたいんですけど。

稲谷　わからないですけどね(笑)。でも、たしかに、Wi-Fiをどうしてもっと無料の……。

藤原　デジタル庁にぜひやってほしいんですけど、絶対に無料にして公共でやったほうが、イノベーションがうまくいくと思うんですよ。つまり、お金がなくてアイディアだけある人が、プロバイダに入らなくてもガンガン使える。なぜそういうことを考えたかというと、稲谷さんのご著書も読ませていただいたんですけど、社会的に弱い人たちのところから考えようと。

稲谷　そうですね。

藤原　Wi-Fiって命綱なんです。東京でホームレスの支援をされている稲葉剛さんの『貧困パンデミック』という本に書かれてあったのですが、ネットカフェ難民と言われていた人たちが、コロナでネットカフェが止まってしまって、もうまさに社会の道路に出てくるんですね。どうやって生きていこうかというときに、携帯も止まっている中で、そういう援助団体に連絡できたのは、フリーWi-Fiのあるファーストフード店などに行って、メールを使えたからなんですって。

稲谷　あ〜。

藤原　だから、Wi-Fiに所有権があってお金が発生するという、財産になっていることへの私の個人的な怒りというか、そういうものを、まず最初に考えたく。

稲谷　なるほど、なるほど。

藤原　あとは、ゴミというのは財産なのか、という話。ゴミは、一方でものすごく私たちのプライベートな情報が、たとえば髪の毛には、遺伝子レベルで個人情報が全部入っちゃっているという大問題なものでもあります。

　一方で、リサイクルというシステムがあるときに、ゴミだから全部埋められるとか焼かれるのではなくて、うまく漏れ出れば、うまくいくのにな、というときがある。たとえば、粗大ゴミは、コンビニからシールを買ってきて貼って出しますけど、街を歩いていると、けっこういいものにそのシールが貼ってあって、これを自由に持っていけたら使えるのにな、とか思うんですね。Wi-Fiとゴミ、その二つが、まずは考えたことでした。

共同体の「漏れ」と多様性をどう担保するのか

藤原　で、そういうふうに考えると、国家とか大きなシステムの中で生きていくよりは、もう少し小さな、スープの冷めない半径五〇〇メートルぐらいの中で、お互いにあれやこれや、話し合ったり試行錯誤したりしながら、いろんなことをやっていったほうが、というお話も、そのとおりだなと思って。

　しかもそれをあんまり理想化しないで、失敗することをむしろ前提としながら、それをどう考えるかという視点で考えられたのが、私にはすごくしっくりきました。

　というのも、すっごく話が飛んで恐縮ですけど、私がぱっと思い出したのが、須賀敦子さんのエッセイ（『コルシア書店の仲間たち』）なんです。彼女がイタリアのミラノに住んでいたときに、ラディカルな思想を掲げる本屋さんに勤めるのですが、その本屋さんでは、いろんなアイディアを出しあっていろんなことをチャレンジするんです。で、そこに関わる人たちというのが、とてもキャラが立っていて、須賀さんは、それをものすごく鬱陶《うっとう》しそうに書くんですよ。

稲谷　はっはっは（笑）。

藤原　すごくいい思い出なのに、一人ひとりが濃すぎて、振り回され続けている。せっかく結婚して二人で一緒にいたいのに、深夜に家にやってくる上司がいるとか、そういうことをいちいち鬱陶しそうに綴《つづ》るんだけど、逆に、その「お節介」が共同体のおもしろさを感じさせる。

　で、そこからちょっとお二人に聞きたいというか、自分も今悩んでいるところなんですけど……。私は歴史研究者なので、共同体というときに、いつも少し警戒するのは、入場制限の話です。つまり、お互いたとえ喧嘩したとしても、ある程度の前提があるから批判や失敗ができる。でも、それができない人とできる人という形で共同体が均質化してしまうと、今日の話とちょっとずれていってしまうということなんです。

　つまりメンバーシップというときに、いったいどういうふうにしてその多様性や「漏れ」を担保していくのか。ナチスの研究をしているので例に出しますが、ナチスというのもやっぱり、ある意味共同体を重視していて、一番大事なスローガンとして「フォルクスゲマインシャフト」、「民族共同体」を掲げ、国家を一つの共同体と捉えた。あれはやっぱりすごく統制モデルだし、生きづらい社会だったとは思う一方で、みんな同じ人種なんだからわかるよね、という優生学的な視点で、ある意味今日のお話と悪い方向につながっていく。

　稲谷さんが何度も、「これはもし間違えると悪い方向にいくんだけどね」とおっしゃっていたとおり、今日の二人の議論というのは、文字どおりのスリリングな議論で、ちょっと間違ってしまうと、すごく強い財力と権力を持った人が、その自由な「漏れ」の領域にガツッと入ってきて、恣意的

に振る舞えちゃうとか、そういうふうなことにもなりかねない。

　それでも、なんとか、みんなが気持ちよく試行錯誤できる方向へと、ある意味、綱引きをしているわけですよね。だからそういうときに、悪い方向に行かない、あるいはガードをするには、どういうふうにしたらいいのかなって。

　もう一つ例を挙げると、戦時期の日本の農村がじつはそうだったんですけど、農村は昔から自治的な存在であって、いろいろな困難を大きな力に頼らずにやってきたんだから、一つここでその力を発揮してくれ、うまく計画を立てたら金をやる、という感じで、世界恐慌下の農村を、補助金でつくり上げていくという方法。これは、一種の「やりがい搾取」なんですよね。「漏れ搾取」と言うんでしょうか。そうならないための制度も、またこれは法律のジャンルの話で、おそらく稲谷さんは常にその二つを考えていらっしゃる……。

稲谷　そうですね、はい。

藤原　今日はポジティブな話がすごく多かったけど、やっぱり法的に両方をどう成形していくかというのは、すごく考えるんですよね。その辺が二つ目の疑問でした。

共同体の大事なポイントは摩擦

稲谷　ありがとうございます。まずWi-Fiの話でおもしろいなと思ったのは、今、我々は「アジャイルガバナンス」と呼ばれる、もっと分散的で迅速な、テクノロジーと適合していくような統治システムがいいのではないか、という話をしています。ただ、それは危険だ、と言う人もいることがわかっていたので、国際会議などでは、わりとマイナス面から、リスクや制御を強調して話し始めたんです。でもそうしたら、参加者から「逆じゃない?」と言われました。君たちの話を聞いてわかったけ

ど、今はもう、つながる権利のほうがよっぽど大事だろと。それを言われたときに、「ああ、そのとおりだよな」と思って。ここまでサイバー空間がインフラ化しているのに、なぜつなげない人がいるのかということ自体に、もっと問題意識を持ったほうがいい。

もちろん、セキュリティリスクの問題がありますが、たとえば今だと、マイナポータルみたいなものでIDを特定できるので、それ自体いいかどうかという別の問題はありますけど、それで認証して絶対につなげるものを用意していくというのは、考え方としてはあってもいいと思います。そのあたりは、真剣に考えて議論していくべきテーマだなというのをあらためて思いました。

あとゴミに関しては、刑事裁判の判例があるのですが、その判例が変ではないか、と問題提起をしたことがあります。それは、ゴミは無価値物で捨てたものだから、所有権もなく、持っていくのは自

由でしょ、ということで、半年ぐらいの間、警察が全部勝手に持っていって中身を見ていたということに対して、本当に問題ないんですか、という内容だったんです。

公道上で写真を撮ったりするときには、すごく制限がかかったりする一方で、ゴミを持っていくのは完全に自由という話になると、なんだかすごくバランスが悪いのではないか。その捜査というのはある意味「漏れ」を利用しているんですよね。人間が痕跡を残すからこそ犯罪捜査が可能なのであって、その痕跡がいっぱい残っているところに資源を投下したくなるのは当たり前の話なんですけど。でもその犯罪捜査というのは、変なことに転用されるリスクがやっぱりあるんです。

藤原　そうなんですよ！

稲谷　典型的に、それはもうアメリカの独立の経緯もそうだし、公民権運動のときの弾圧もそうだし、日本でも戦前の特別高等警察がめちゃくちゃやっていたわけで。

藤原　Black Lives Matter のときも、すごくやりましたよね。恣意性がある……。

稲谷　やっぱりそれをどうやって統制するかを考えなきゃいけない。だから私は、持って行ってもいいけれど、持って行ったあと、どう使っているのか検証できる形にする、というところをきっちりやっていきましょうと言っています。

持っていくか、いかないかより、どう使ったのか、どう使うつもりだったのか。そこをどう明確化して、濫用のリスクを下げていくのか。濫用をしたときに、たとえば損害賠償みたいな形でちゃんと濫用した側が不利益を被るようにするとか。そういう仕組みを全体でつくらないと、いくら権利があると言っても仕方がないのではないか、と。

システム全体として、おかしな使い方を防ぐ仕組みをインストールしておかないとまずいというのは、いろんなところで言えると思います。

共同体にしても、おっしゃるとおりで、理想化された共同体というのは、一番典型的にやばいんだと思います。法学者も、みんなが陥りがちな罠《わな》だと思うのですが、「なんかこれはうまくいったね」とみんなが思った瞬間が、最初の地獄への入り口で。逆に言うと、共同体の大事なポイントというのは――それは自分が学者として大事にしていることなのかもしれないけど、摩擦だと思うんです。けっこう一生懸命うまくやったつもりなのに、すごく嫌なことを言うやつっているわけですよね。

藤原　必ずいますね。

稲谷　めーっちゃ腹立つんですけど、正直。

藤原　ふははは（笑）。

稲谷　めっちゃ腹立つんやけど、二時間ぐらい経つと、まあたしかにでも、ああ言ってくれたおかげで、ちょっとまた考えようかな、となっている自分がいるわけですよ。

藤原　二時間って早いですねえ！　私、一週間くらい……。

稲谷　立ち直りが早いほうなんです。デビュー戦から言われまくってボコボコなので。

現実的な制約という救い

伊藤　けっこう、現実的な制約が救いになることって多くて、そこから出発して、解決策も見つかっていくと思うんです。お話を聞いていて、もちろん大きな意味で理想を持っていらっしゃるんだけれども、発想法はいつも現実的な制約に依拠していて、そこから何かをつくっていこうというスタイルがすばらしいなと思ったんですよね。摩擦ってすごく、「漏れ」とセットというか同じかもしれない。

藤原　なるほど、うん。

伊藤　やっぱり、涙はいいとしても、人の汗とかって、なんかちょっと嫌だなって思ったりすることもあって。なんというか、人が判断せずにどんどん出していくものって、必ずしも良いものとはかぎらない。大きな声を出しているとか、めっちゃ怒っているとか、そういう、自分にとっては摩擦的な「漏れ」も含めて「漏れ」を考えないと、意味がないなと思ったりするんです。

稲谷　そうかもしれないですね。学者って、やっぱり現実的な制約を考えざるをえないんですよね。私の最初の本では、裁判官というのは別に完璧じゃないから、そんなに、「人権人権」って細かく考えても、成功しない場面もいっぱいあるよ、ということを書いたんです。裁判とか法律に、理想があるのはわかっているんだけど、現実はそんなにうまくいっていないから、それをちょっと良くしようと思ったらどういう作戦があるのかな、という議論です。

法学者は、社会制度と日々向き合っているので、うまくいかへんのが当たり前、と考える人は多い気がします。とくに刑事法だと本当に社会の矛盾みたいなものを見ることになって、毎回暗ーい気持ちになりますんで。でも、そういうものだからこそなんとかしなきゃいけない、という気持ちになるんだとも思います。

藤原　ままならないものとどう付き合うのか――伊藤さんのテーマもそうですよね。歴史学もじつは、嫌われる学問です。歴史学者はよく「あなたは今、すごい理想を語っているけど、あなたの、あるいは私たちの過去はこうだったから、同じ道をたどっているで」と言っちゃう。基本的にすごく後ろ向きを前提としながら進めていく学問で、それはすごい摩擦なんですよ。

あとね、稲谷さんは、議論の中でテクノロジーを重視されていますよね。テクノロジーがこれだけ変化したんだから、私たちの法的な体系も、もっと変化できるんじゃないかと。伊藤さんも、ご著書の『体はゆく』で、これだけ技術が進歩していく中で、技術が私たちをコントロールするというよりは、むしろ私たちの知らない身体性が、技術によって急速に広がっていくのではないか、ということを書かれている。で、そうなると、『漏れとテクノロジー』という本が書けるんじゃないかと（笑）。

稲谷　なるほど（笑）。

藤原　テクノロジーというのは基本的には、原子力発電所がまさにそうだと思うんですけども、漏れないように設定されるものであって、ちょっとでも漏れたら大惨事、というものですよね。「テクノロジー」と聞いてぱっと思い浮かべるものは、いま私たちの話していることとは、一見逆のように感じるんです。

僕はどちらかというと、テクノロジー的なものは常に警戒する人なんです。iPhoneにするのも誰よりも遅かったですし。でもお二人は割合軽やかに、テクノロジーの可能性を見ていて、おもしろいからまずやってみようや、という感じになる。そのあたり、お二人の話をもうちょっと聞きたいなと思いました。

工学の世界で起こっていることを厳密に言葉にする

伊藤　たしかに、コントロール大好きというところが、やっぱり工学者の基本マインドとしてあるとは思います。でも、どんなテクノロジーも現実空間の中で動作するんで、それが制約になっていると思うんです。しかも現実的な物理空間にかぎったとしても、無限に多様じゃないですか。そこで動けるようにするというときに、案外、コントロールしすぎても、結果うまくいかないみたいなことがたくさん起こっている。

たとえば、東工大の鈴森康一先生というソフトロボットのゴッドファーザーみたいな方がいらっしゃるのですが、彼のロボット制作のキーワードは「いい加減」なんです。

藤原　工学者らしからぬ……。

伊藤　国際会議でも、「E-kagen robotics」って書いちゃう。

稲谷　楽しいな。

伊藤　たとえば、水道管の中を検査するロボットをつくろうと思ったら、水道管って、めっちゃ曲がっているわけですよね。曲がり具合を最初に全部測定して、プログラムを組んで、「あと何ミリ行ったら右に何度曲がる」みたいなことをやるのが設計主義的な発想ですよね。絶対うまくいかない（笑）。つかえちゃう。だったら、最初から材質を柔らかいものにしておけば、行った先でもう「よきに計らえ」で、壁とガシガシこすれあっているうちに曲がれるんです。物がその場でベストなやり方をおのずと見つけていく。

そういうふうに案外、工学の中にも、制約があることで設計しきれず、余裕を残しておくという発想はある。でも工学の人って、それを「最適化」とか、そういう言葉で語るので、結局うまく制御し

たような感じに聞こえてしまうかもしれません。

藤原　あ〜。なるほど。

伊藤　でも実際はむしろ、「制御しない」ことによってうまくいってるので、人文系の研究者としてはもう少し正確な言葉を当てはめられると、工学のイメージも変わるのではないかなと思っています。『体はゆく』という本を書いたモチベーションの一つはそこでした。

　理工系の研究者が「人間の能力をエンハンスしています」と言っているとき、じつは、その「できる」に矛盾があって、意識が体をコントロールしていない状況をいかにつくり出すかということが重要だったりする。だから、わかりやすいプレスリリース的なボキャブラリーですべてを語ってしまうのではなくて、もうちょっと厳密に語っていくと、今、話してきたことに近かったりするんじゃないかなと思います。

藤原　『体はゆく』を読んで、工学に対して、今まで僕が抱いていたすごくマイナスなイメージがあったんだけど、ちゃんと言葉を尽くせば、私たちが考えていることにけっこう近いし、むしろ私たちだって、工学的な思考をめっちゃしてるなと思いました。

　法律だって、基本は技術で、法技術という言い方もありますよね。なんというか、もうちょっと浸透し合えるんじゃないかなという気にさせていただきました。うーん、ただ、なんか飲み込まれるのが怖いんですよ、私は（笑）。

テクノロジーは一〇〇パーセント悪用される

稲谷　僕は、それでいうと、飲み込まれていますね。あんまり自我が強くないからなのかもしれないですけど。iPhoneなんて、出た瞬間に買いましたし（笑）。まあそれはそれとして、真面目な話が二つあります。一つは、私は刑事司法がスタート地点なんで、その立場からすると、テクノロジーは一〇〇パーセント悪用されるんですよ。

藤原　でしょ!?

稲谷　絶っ対悪用されるんです。絶対悪用されるということは、それに対抗せんとあかんですよ。

藤原　いやそこまで賛成賛成。

稲谷　だから悪用されて、対抗して、よりよい使い方に行き着くまでが一セットなんですよ。

藤原　けっこう自信満々ですね。

稲谷　だってもう……、使われてるんだからどうしようもないじゃない。

藤原　そこを乗り越えることをむしろ楽しもう、と……。

稲谷　禁止したって使う人は使いますから。悪用されるときって、だいたい、想定されていた使い方と違っていて、それはもうしゃあないよね、と。悪用されるのは前提で、どう対応するかというのと、よりよい使い方って、たとえばどんなことがあって、どうしたらみんながよい使い方をしてくれるか、という方向で考えていく。

藤原　うんうん。

稲谷　もう一つは、法学が工学に近いという話です。制約条件の中でどうするかというところもそうですし、もともと、ワンピースずつ、試行錯誤して組み立てていく——判例法の国なんかは典型的にそうなんです。

　いきなり設計主義的にやるというよりは、とりあえずこの具体的な事件に関してはこれでやってみようかという感じで、数年動いたのを見てみて、「ちょっとあかんかったんちゃう？」となったら法律で変えてみたり。「意外といけとるやん」となれば補強してみたり。だから、「やってみないとわからない感」が最初からあるし、法が変わることによって我々が変わる、ということは、もうしょっちゅうあるわけです。

　たとえば、終身雇用制度というのは、せいぜい一九七〇年代くらいから一般に普及して、二〇〇〇年代の中盤ぐらいまでそこそこ現実的に維持できた制度にすぎないという見方もできるわけですけど、なぜそれがこんなに硬いものだと理解されているのかというと、最高裁が「解雇権濫用法理」という、当時は法律のどこにも書いていないことを言ってしまったわけです。その結果、外部労働市場が硬直化し、現在に至るまで問題を引き起こしているように思います。

　要するに、かわいそうな事案で被告を守ろうと思ってやったのだけど、やってみたら意外にそれが神話のように人の心に刺さり、今の硬直した労働市場の原因になってしまった。評価はわかれますから、必ずしも悪いとも言えないですけど。

　本当に、「思うに任せない」というのが大きい。だから、飲み込まれて、どうにもならなくなることのほうがふつう、みたいな感覚もありますよね。

藤原　そこがスタートや、むしろ。

稲谷　そうですね。「始まってもうたら、まあなんとかするしかないわな」って。

藤原　先にそっちを考えるというのがおもしろいですね。

稲谷　法学ってやっぱり、ある意味、受動的なんですよね。起きてしまっている問題に、どうアドレスしますか、というケースがほとんどで、僕らがドライブして世界をどうつくろうとかいうのは、ちょっとだいぶやばいと思うんです。逆にそうなったら早めに止めてほしい。そんなのはわからないですから。

　哲学もＡＩも専門でもないわけで、わからないままやるよりはマシだから、多少は勉強してがんばりますけど、「ちょっとじゃあこの辺いじってみようか」という感じでやっていく。そういう意味では、自分たちが、そういうものと一緒に変わっていっている、という感覚が強いかもしれないですね。

藤原　うーん。なるほどね。

伊藤　「漏れる」の議論って、私も今日の最初は「漏れさせよう、もっと」というふうにイメージしていたんですけど、たぶんそうじゃなくて、もういろんなものが漏れ出ていて、それをどうするかという、ここから先の問題のほうが大事ということですよね。

稲谷　そうですね、法学者や法律家は、たぶんほとんどそういう捉え方をしているんじゃないかなと思います。

めちゃくちゃ摩擦、引いて見れば合意

伊藤　最後に、合意形成の話を、共同体の話に絡めてうかがいたいと思います。今、会議の研究というものをしていて、『ちゃぶ台』で連載しているのですが、会議って、おもしろいんですよね、つまんないのに。

藤原　いや、ふつうの感覚ではつまんないですよね、会議ってでも。

伊藤　ベタだとつまらないけど、メタに見るとおもしろい。合意形成というのは、判断に必要な材料がすべて外側に出されていて、それを前提にしていくと思われているけど、実際には参加者たち本人も自覚できていない価値体系があったりして、複雑で。会議の研究をしていると、「なんで今、合意が成立したの？」みたいな、パッとその場に行った人にはわからないような、集団的な暗黙知みたいなものが、ワーッと出てくるんです。

藤原　なるほど。

伊藤　たとえば『ちゃぶ台11』に掲載される回では、建築現場の会議を取材しました。現実的な制約があるわけですよ。しかも、そこですごく職能が違う人たちがぶつかり合って、本当に摩擦が起きて。私が取材したのは、設計事務所のデザイン設計担当の方と、現場の大工さんの親方で、もう超絶険悪。

一同　はっはっは（笑）。

藤原　よくそこに入りましたね（笑）。

伊藤　本当ですよね（笑）。参加した人はめっちゃつらかったと思うけれども、起こっていることはおもしろくて。

設計士さんたちは、近代的な人たちで、もちろんデータとかを使っている。それで、大工さんたちにもっと主体的に参加して、一緒につくるというフィールドに出てほしいと思っている。でも大工さんは職人なので、身体知で、良くも悪くも下請けマインドがやっぱり強くて、言われたとおりこなすことが仕事だと思っている。

稲谷　あー、なるほど！　そんなん言われても困るって。

藤原　困る困る。

伊藤　で、いろいろ誤解を解くようなことをやって、一時間半ぐらい経っても全然埋まらない。あるときに施主さんが、サバンナの比喩を急に話し始めて。会議していた場所が、建築する現場だったので、更地で、サバンナみたいだったんですよ。大工さんに向けて、今我々はサバンナに生息しているけれど、あの川の向こうに行くとジャングルがあって、違う動物が生きていると。で、サバンナの生き方とジャングルの生き方は違うから、川を越えてジャングルに行って、新しい仕事の仕方をみんなで見つけようと。

藤原　なるほどね。

伊藤　そうしたら、大工さん、めっちゃ怒り始めてしまった。

稲谷　「なんで行かなあかんねん」ということですかね。あれ、違うんだ？

伊藤　「俺たちはメタファーなんかで仕事してねえんだ」って。

藤原　ほ～！　そう来たかあ。

稲谷　かっけー！

伊藤　まあそんなはっきりはおっしゃらないですけど、まずその会議の最初に、俺たちは口下手で、そんなうまくしゃべれないとおっしゃっていたんですよね。たぶん会議という場所自体が異質なんですよね。

稲谷　あ～。もう、ジャングルに来てるわけですね。

伊藤　そこでさらにメタファーで人を説得するなんて、ということで火がついて、逆に設計士さんが出してきた設計にガチで文句を言い始めたんです。ここが二五センチなのは絶対おかしい！　みたいな、すごく具体的な、彼らの言語を使い始めた。そうすると、表面的にはめっちゃ対立しているんです。設計士さんが数学的に出した案に対して、職人として文句を言う。でも、それがやりたかったんですよね。

稲谷　もうすばらしい「会議」ですよね。

伊藤　このやりとりは、それこそめちゃくちゃ摩擦なんですけど、引いて見ればすごい合意だという気がしていて。

藤原　そうですよね。すばらしい。

伊藤　でもやっぱり、そこまで暗黙知を言語化できたから合意に至っていて、暗黙知のままだとたぶん、何か話が通じない。

「合意形成」や「会議」の概念自体を考え直す

稲谷　野中郁次郎という経営学の先生が、日本の企業がわりとうまくいっていた時代にどういうことをやったかということを、『知識創造企業』という本に書いているのですが、最前線の技術者たちがなんとなく理解していたことを、いろんな人たちで議論をぶつけ合って、無理やり形式知に変えていくプロセスがあった。それが体系化されて共有されたものが起爆剤になってイノベーションになることがある。それが浸透してくると、また別の暗黙知が形成されて、というサイクルがあるという議論をしています。

で、それはじつは法律もそうなんです。法学というのは、ある意味排他的で、ある程度やり込んだ人じゃないと、最高裁の判決とか、何を言っているのかわからない。すごく抽象的にひと言しか書いていないんだけど、じつはこのひと言がすごくハイコンテクストで、それを全部わかっていると「うわ、今回めちゃくちゃ書きよった！」と意味合いが違って見えるというのはよくあるんです。でもふつうの人が見ると「何言ってんの」となる。

　そういうもので成り立っていることがほとんどなのに、「これで合意したんだから守ってよね」とやっても、うまくいくわけがない。今日の話みたいに、それをむしろ最初のスタート地点にして、いろんな解釈やぶつかり合いが生まれて、前に進んでいくというサイクルのほうが、ふつうだと思う。

　一応合意ができたことに拘束されて、合意した以上は正義なんだ、ということを前提に議論されると、本当の意味ではうまくいかない、ということは多い。近代のモデルは、そこがちょっと薄っぺらいというか、逆に言うとあえて薄っぺらくしている。

　だけど、それで今の状況をうまく規律できているとは思えないので、もう少し、そういったところも念頭に置いた意思形成の仕組みであるとか、あるいは、もっと解釈で豊かに使えるような、それを前向きに捉えるようなやり方も、あってもいいんじゃないかなと思っています。

藤原　会議で思い出したのは、ナチスのヴァンゼー会議を描いた『ヒトラーのための虐殺会議』という最近の映画です。これは、ナチスがヨーロッパユダヤ人の殺《さつ》戮《りく》、つまり「最終解決」とジャーゴンで呼ばれたあの「処置」を決めた非常に重要な会議を、時間尺そのままで、最新の資料をもとに、すごく上手な俳優さんたちに演じさせて再現したものです。もちろん、議事録が残っているんですよね。

　今のお二人の話の流れで言うと、それが、すっごく摩擦がない会議なんです。ヒトラーという超越的な存在が、そこには存在しないんだけどみんなの頭の中にあって、異論が出ても非常にうまく丸め込まれる。議長も見事にパンパン進行して、「異論があるならどうぞ」と笑顔でやって、摩擦になるはずのことが、簡単にサクサク処理されて、「じゃあ、またね！」という感じで終わるんですよ。それがゾワッとするんですね。

　合意形成というのは、おっしゃるとおり、その言葉自体がもしかしたら近代的なものなのかもしれません。もしヴァンゼー会議が近代の行き着く先の悪い方向だとするならば、お二人の考えていらっしゃる合意形成とか会議というのは、全然当初の目的とずれ始めるとか、最終的な決着について、みんなが全然違うことを考えているとか、なんかもう会議という概念自体を考え直さなきゃいけないなと、お話を聞いて思いました。

稲谷　おっしゃるとおりで、一番やばいタイプの会議って、そういう摩擦がない会議な気がします。

藤原　『ヒトラーのための虐殺会議』を観た人から、「いや今のうちの会社と一緒やん」みたいな感想が多かったわけですよ。

稲谷　あっはっはっは！（笑）。

伊藤　会議には、メンバーシップの問題も、けっこうあるんですよね。近代的な主体として、その代表者として、いろんな利害関係を背負って、みんな参加させられているわけです。だから、有限のメンバーでやっているんだけど、同時に、存在しない人のことも考えなきゃいけないというおもしろさがあって。いろんなことを考えるヒントが、じつは詰まっている。

稲谷　そうですねえ。まさに摩擦をうまく使えるか、という話ですよね。

・生き物とそれ
・wifi/ゴミ
・ふとうしさと共同体
・入場
・悪い方向に行くかも
・もれさく
・痕跡
・まさつ

・生き物とそれ
・wifi/ゴミ
・ふとうしさと共同体
・入場
・悪い方向に行くかも
・もれさく取
・痕跡
・まさつ

「野生の思考」とテクノロジー

"The Savage Mind" and technology

Chapter_2-1

- Junko Sanada

Chapter_2-2

- Yoshiharu Tsukamoto

Chapter_2-3

- Takeshi Nakajima
- Dominique Chen

レヴィ＝ストロースは『野生の思考』の中で「未開人」の知性を「具体の科学」と見なし、そこに高度な普遍性を見出した。「未開人」とされた人たちは、さまざまな自然現象の微細な変化を捉えることができ、詳細な分類を行っていた。その知性は、「野蛮人の思考でもなければ」、「原始人類の思考でもない」。現代の知性や科学に対して劣位にあるものではなく、高度な知性に基づく異種の方法である。むしろ、自然科学的方法の蔓延によって、現代人は「野生の思考」を衰退させ、「具体の科学」を見失っている。

ここで探究したいのは、テクノロジーが「野生の思考」の再生に、いかなる意味を持ちうるかである。人間は動物・植物・非生物の声を聴き、自然との有機的つながりの中で生きてきた。そこでは表層的な事物を見る「目」だけでなく、その先の構造を捉える「眼」が起動してきた。現代のテクノロジーは、人間が本来持っている潜在的な力を引き出すことができるのか。非人間との間の「利他」はいかに成立するのか。石積み、ミツバチ、里山、菌、庚申塚など、さまざまな角度から考えてみたい。

——中島岳志

石や　ミツバチから　土木を　見ると？

真田純子

RITA MAGAZINE
Is there any *rita* in technology?

Chapter_2-1

- Junko Sanada

収録：2022年3月20日(第2回利他学会議 1日目)

真田純子(さなだ・じゅんこ)
東京工業大学教授。博士(工学)。東京工業大学大学院博士課程修了。ベネチア建築大学客員研究員(2015)。都市計画史研究で博士号を取得し史料に埋もれる研究者になるつもりが、2007年徳島大学着任後に石積み修行を開始。2013年石積み学校設立。主な著書に『都市の緑はどうあるべきか』『誰でもできる石積み入門』(土木学会出版文化賞)『図解　風景をつくるごはん』など。専門は緑地計画史、景観工学、農村計画、土木史。

レクチャー

「石積み」との出会い

今日は、空《から》石積みの活動と技術についてお話しします。日本の中山間地域に行くとあちこちに見られる棚田や段畑は、地域を盛り上げようとするときの資源になっていることもあります。その多くは石積みでできています。斜面地を石積みで平らに整えながら、農地がつくられています。

「空石積み」とはなんなのかというと、英語ではDry Stone Wallingといって、モルタルやセメントといった接着剤を使わずに石だけで積む工法です。壁の表面にある石が「積み石」で、その奥には、「ぐり石」と呼ばれる比較的小さな石を忍ばせていて、土との間を埋めることで、積み石を安定させ、また排水の機能も高めます。

吉賀町、大井谷の棚田

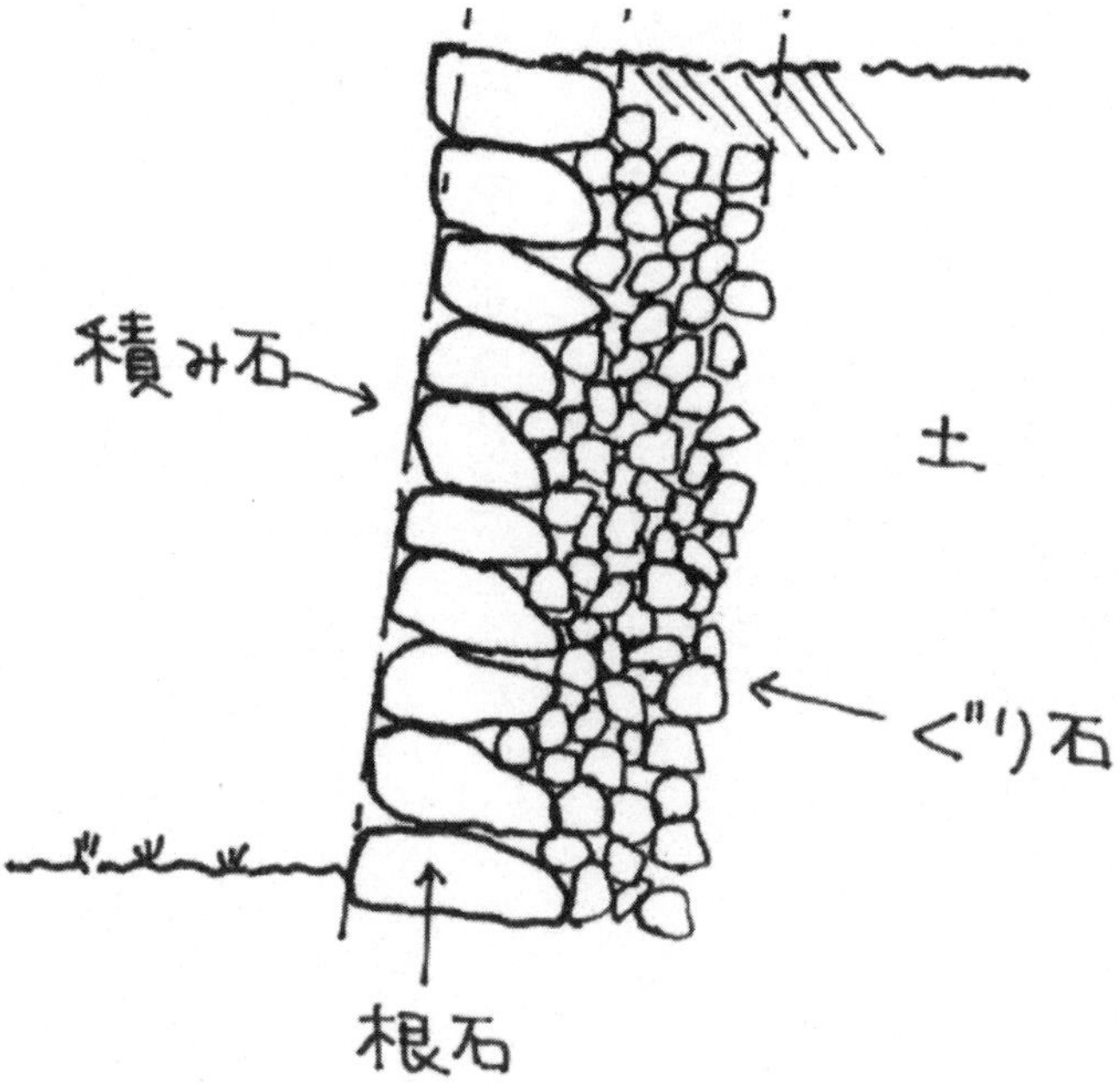

吉野川市、美郷の棚田

私が石積みと出会ったのはたまたまで、二〇〇七年に徳島大学に着任してすぐ、そば播《ま》き体験というのに行ってみたら、石積みがすごくいっぱいあるところで、興味を持ったのがきっかけです。

二〇〇九年に全国から学生を集めて石積み合宿をやったり、二〇一三年には一般の人向けの石積み学校を開始しました。その後、私が習った技術をとりあえず全部メモしておきたいということで、二〇一四年に冊子をつくり、二〇一八年の年末には本を出しました。

日本の石積みが廃れつつある理由

石積みは、もともとは地域ごとに継承されてきた伝統的な農業技術の一つなのですが、フランスでは二〇〇八年、イタリアでも二〇一五年に、私がつくったような石積みの本が出ていて、二〇〇〇年代に入ってから再注目されていることがよくわかります。

ヨーロッパでは、生産性よりも環境保全に重きが置かれるようになって、空石積みを保護する動きも見られるのですが（EUの共通農業政策で石積みの保護［二〇〇七］、欧州ランドスケープ条約で石積みの価値の明確化［二〇〇八］、UNESCO無形文化遺産［二〇一八］）、日本では、制度的にまだまだです。

具体的に石積みがどうなっているかというと、崩れたまま、あるいは今にも崩れそうな状態のまま放置されていたり、一部コンクリートが用いられてパッチワークのように補修されたり、ということが起こっています。

地元の人たちの話を聞いても、空石積みは消えつつあって、理由は、二つ挙げられます。一つは、技術の継承ができていないこと。もう一つは、修復や維持管理のための労働力が足りていないこと。石積みが多く用いられる棚田や段畑は、傾斜がある土地につくられますが、そうした中山間地域の農村は、ほぼ例外なく過疎化や高齢化が進んでいます。

では、お金をかけたら課題は解決するのか、というとそんなに簡単な話でもなくて、一般的な土木の施工業者は空石積みをやりたがりません。なぜかというと、構造計算が難しいこともあって、施工基準がないんです。施工基準がなければ、技術者本人の責任でやらざるをえず、もし石積みが崩れてしまっても、技術者の腕が悪かった、という話になりかねません。加えて、現在の日本の制度では、施工基準がないために、修復のための補助金をもらうのが難し

崩れたままの石積み

崩れそうなまま放置された石積み

パッチワークのように補修された石積み

いという事情もあります。

「石積み学校」という仕組み

「石積み」と聞くと、お城の石積みなどを想像して、熟練した職人だけが積める難しい技術なんじゃないかと思うかもしれません。しかし、日本各地に石積みの棚田や段畑があることを考えると、昔はふつうの技術だったわけです。なので私は、そのふつうの技術を、継承していきたいと考えて、石積み学校などの取り組みをしています。

石積み学校を立ち上げるにあたって、ボランティアでやったり補助金に頼ったりするのではなくて、お金のやりとりも入れて、持続できる仕組みにしたいと思いました。中心になっている人の意志に依存してしまうと、その人が地域を離れたら続かない、となってしまいます。それでは地域に対する責任を果たせないため、一つの職業にすることをめざしました。

具体的には、石積みを習いたい人と石積みを直してほしい人を、石積み学校が情報の集約をしてマッチアップしたり、ワークショップを企画したり、講師が自治体などに教えに行ったり、ということをしています。習いたい人からは参加費も徴収していて、地域活動でお金をとるというのは、開始当初は珍しかったのですが、最近は増えてきているみたいでよかったと思います。

いろんなところから講師の声かけをいただけるのも、特定の場所でボランティアベースでするのではなくて、参加費を設定して学校としてやってきたからなのかなと思います。

それと、田植えボランティアに関わっている方から、「手伝いに来てくれるのはいいけど、下手だから後で全部植え替えているんだけれども、参加者にどう伝えればいいのか？」と訊かれたことがあるのですが、石積みではそれは起こっていないんですね。そのとき、ボランティアだと「農村部は困ってるから助けてもらっている」という構図が定着してしまうのかもしれないと思いました。

それが固定されてしまうと、そこで育った子どもたちが自分たちの地域に自信が持てなかったりもする。お金を介して対等な価値の交換としてやるのは、そういう意味でも大切だと思っています。

石が技術を選ぶ

ここからは、継承する技術についてお話ししたいと思います。石積みは、地域によって異なる特徴をもっているのですが、なぜそうなるのかから考えてみます。

農村の人々にとって、農業は生活を支えるための手段で、なるべく余計な労力を使わないことが重要です。これは石積みにおいても同じで、生きるための仕事の一つであり、農業を行うために平地をつくることが目的であって、立派な石積みをつくることが目的ではありません。体力を温存しながら効率よく積む技術は、農村での暮らしを支える知恵です。

具体的にはたとえば、材料は近場から調達し、石の整形はなるべく行わない。基本的にどんな石でも使います。修復するときは、もともと使っていた石を再利用して積み直すこともできます。

石はその土地の地質に依存していて、石の割れ方や割れたときの形は、その石質に依存する。ということは、まず使う石に地域性が出ますし、使う石の形にふさわしい積み方をすることで、結果的に、つくられる壁にも地域性が出てきます。

あるとき、イタリアの北部で学生と一緒に石積みをしたことがありました。そこで採れる石は、層状にミネラルが入っていて、そこから割れるので、自然に割れた石が平たい形をしています。でも、作業を始めると、昔、氷河に乗ってやってきた別の地域の石も混ざっていて、丸っこい石もたくさん出てきたんです。石積みを教えてくれた人が、地元で採れる平らな石の積み方しかできないと困っていたので、「丸い石だけを使って日本の積み方で積んでいいか」と聞いたらＯＫが出て、イタリアと日本のハイブリッドな石積みになりました。

この光景をみて、その地域を研究している建築家、アンドレア・ボッコ先生が「石が技術を選ぶ」とおっしゃいました。その表現がすごくおもしろくて、『技術』ってそもそもなんなのか」、ということも考えるようになりました。

農学者、津野幸人《ゆきんど》らの共著『自然と食と農耕』にある「農業技術の成立ちと発展」という章によると、「技術」を意味する言葉が初めて使われたのは、一八七〇年の西周《にしあまね》の『百学連環』だそうです。そして、近代工業の輸入と同時に「技術」という用語が生まれたのは示唆的だ、と書いてあります。江戸時代までは、「わざ」や「うで」「てだて」「だんどり」「すべ」「まわし」といった技能や工程が、それぞれ別個のものとして認識されていたのが、一緒くたに「技術」と呼ばれるようになることで、「技術」が何を意味するのか、曖昧になってしまったと。

私が二〇〇七年に石積みに出会ってから積む経験を重ねて、「少しずつ『技術』が上がった」と言うこともできますが、紐解いていくと、そうした技術は全部、「だんどり」とか「まわし」「うで」と言い分けられます。

そして分けて考えてみると、整った石で壁をつくることが技術の進展なのではなくて、いかにその石と現場を読むか、その地域で採れた石に自分がどう対応するかが、重要なのだとわかります。

人間がどう積みたいか、ということよりも、その場その場に自分をどう合わせるか。まさに「石が技術を選ぶ」だなと思っています。

石の調達	積む場所に対してどのくらいの石が必要か見極める能力	だんどり
現場管理	無駄な作業や動線が生まれないよう、現場をつくる能力	まわし
石の移動	道具をうまく使う能力（道具の開発）	わざ、うで
石の見極め	石の顔を見る、相応しい石を選ぶ、置き方を判断する能力、次の石のことも考える能力	わざ、うで
現場対応力	土の壁が崩れた、水が出てきた、石が少ない、などの事態に対応する能力	すべ、てだて

農地の石積みの技術の本質とは

イタリアと日本のハイブリッドな石積み

ディスカッション

ゲスト

真田純子

吉村有司

未来の人類研究センターメンバー(当時)

磯﨑憲一郎

木内久美子

中島岳志

山崎太郎

Guest

吉村有司(よしむら・ゆうじ)
愛知県生まれ、建築家。東京大学先端科学技術研究センター特任准教授。ポンペウ・ファブラ大学情報通信工学部博士課程修了。ルーヴル美術館アドバイザー、バルセロナ市役所情報局アドバイザー。バルセロナ市グラシア地区歩行者計画、クレジットカード情報を用いた歩行者回遊分析手法の開発など、ビッグデータやAIを用いた建築・まちづくりの分野に従事。

石やミツバチの側から考える

中島　土木という、もっとも設計的な問題が強いジャンルの中で、「石」を起点に考えて統御を手放していく。人間のほうが石のあり方に沿いながら、何かがつくり上げられていく点が非常におもしろかったです。

それは、私がこれまで対話を重ねてきている、料理家の土井善晴さんがおっしゃる料理論と、ものすごく近いと思いました。土井さんは、レシピをどんどん手放そうとしていくんですね。今日買ってきたトマトはフレッシュか完熟かによって、あるいは採れた場所によって、その調理法は変わっていくからです。素材を見て、その素材と自分の気持ちや、その日の天候とかいろいろなものが合算されて、目の前の料理ができていくと考えます。

真田さんは、そうした石積みの技術、あるいはそこから得られた職人的な叡智は、世界のあり方とどうつながっていくとお考えですか?

真田　「石積み」という伝統技術を通して今の土木技術を見てみると、明治時代以降、基準を設定して、その基準に材料を当てはめながら、一定の強度や安全性を保つという考え方が、ずっと積み重ねられてきたことを実感します。

最近、自然物を活用しながらインフラを整備する「グリーンインフラ」への注目度が高まっていますが、これまでの仕組みに自然物を入れればいいということではないと思います。基準に頼った考え方を根本的に変えなければ、今後の持続可能な社会はつくれないのではないかなと思っています。

吉村　僕は、もともと生物にすごく興味があって、都市は人間だけのものではないと思っているんですよ。都市にも動物や昆虫がいますよね。そう考えると、われわれは人間視点で都市をつくり過ぎてきたのではないか、という思いがあります。

たとえば、僕たちが口に入れている食料の大部分は、ミツバチの受粉のおかげで育っていると言われています。資源が循環することでシステムが成り立つ、サーキュラーエコノミーの一つともいえます。そう考えると、ミツバチにとっていい環境や都市をつくることが、回り回ってわれわれの生活の質も上げてくれるかもしれない。だから、人間以外の主体に着目して、「石が技術を選ぶ」、そしてその石垣から地域性を発見するという真田さんの考え方は、強く賛同するところです。

木内　ここ二十年ほどで、自然とのつながりを重視する

「バイオフィリックデザイン」が世界的に広まりましたよね。まるでテーマパークのように、大々的にデザインされた自然を都市に取り込むシンガポールのケースもあれば、たとえばベルリンのシェーネベルク自然公園では、既存の自然植生を最大限に活かしながら、最低限の管理で都市に自然を維持しています。

人間以外も主体と捉え直すあり方は、「多様性」の一つだと思うんです。とはいえ、「多様性」というと言葉の響きはいいですが、どのように都市設計やまちづくりに「多様性」を取り込んでいくかは非常に難しいです。そこで、説得力をもつデータサイエンスが下支えすることで、都市における多様性を考えていくことができるのではないかと期待しています。

吉村　曖昧な言葉をどう現場に落とし込むか、という視点はおっしゃるとおりで、今言われていることはかなりふわっとしたことなんです。たとえば、「公園が近くにあるといいよね」「木が植わっていたら、健康都市だよね」というレベルだと認識しています。

そもそもまだ、都市のどこにどのような木が植わっているのか、という基礎データすら正確にもっていません。ですが今は、Google ストリートビューのような画像を用いて画像解析を行えば、現状を把握できる時代です。だからまずは、ビッグデータ解析から基礎データを集め始めてみようかと思っているところです。

そのうえで、木が植えられたり公園が近くにあったりしたときに人々はどう感じるのか、本当に幸せに感じるのか、あるいは、生活の質が上がるのか、検証したいです。自然に触れたときの人間の心の動きについては、心理学の分野で長きにわたって研究が重ねられているので、そうした研究とかけ合わせたうえで都市計画やまちづくりを行いたいと考えています。

コミュニティは結果としてできる

木内　農村に入ってコミュニティづくりをする中で、どういう工夫をされているのか気になりました。農村を訪れた人々が石積みをコミュニケーションツールとしながら、土地への愛着をもつ地元住民と関わる中で、彼らが土地にどうつながっていくのか興味があります。

真田　私は石積みの仕組みを動かしている立場なので、私自身は想像されるほど地域に入っていないかもしれません。コミュニティをつくることを大きな目的として掲げているわけではないんですよね。たしかに、石積み学校をやることによって、いろいろな人が集まってきて、一緒にご飯を食べたりしていく過程でコミュニティが生まれるとは思うのですが、そういうつもりでやっているかと聞かれたら、微妙なところです。

木内　それが逆におもしろいなと思います。目的にしてないことが結果としてできるっていうことが、じつは自然なコミュニティのあり方で、そこにコミュニティがうまくいく秘訣があるのかなと感じます。

中島　「簡単」というのもすごく重要ですよね。真田さんは「石積みは難しくないんだ」というイメージをちゃんと持ってもらうことが重要だ、とおっしゃっていましたが、それはつまり、みんなが参加できるという、一種のデモクラシーの入り口の部分を、ちゃんとそろえてつくることなのだと思います。

われわれは、どんな近未来に向かっているのか？

山崎　われわれの頭には「現代は常に新しいものを創造、生産しなければいけない」という観念があります。しかし、真田さんの石積みは、今あるものをどう形を変えて利用するか、というトランスフォーメーションの発想ですよね。

磯崎　真田さんのご活動は、ノスタルジーや前近代への回帰とは、明らかに異なる方向性を感じました。とはいえ、一九七〇年の大阪万博で示されたような、近未来の建築やまちづくりとも違う。かつての青写真に向かわなかったのはなぜなのか。ここ何年かつらつらと考えているんですが、われわれが人間としての身の丈を思い知ったからじゃないかと思うんです。人間は肉体をもっているかぎり、臨界点みたいなものがある。

最近で一番わかりやすい身の丈を思い知った経験は、コロナですよね。どんなにＡＩなどのテクノロジーが発達しても、百年前のスペイン風邪と同様の対策に頼っているわけです。ワクチンの開発が進んでも、結局人間の身体の時間軸に合わせて副反応を調べる必要がある。どんなに技術が進んでいったところで、人間の身の丈から大きくはみ出ることはできない。

建築やまちづくりの観点から見て、なぜかつて思い描いた近未来の方向に向かわずに、結局今のような方向に来ているのか、お考えをうかがいたいです。

真田　私は、大阪万博の方向には進んでいないけれども、今日私がお話ししたような方向にも進んではいないのではないかと思っています。今の日本の仕組み上、石積みを取り入れることは難しいので、農地の石積みが崩れたときに自分で修復する分には石を使えますが、農林水産省の補助金を使おうとすれば、どうしてもコンクリートになってしまいます。

石積みが再評価されて、「自然物だけで修復することは大事なんだ」という動きが一部出てきていることはたしかです。ですが、世の中は基準をどんどん決めて、その基準に安全を担保させる方向に向かっている。万博の「キラキラ」した部分はないかもしれないけれど、その背後にある、「人間が全部つくるんだ」「人間が全部コントロールできるんだ」といった思想があるかぎり、結局、人間中心主義的な方向に進んでいるのではないかというふうには思います。

中島　今回のお話の大きなテーマは、統御しようとするのではなくて、相手に沿いながらポテンシャルを引き出すという、他者との関係性のあり方だったのではないかと思います。これは、人間同士の関係性にとどまらず、真田さんがお話しくださった石もその一つです。人間以外の主体にもまなざしを向ける動きは、人文系の分野では、アクターネットワーク論やマルチスピーシーズ人類学として流行っていますが、そうした多様な主体と呼応しながら「沿う」あり方が、「利他」という大きな問題につながっているのではないかと考えを巡らせました。

おまけのディスカッション

未来の人類研究センターメンバー（当時）

伊藤亜紗

北村匡平

國分功一郎

生物《なまもの》が含んでいるランダム性

北村　石ってそれぞれ形が違っていて、その石とこの石だけがつくれる関係があるじゃないですか。だから絶対、画一的なものは生まれない。唯一無二のもの同士が関係性をもって、新たに何かがつくられていくから、その場の地域性が出ていくというお話は、ものすごく感動しました。

伊藤　歴史も感じますよね。「歴史」って人間的な言い方ですけど、地球ができたときからの時間を石が背負っていることに対して、自分が圧倒されることがあります。石は小さくても、何か大きなものとつながっている感じがあって、認識の形を変えてくれるものでもありますよね。

　最近、「生《なま》」という概念に興味があるんです。生物《なまもの》は、「生」と名前がつくことでさまざまな商品として流通しているけれど、じつはすごくランダム性を含んでいるんですよね。たとえば全部サイズが違うリンゴに対して、それを容認して沿う態度を私たちにつくり出します。それはじつは、リンゴのような青果物にかぎらず、「生化《なまか》」できるんだ、と思った出来事がありました。

　審査員長として関わったコンテスト（YouFab Global Creative Awards 2021）で、ファイナリストに残ったイタリアのプロジェクトが、ファッションの分野で「生化」を実現していたんです。彼らがつくる靴は、特定の土地で採れるバイオ素材で生産されていて、土地と連動しているんですよね。成長の仕方によって、靴のデザインもどんどん変わっていきます。ファッションアイテムである靴が、ランダム性も含んだうえで製品化されて、農業製品として成立していることがとてもおもしろくて感動しました。そういった小さなところから、さまざまなランダム性を引き出すことってできるんだな、と。

國分　僕が仲良くしているファッションデザイナーの村田晶子さんも、いわゆる「生物」の服を手がけています。「服をつくるためには布がいる、布をつくるためには糸がいる、糸をつくるためには綿花がいる」と言って、デザイナーですが、綿花の農家と契約するところから作品をつくっている人です。そうすると、「今年の綿花はこんな感じだから、こういう服にしよう」と作品のイメージが湧いてきます。「生」って、たしかにおもしろいキーワードですね。

都市や公園から失われるランダム性

北村　ランダムの話は、都市の問題、スマートシティの議論にもつながると思います。ＩＣＴ（Information and Communication Technology、情報通信技術）を活用することで、偶然性や異質なものを排除して、非常に住みやすくて快適な生活を提供し続けていく。一方でそれは、自治体がグローバル企業と結びつきながら、われわれの生活や身体といったプライベートな領域まで、データとして管理していくことにつながる。人文系では、管理社会やテクノロジーによる電子的パノプティコン（監視装置）といった文脈で、危機感をもって否定的に語られる場合が多いですよね。

　だからこそ、そうした空間にランダム性や偶然性をどう組み込んでいくかは重要な視点だと思います。コロナ禍になって、遊具と人の関係性を研究するため、公園をフィールドとして遊びの参与観察をしています。遊具が人をどう動かすのか。遊具の形や遊具がもつ空間に着目しながら、どうすれば人が集まるのか、子どもたちのコミュニケーションを促しているのか、考えています。

　コントロールされた規則的で画一的な都市や公園は、すべてを見渡すことができる利点もありますが、居心地の悪さを抱くこともあります。たとえば、先が見えない蛇行した曲線だったり、驚きが生まれるような空間が、利他的なまちづくりには必要なのではないかと思っています。

伊藤　その道は、貝殻のような螺旋《らせん》かもしれないし、イギリス式庭園の曲線かもしれないけれど、そうした「先の見えなさ」が、ランダム性や制御できないものとの出会いを生み出してくれるのかな、そこに何か利他的な感覚というのも生まれるのかなというふうに思いました。

國分　僕も昔から、公園とか遊具に関心があって、とくに団地の公園が好きで。一九六〇年代に建てられた団地は近未来的なものが多いし、昔の基準でつくられているから危ない遊具も多いんですよね。一方で最近の公園は、何をすればいいのかわからないようなおもしろくない遊具が増えました。

　ところがこの前、偶然、神社にくっついている小さな公園を見つけて、滑り台を滑ってみたら、急で怖いんですよ。こういったところで子どもを遊ばせられるってすばらしいなと思いました。大人が考えうる「危険」を片っ端から挙げて、そうした「危険」をあらかじめ取り除く。もちろん怪我したら危ないんだけれど、予測に基づいて空間をコントロールし尽くしてしまったら、何をすればいいかわからない公園になっちゃうんですよね。

北村　危険な遊具は、次々になくなっていますよね。あと、ボール遊びを禁止する公園も増えている。しかも、子どもってランダムに遊ぶじゃないですか。規則的に階段を登って滑り台で降りていくことを繰り返してるわけではなくて、さまざまな遊具の遊び方がある。それにもかかわらず「こう遊ばなきゃいけない」というコントロールが行き届いた公園が増えているような気がしています。

伊藤 ランダム性って、結局は見ている側の目線の問題なのかな、と私は思っています。子どもはもしかしたら、その整った公園の中にもすごくいいランダム性を見つけ出しながら遊ぶかもしれないし、私たちの生活の中でも、見方によってじつはそこにはランダム性が備わっていて、ただ自分が見落としてるだけなのかな、という気もするんですよね。

ランダムによって引き出される利他

國分 ランダム性は、近代政治が排除してきた部分です。僕はそこを考え直してみてもいいんじゃないかと思っています。民主主義においても、ボトムアップ型だけではやはりうまくいかないところもあって。制度自体にランダム性を取り入れて、民主主義を実装させる必要があると考えています。

その先行事例として、一九七〇年代にドイツで始まったPZ（Planungszelle）があります。話し合いの場を設けるときに「住民の人、集まってください」「意見を言ってください」と声をかけると、毎回同じ人しか来ないんですよ。そうではなくて、ランダムに招待状を送るわけです。一〇〇〇通ぐらい送ると、何十人かは来ます。偶然集まってくれた市民をいくつかのグループに分けて、何回か討議するんです。僕が聞いたことのあるボン（Bonn）の事例では、「市内にあるプールを廃止するか」というテーマについて、集まったみんなで四日間、集中的に勉強します。参加者の年齢層は、高校生くらいの若者から、八十代のおじいちゃんおばあちゃんまで。最初は「めんどくせぇ」とか言っているんですけど、その短期間でめちゃめちゃ必死になるらしいんですよ。そうした場で生まれる意見を取り入れていきます。

僕がPZで一番重要だと思ってるのは、ランダム性です。「草の根」は、いくつも難しい点があって、腐っていくんですよね。くじ引き民主主義が非常に注目されているけれど、民主主義の伝統においては、非常に正統派のやり方なわけです。民主主義の起源であるアテナイでも、くじ引きを採用していました。くじ引きで重要な職もあてがってしまうから、大変なこともあります。ですが、「草の根」性が変性にランダム性を入れることによって、「草の根」性が変なふうに作用することを防ぐシステムとして機能していきます。僕は、「草の根」性は好きだし大事にしたいけれど、それだけでは同じ人しか来ない状況が生まれやすくて。リベラル系の集会はだいたいそうなんですよ。さまざまなテーマを扱うのに、毎回同じ人が集まって討議する。そういう政治の場にランダム性を入れると、権力構造も変わるんじゃないか、と思っています。

伊藤　一つひとつ違う石を積む過程と、民主主義において多様な市民一人ひとりが参加しながら共同体がつくられていく過程が、重なって見えました。

ランダムって、ある意味システムの話で、属人性から切り離していくということでもあると思うんですよね。利他も、一見すると人間らしい行為というか、人間性に直結した何かと思われているけど、じつはそこから切り離したほうがいいのかもしれないと思うことがあります。今日の真田さんのお話でも、学校をつくるとか、制度とか仕組みということをかなり強調されていたと思うんですよね。人文系の研究者はとくに、人間から考え進めてしまいがちなんですけど、じつはうまく切り離すことで結果的に、何かポテンシャルが引き出されるのかなと、お話をうかがっていて思いました。

建築と都市から利他を考える

塚本由晴

RITA MAGAZINE
Is there any *rita* in technology?

Chapter_2-2

- Yoshiharu Tsukamoto

収録：2021年3月14日（第1回利他学会議 2日目）

塚本由晴（つかもと・よしはる）

1965年神奈川生まれ。東京工業大学工学部建築学科卒業。パリ・ベルビル建築大学を経て、東京工業大学大学院博士課程単位取得退学。1992年、貝島桃代とアトリエ・ワンの活動を始め、建築、公共空間、家具の設計、フィールドサーベイ、教育、美術展への出展、展覧会キュレーション、執筆など幅広い活動を展開。「ふるまい学」による建築デザインのエコロジカルな転回を通して、建築を産業の側から人々や地域の側に引き戻そうとしている。

レクチャー

「人的資源」という言葉の窮屈さ

今日は「資源的人のための建築都市社会」についてお話ししたいと思います。利他という言葉は出てきませんけれども、考えていることは近いのではないかと思っています。そもそも「資源的人」というのは、「人的資源」という言葉が持つ窮屈さにあるとき気づいて、それをひっくり返してみたものです。

「人的資源」というのは、どちらかというと都市型の、マネージャー目線の人間像じゃないかと思います。大学生も、よい会社に勤めるために、よい人的資源になろうと、自分をマネージャー目線のほうにはめていくところがあるんじゃないか。

それは、現代の暮らしではエネルギーや食べ物をサービスとして買うしかなく、その過程で産業への依存を深めていくからです。お金がないと何も手に入れられない。二十世紀を通して、それがよいとされ、成長を担う振る舞いとして認められてきたわけです。

それに対して「資源的人」というのは、食べ物やエネルギーを、自分で身の回りの環境から取り出す人のことです。そうすればいろいろ自由に考えられるようになるのではないかという問題意識です。

建物がスマートになれば人はそのままでよいのか？

次の写真は東京工業大学の中に、いくつかの研究室で共同で設計した環境エネルギーイノベーション棟というものです。線路の脇にありまして、四〇〇〇枚のソーラーパネルが付いていて、一般的な研究棟よりも六〇パーセント、CO２排出量を削減できる建物です。竣工は二〇一二年で、ちょうど東日本大震災の原発事故があった翌年でしたので、こういう形でエネルギーを自給でき、かつ外にまで供給できる建物のあり方が今後重要だということで、いくつかの賞をいただきました。

これは、すばらしくスマートな建物なのですが、私が一

東京工業大学の環境エネルギーイノベーション棟／写真：大橋富夫

つ気になっていたのは、建物のほうがスマートになっていくから、人々は今までどおりの暮らしをしていても、生活を変えなくてもよい、というふうに受け取られかねないということです。新しい製品を売り込みたい産業的なレトリックとしてはそういうことになるのでしょうが、やっぱり建築の設計をやるのであれば、暮らしそのものや、どういう人になりたいか、ということに訴えかけていかないと、物足りないのです。

自然を少しずつ管理しながら自分のものにしていく暮らし

この建物が完成する一年前に東日本大震災があり、多くの漁村集落が津波に飲み込まれ、福島の原発が爆発しました。そして、そこで発電されている電力が東京向けのものだったということに、大きなショックを受けました。

復興のために何かできないかと、すぐに建築家の仲間とボランティアネットワーク、アーキエイドを組織しました。私たちが復興支援で最初に関わったのは、震源地の直近にある牡鹿《おしか》半島でした。集落を歩き、高台移転地を探すために、漁村の人たちにどういう暮らしをしていたのか、

どういうふうに復興したいのかうかがい、森に入り、将来像をスケッチしました。

壊れた集落の上にある森に入っていくと、杉林があるのですが、これは一九六〇年代にまだ遠洋漁業がさかんだったころ、お父さんたちが漁に行ってる間、お母さんたちが植えた苗木が育ったものなんですね。でも一九八〇年代以降は、北米産の輸入材を買うほうが安くなってしまったので、手入れせずに放置されています。

そのときに、この森の木で住宅をつくるような復興ができれば一番いいと思ったんですけれども、現実的には手間がかかり割高になってしまう。つまり漁村の人たちですら、自分たちで植えた、目の前にある資源にアクセスできなくなっています。

漁師の人たちに会って本当に感服したのは、彼らは海に出て魚を捕ってきて、時々山に行って薪なんかも取ってくるし、山菜もキノコも取ってくるし、田んぼもやっていたりもする。身の回りにいろんな資源が置いてあって、それを管理しながら自分のものにしていく暮らしなんですね。資源に向き合っている彼らに比べると、私のような東京で暮らしている人間は、かなり脆弱なんじゃないかというふうに思うようになったわけです。漁師さんたちは「資源的人」。かっこいいなと思いました。

地域の特徴を凌駕してしまう建築

それで漁師さんたちを応援するために、復興の第一歩になるような、自己資金と補助金半々で合計七〇〇万ほどで建てられる小さな家「コアハウス」を提案しました。

八畳二間の小さな家を、東北地方では伝統的に用いられてきた板倉工法で建てました。柱の間に落とし込んだ板が耐震要素にも、仕上げにもなるというものです。漁師さんたちの評判はよかったんですが、彼らは大きい家に住み慣れているので、こんな小さな家は嫌だということで、住宅として建てられることはありませんでしたが、別の場所で三棟の公民館に利用されました。

一方で、高台移転地には、メーカーの住宅がずらっと並んでいて、どこにも漁村らしさはない。東京の新興郊外住宅地と変わらないそうした一様さは、地域的特徴を凌駕《りょうが》している。建築産業が、人々をむしろ地域の資源から遠ざけていると思うようになりました。

漁師の仕事や山の仕事のマニュアルをつくる

先ほどの建築的な提案の傍ら、やはり人が増えなきゃ仕方ないというので、当時八十四歳の区長さんだった甲谷《こうや》強

さんと一緒に、漁師学校を始めました。

とくに私のパートナーの貝島桃代が中心になって、筑波大学の学生たちと一緒にこの「牡鹿漁師学校」を運営していきました。これは、漁師の生活を体験してもらう三〜四日の小さな学校です。校舎はなく、先生も漁師さんです。受講者は、ロープワークから網の入れ方、上げ方、魚をさばくことまで、漁師の生活を体験できます。

一子相伝の漁師の世界に教科書はありません。そこで初めてテキストブックもつくりました。

漁師学校を何度か繰り返すうちに、昔は山から海までがつながる連関の中に暮らしがあったと聞いて、山のほうでの活動にも展開していきました。その結果、もともとあった手入れされていない杉林を伐採して拓いた場所に、その木を製材してビレッジをつくり、漁師学校を継続できる場を構想していきました。そのころ、小林武史さんのap bank が牡鹿半島でアートプロジェクトを始めるということで資金援助をしていただくことになり、「もものうらビレッジ」ができました。建てるプロセスも、自分たちで行う学校仕立てで進めました。

また3・11の前から、都市農村交流というプログラムに関わることが多くなっていました。最初にやったのは、香

取にある「恋する豚研究所」です。もともと養豚をしていた方が、ハムソーセージ工場と豚しゃぶレストランを開いて、障害のある人と一緒に仕事する福祉と農の連携施設です。

ここを運営する「福祉楽団」は、周りにある管理されていない杉林を、所有者の了承を得て間伐し、薪にして建物周りで乾燥させていたところ、薪を買いたい人が多く現れたので、これを新たな仕事にしようと、「栗源第一薪炭供給所」を構想しました。私たちは資金集めの段階から議論に参加し、グラフィックな資料づくりを手伝いました。

そのときにおもしろかったのが、このスプリッター（薪割機）という装置（次頁写真）があれば、障害のある人でも森の仕事ができると言われたことです。これがバリアフリーだと。そこで障害のある人でもできる作業を割り出すために、間伐から薪までの作業を分解してドローイングにしました。

建築でバリアフリーというと、段差解消のためにスロープやエレベーターをつけることに頭が行きがちですが、世の中にはそれ以外のバリアが山ほどある。先ほどの、裏山の杉で復興住宅がつくれないことも含めて、バリアはいろんなところにあるのです。

スプリッターで薪を割る

ちょこっと仕事がつなぐ都市と農村

最近はさらに里山の再生に取り組んでいます。千葉県の鴨川の山側に、釜沼というとても美しい棚田集落があります。ここに一九九九年に移住してきた林良樹さんは、半農半アーティストの暮らしをして、長老たちと協力して棚田を守るために棚田オーナー制度という都市農村交流を続けてきました。

私は二〇一六年に初めてこの集落を訪れ、二〇一九年からは棚田オーナーになって、米づくりを始めました。その年の稲刈りの数日後に、大型台風一五号が房総半島を襲い、林さんが住んでいる「古民家ゆうぎつか」のトタン屋根が吹き飛んで、中から茅葺《かやぶ》き屋根がでてきました。その美しさに感動した林さんと私は、茅葺きとして葺きなおすことを決意し、であれば茅場の再生からということで、里山全体の再生を始め、研究室の学生と一丸となって取り組んでいます。

まずは里山を維持するためのいろんな作業を手伝わせてもらいましたが、都会からは全然見えない小さな仕事がいっぱいある。朝ちょっとだけやる、夕方ちょっとだけやる

古民家ゆうきつか

釜沼の棚田

No.3　木割り

構築環境	分類	雨天	道具		単位仕事量 ((人·h)/a)	季節内訳 春	夏	秋	冬	仕事量 (人·h)
広葉樹林	加工	○	動	薪割り機，斧，チェ	0.65				1	8.00

仕事ドローイング

仕事量 算出方法　資料：Y さん 5/9 聞き書き No.2-3、No.2-5

1 箇所の広葉樹林面積：12.28(a)

木積みと合わせて 4 人で 3h
うち木割りには 2h
上記範囲を年末 1 回

$$\frac{4(人) \times 2(h) \times 1(回)}{12.28(a)}$$

= 0.65((人·h)/a)

上記範囲を冬 1 回

〈集落の年間仕事量〉

集落全体の広葉樹林面積：12.28(a)

0.65((人·h)/a) × 12.28 (a) × 1 回

= 8.00(人·h)

No.2-5

No.2-5

No.2-5

No.5　炭焼き

構築環境	分類	雨天	道具		単位仕事量 ((人·h)/回)	季節内訳 春	夏	秋	冬	仕事量 (人·h)
広葉樹林	加工	○	動	電気鋸	42.50				2	85.00

仕事ドローイング

仕事量 算出方法　資料：Y さん 5/9 聞き書き No.2-3、No.2-5

1 回の炭焼き
炭焼き工程
①だしくべ + 炭割　5 人　5h　1 回
②蒸焼き　1 人　0.25h　4 回
③焚き込み　1 人　4h　1 回
④温度管理　1 人　0.25h　2 回
⑤錬らし，止め窯　2 人　6h　1 回
42.5(人·h)

$$\frac{42.5(人·h)}{1(回)} = 42.5((人·h)/回)$$

冬 2 回

〈集落の年間仕事量〉

集落全体の炭焼きの回数

42.5((人·h)/回) × 2 (回)

= 85.00(人·h)

191215 撮影

191215 撮影

191215 撮影

No.36　畔塗り

構築環境	分類	雨天	道具		単位仕事量 ((人·h)/a)	季節内訳 春	夏	秋	冬	仕事量 (人·h)
田	管理	後	手	房州鍬	0.26	1				198.60

仕事ドローイング

仕事量 算出方法　資料：Y さん聞き書き No.2-2、4/8 実地調査

1 箇所の田面積：30.38(a)

a さん…　8(h)
合計 8(人·h)

$$\frac{8(人·h) \times 1(回)}{30.38(a)}$$

= 0.26((人·h)/a)

上記範囲を春 1 回

〈集落の年間仕事量〉

集落全体の田面積：754.30(a)

0.26((人·h)/a) × 754.30(a) × 1(回)

= 198.60(人·h)

No.38　田植え

構築環境	分類	雨天	道具		単位仕事量 ((人·h)/a)	季節内訳 春	夏	秋	冬	仕事量 (人·h)
田	育成	○	手	−	12.21	1				871.08

仕事ドローイング

仕事量 算出方法　資料：Y さん聞き書き No.2-7、5/17 実地調査

1 箇所の田面積：30.38(a)

11 人で 3h
169 人 2h
合計 371(人・h)

$$\frac{371(人·h) \times 1(回)}{30.38(a)}$$

= 12.21((人·h)/a)

上記範囲を春 1 回

〈集落の年間仕事量〉

集落全体の田（機械と手）面積：71.33(a)

12.21((人·h)/a) × 71.33(a) × 1(回)

= 871.08(人·h)

200408 撮影

200408 撮影

200517 撮影

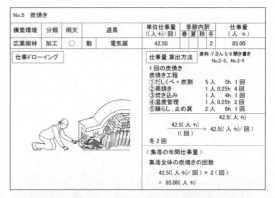

ので、我々はそれを「ちょこっと仕事」と呼んで図鑑のように記録し、もっと都市住民がアクセスできるようにしたいと思いました。イベント的にやってきた米づくりから、さらにもう一歩進んだ都市農村交流ができると考えたわけです。

　農村にもいろんな資源があるわけですけど、それと身体が出会うことによって、いろんな振る舞いが生まれます。それを目録化し、カレンダーに入れて、週末にさっと来て、ちょっと手伝えるようにする仕組みをつくろうとしています。

　次頁のドローイングは、その仕事がどういう資源に紐づいているかということに合わせてこの集落の地図に落とし込んでいった図です。これは全然、建築のドローイングや図面ではないように見えるかもしれませんが、私にとっては、今建築というのは、こういうところに来ていて、資源へのアクセシビリティをどれだけつくり出せるかにかかっているのです。そのためには、グラフィックや、仕事の目録、インターネットでアクセスできるプラットフォームなども大事になってきます。

　私が今いるのは、その集落の中心にある古民家です。仲間と共同購入し、自分たちでリノベーションしました。「一般社団法人小さな地球」を設立し、コミュニティキッチンやゲストハウスなど、コモンズとして運用しています。

　ここでは農と建築が連続するものになっています。ここの土壁も茅場再生のために整備した休耕田から出た土を、藁《わら》と混ぜて発酵させたもので塗られています。金はなくとも、人の手と技を駆使して、資材を里山から取り出し、古材を古民家からサルベージして、自分たちの場をつくっていくのは非常に楽しいです。

仕事と資源を地図に落とし込んだ図

ディスカッション

ゲスト

塚本由晴

未来の人類研究センターメンバー(当時)

伊藤亜紗

國分功一郎

中島岳志

若松英輔

都市にも生態があり、連関がある

若松　塚本さんがさまざまな活動をされている、その原点というのはどのあたりにあるのでしょうか？

塚本　私は東京ならではのおもしろい建築、不思議な構築環境を集めて『メイド・イン・トーキョー』と『ペット・アーキテクチャー・ガイドブック』という二冊の本を若いころに書きました。バイリンガルにしたので、世界中で読まれ、読者が東京の私に会いに来るようになりました。だから、都市との関係で建築を論じる建築家としてのイメージが強かったと思います。

だけど、そうした研究で私を突き動かしていたのは、産業的にスムースで、GDPに貢献するような方法でつくられた建築や、敷地の中だけが責任範囲であるから、その中でしか貢献できないとする考え方ではなく、都市ならではのエコロジーに入り込んで、周りを巻き込みながら場をつくる考え方でした。

若松　なるほど。

塚本　私は、子どものころから昆虫採集が好きで、昆虫を探して森や野原をずっと歩き回っていました。結局、昆虫を探しに行くということは、昆虫が好きな場所を探して、昆虫が現れる時間をねらって、そこにこちらのタイミングを合わせるということなんです。昆虫そのものを見つけることは、基本的にはできなくて、昆虫の好む何かを見つけて、そこに自分を合わせる、それが昆虫採集。そういうことに楽しみを覚えるのです。

だから建築を見るときも、建築をつくるときも、生態学的な連関とか、関係性が大事なのです。そのフィールドが東京から里山に展開したというだけで、基本的な考え方は変わっていません。

若松　それはすごくおもしろいお話ですね。

塚本　里山で目からウロコのような感覚になったことがありました。都市では、空いた土地は「Ready to build」で、「そこに建築を建ててください」と、建設産業の中に取り込まれていることに初めて気づきました。里山にはそんな土地はないんです。

平らで日当たりのよいところは、生産に使われていて、人間は山の端とか、畑や田んぼのちょうど接点になる水が染み出してきやすいところとか、そういうところに家を建てている。それも農業の事物連関を持続させるためにも必要だからです。つまり、敷地に建てるというより、事物連関の中に建てるのです。

言い方を変えると、都市の空地に建築を建てるというのは、建築をどこまでもユニバーサルに、スケーラブルに捉えていく。一方で里山で連関の中につくる場合は、むしろそこにしかないニッチな環境のまとまりを壊さないように、あるいはそれが少し弱っているならばそれを補強し、勇気づけるように建てていくことしかできないんですよね。

それは建築についての考えを根本から変えるきっかけを与えてくれます。なぜならユニバーサルにスケーラブルに建築をつくってきた結果、地球はどんどん弱ってきたことは明らかだからです。今は連関の中につくる建築にシフトするときなのです。

「寄り添う」ではなく、「巻き込まれる」力

伊藤　お話を聞いていると「巻き込まれる力」みたいなものをすごく感じました。私たちのセンターで「利他」を考えていく中で、ずっと関わってきたキーワードに「偶然」というのがあります。偶然出会ってしまった困難に対して、自分が巻き込まれていって、勝手に体が動いていって、現場と出会う中でその人の可能性もどんどん引き出されて、そこで何か利他が生じるというようなことが起きている。

塚本さんの話を聞いていても、巻き込まれて、単にその現場の問題を解決するだけではなくて、その先にあるもっと大きな問題にまでどんどん掘り進めていかれていることに、とても感動しました。何かに出会うというか、巻き込まれるということに、コツというのはありますか？

塚本　私は先の震災以降、デザインに何ができるのかを考え、行動する中で、被災した当事者ではない我々にも、当事者性みたいなものは宿らせることができそうだと気づきました。「寄り添う」という言葉が震災後によく使われましたが、自分にはしっくりきませんでした。むしろ自分が変わっていかないといけないんじゃないかと。

偶然出会ってしまった人や事物に自分が変わるかもしれないきっかけを感じたときには、そっちにズブズブと入っていくところが、私にはあるような気がして。その相手と完全に一体化することはありえないし、当事者にはなれないかもですけど、変わることで当事者性を育てていくことはできる。そういう当事者性があると、他の人も入ってきやすくなるというか、当事者に近づいていける、そういう関係性かなと思っています。

みんなの家というのが、震災後に東北の被災地でつくられました。仮設住宅の狭いところに住まざるをえないので、みなで集まってお茶を飲んだりする場所をつくろうと、伊東豊雄《とよお》さんが呼びかけ、いくつか実現しました。仮設住宅が五年経って、役割を終えて解消されることになると、みんなの家も用なしということで、壊されざるをえなくなる。そのときの建築家たちの悲しみがすごくて、やっぱり建築家は被災した当事者ではないが、みんなの家をつくることによって当事者性を自分のほうに引き寄せてたんだなと思いました。

打合せに入れるべきだった、人ではないものたち

中島　塚本さんのお話から、流動性とサステナビリティという問題を想起しました。一見すると、この流動性とサステナビリティというのは逆の概念のように見えるんですけれども、流動性があるからこそサステナブルだという。このあたり、どういうふうにお考えなのかおうかがいしたいと思いました。

塚本　建築を設計するときは、かなりいろんな人と打合せをします。小さな打合せが積み上がって、少しずつ意思決定されていくのがデザインだと思うんです。でも、この人を打合せに入れてなかった、ということもいっぱいあるんですね。

人の場合はわりと明快で、施主、構造設計、設備設計のエンジニア、法規的なチェックをする確認申請機関の人、近隣住民など、建設産業としての打合せの固定メンバーは整っていて、スムースに事が運ぶように制度設計されているわけですね。二十世紀は、その会議体により品質を管理し生産性を上げることに努めてきました。

と同時に、無意識に打合せに呼ばなかったマイノリティや、人じゃない命、物、事を大量につくり出すことにもなった。たとえば動物や昆虫、あるいは『土中環境』で高田宏臣《ひろおみ》さんが書かれている地中にいるバクテリアや水や空気、それから今生きていない人、これから生まれてくる人。そういう人や物たちにも、じつは打合せに参加してもらわなきゃいけなかった。そういうことはいっぱいあると思います。だから打合せのテーブルを広げ、参加者を増やしていくことがデザインの役割であり、おもしろさだと思うんです。

それは民主主義の実験を続けていく感じかもしれない。

先日私の研究室で、動物と一緒に暮らすためにつくられた建築について博士論文にまとめた人がいましたが、彼女との議論でおもしろかったのは、人間以外の生き物をケアしようとすると、そこに人的ネットワークも生まれるということでした。

それは、物理的に建ち上がる建築と共に立ち上がってくる、ネットワークのほうの建築でもあります。二十世紀は空間という概念で建築を語ることで、過去の連関から自由になることを推し進めてきましたが、地球環境のことを考えたら、空間を相対化して、連関へのつなぎ直し、あるいはその再構築に、向かうべきだと思います。

手応えを感じられる仕事と生き方

國分　伊藤さんがお話を受けて、「巻き込まれる力」と言ったのは非常におもしろいなと思いました。僕はこの研究会でずっと「責任」、Responsibilityという概念について考えています。責任というと、「責任を取る」みたいな形で人を苦しくさせるような概念という感じがしますけれども、もともとはレスポンス、何かがあってそれに応答するという意味なんですよね。

そう考えると、たとえば誰も自分のために責任を感じてくれない、応答してくれない、自分も誰にも責任を感じないし応答する機会がない、そういうまったくResponsibilityがない世界というのは、ものすごいつらい世界だと思うんです。だからじつはResponsibilityがある世界というのは、人と人とがつながって、手応えを感じることができる世界で、責任という言葉は、じつはそういうポジティブなものじゃないか、と考えているんですね。塚本さんが、さまざまな出来事があったときに、それにResponsibilityを感じつつやっていらっしゃるように思えて、少し感動しながら聞いていました。

あと先ほど、中島さんが「流動性」というテーマに注目されたんだけど、僕は哲学をやっている人間として、概念的にそれに迫っていくときに、注記をつけなきゃいけないなと思ったのは、その「流動性」を、今資本主義社会でよく言われている「フレキシビリティ」と混同しないということがすごく大事だと思うんです。

今の経済は一週間とか二週間でニーズが変わっていくので、労働者はどんどんどん新しいニーズに合わせて変わっていかなきゃいけない。そして労働がめちゃめちゃ細分化されて、自分がやっている労働が、全体のどこでなんの役に立っているのか全然わからない。そういう過度のフレキシビリティに、人間はやっぱり耐えられないわけですよね。

そういう中で、やっぱり僕らがつくってきた都市というものを、考え直さないといけないのではないか。その際に「ちょこっと仕事の見える化マップ」、あれはすごくヒントになると思いました。これは、都市から田舎に週末だけ通ってやるということだけど、でもちょっとボランティアで手助けするみたいなことではなくて、自分の仕事が全体の中で有機的にどこにあるかがわかる、ということだと思うんですよね。

塚本　ちょこっと仕事は、ボランティアとはちょっと違うとおっしゃってくださいましたけど、あれはある意味、都市からするとレジャーなんですよね。ただし、レジャーって、今まではどちらかというと利己的な部分があったと思うんですけど、利他的なレジャーという新形態です。やればやるほど自分が関わったところがよくなって、自分が気持ちよくなって、という感じなんですよね。

今、里山はどんどん人が少なくなって、手が入らないところがいっぱいあるので、手を入れてくれるんだったらどんどんやってくれ、というような感じがあります。それもあって、やればやるほど自分の場所になっていくという感覚が、可能性を原理にした生き方というか、疑わずにできる自分の活動というのにつながっているように感じます。精神的にもとても楽になるっていうか、楽しいんですよね。

都会の暮らしというのが、どこかで不可能性原理にさいなまれていて、これはできないから、これもできないから、あれにしとこうみたいな、不可能性から先に考えてやることを決めるようになっている。それに対して、私が通う里山では、「これをやろうか」「やってみよう」と言ってやっているうちに、「大変だ！」となって、もっと助けがほしいとなると、不思議と助けに来てくれるような。そういう可能性原理で生きられるのが、すごくいいなと思っております。

中島　先ほど國分さんがおっしゃられたように、流動性という問題をどう考えるのかというのは、とても重要で、あまりにも激しい変化に身を投げ出すのではなくて、僕たちの議論してきた中でいうと「動的平衡」というのが大切なのかなと。私たちの細胞は、日々垢《あか》が取れるように、変わっていきながら、しかし私というものが続いていく。そういう流動性とサステナビリティの関係性というのは、僕はやはり非常に重要なんだろうと思いました。

それは、仏教的なものとも、とても親和性があるお話だと思いました。仏教では、「確たる私」みたいなものへの固執こそが自分を苦しめている、というふうに考えるので、外からやってくるいろんな「縁」を自分の中に取り込みながら自己が生成していく。それ自体をどういうふうにして「私」という現象としてみなすのかというのが、仏教の非常に重要な考え方なのかなと思うんです。

塚本さんのされていることは、まさにそういうものだなと思いました。確たる何かをつくろうとする設計的なあり方を超えて、大きなことからやってくる力に、自己の生成をどうやって委ねていくのか。そして「私」や「世界」を捉えようとするときに、そこに参画するものが、動物であったり、死者であったり、単に生きている人間だけじゃないということ。それは利他の世界と非常に密着している重要な考え方だなというふうに思いました。ありがとうございました。

人間ではない「隣人」の声が聴こえる⁉

中島岳志

×

ドミニク・チェン

RITA MAGAZINE
Is there any *rita* in technology?

Chapter_2-3

- Takeshi Nakajima
- Dominique Chen

収録：2023年5月10日

中島岳志（なかじま・たけし）

1975年大阪生まれ。北海道大学大学院准教授を経て、東京工業大学リベラルアーツ研究教育院教授。専攻は南アジア地域研究、近代日本政治思想。2005年、『中村屋のボース』で大佛次郎論壇賞、アジア・太平洋賞大賞受賞。著書に『思いがけず利他』『朝日平吾の鬱屈』『保守のヒント』『秋葉原事件』『岩波茂雄』、共著に『料理と利他』『ええかげん論』『現代の超克』などがある。

ドミニク・チェン

1981年生まれ。フランス国籍、日仏英のトリリンガル。博士（学際情報学）。NTT Inter Communication Center研究員、ディヴィデュアル共同創業者を経て、現在は早稲田大学文化構想学部教授。人と微生物が会話できるぬか床発酵ロボット「Nukabot」の研究開発、不特定多数の遺言の執筆プロセスを集めたインスタレーション「Last Words / TypeTrace」の制作を行いながら、テクノロジーと人間、そして自然存在の関係性を研究している。著書に『未来をつくる言葉』『コモンズとしての日本近代文学』、共著に『ウェルビーイングのつくりかた』などがある。

人新世の利他

中島　今日のテーマは「人間ではない『隣人』」です。なぜこのテーマを立てたのかというと、『思いがけず利他』や『料理と利他』の執筆に加え、この三年間、利他という問題を一つのキーワードにして、東京工業大学のメンバーと一緒に研究をやってきたのですが、この利他の「他」というものを人間に限定していいのか、ということが、やはり非常に大きな問題として浮上してきたわけです。

たとえば、誰かのためにやったことは、もっと大きな視点で言うと、地球のためになっていないかもしれないし、未来の世代のためになっていないかもしれない。とするならば、利他というのは、人間の二者関係の間だけで成立するのではなくて、人間以外の存在とか、もっと長い時間的なパースペクティブを持って見てみないと、考えられないものなのではないか。とくに人新世と言われる、人間の力が大きくなりすぎている世の中で、「隣人」、利他の「他」とはいったい誰なのかという問題を考えられたらと思っています。

ドミニク　なるほど、なるほど。

ぬか床から始まった「隣人」との付き合い

中島　ぬか床ロボットを始められてどれぐらいになりますか。

ドミニク　ぬか床ロボット（Nukabot）は二〇一九年に始めたプロジェクトですが、私自身がぬか床を始めたのは二〇〇八年です。会社を共同創業した遠藤拓己さんというパートナーと喫茶店で打ち合わせをしていたら、おもむろにバッグからタッパーを出してきて、「君にこれをあげよう」と言われて（笑）。そのとき僕はぬか床の「ぬ」の字も知らない状態だったので、「これ、なんですか」と聞いたら、「うちで三十年ぐらい、母のお母さんがずっと育ててきたぬか床の一部を、おすそわけします」と。会社を設立するタイミングだったので、ぬか床と同じように、その会社を一緒に育てていこうという、まさに愛にあふれたメッセージがこもっていたんですよね。

それを持ち帰って、自分で検索して勉強して、スーパーで買ってきたきゅうりとか人参を初めて漬けて、一日二日待って食べたら、こんなにおいしい漬物ってあるんだろうかと、本当にびっくりしたんです。市販で売っているものとはもう、全然違う味がつくられる。調べていくと、乳酸菌とか酵母とか、いろんな微生物たちがその複雑な味を醸し出してくれている。まさに、さっきおっしゃっていた、目に見えない微生物という隣人たちとの付き合いが、そこで始まったという感じです。

中島　なるほど。でもその付き合いの中で、失敗もされたんですよね。

ドミニク　ふっふっふ（笑）。はい、一番最初の大きな失敗が決定的だったんです。とにかく愛するぬか床と一緒に暮らすようになって、有頂天になって、自分の漬けたものを行きつけのバーのママにも配ったり、そのママさんが他のお客さんにも配り始めて。すごいハッピーな時間を過ごしていたんです。

あまりにもぬか床が大事になって、一〇キロぐらいある器を電車で自分の会社に運んで、仕事をしながら時々かき混ぜるみたいなこともやっていました。それが、ある真夏の日に、なぜかベランダに出して、そのまま忘れて放置しちゃったんです。翌朝焦って会社に走って行ってみたら、もう腐ってしまっていて。

その隣人たちがなくなってしまったという喪失感が、ずっと自分の中で個人的な問いとして残留しつつ、その後も冷蔵庫で保管したり、いろんなやり方を試したんですけど、あのときのあのおいしさにどうしても至れなかった。それで、微生物たちの声を聴いて、語りかけるようなコミュニケーションができたら、もっと深い関係を築けるんじゃないか、と思いついて始めたのがぬか床ロボットなんです。

ロボットを通して「隣人」の声を聴く

中島　菌にかぎらず、人間以外のいろんな声を聴くというのは、突拍子もないことのようにも聞こえますが、案外人間は伝統的にやってきたことだと思うんですよね。

ドミニク　そのとおりですね。

中島　とくに職人さんからは、石の声を聴くとか、庭師の人も、植物の声を聴くとか、そういう話がふつうに出てきます。それは、私たちのこういうコミュニケーションとは違うコミュニケーションが、広い意味での「隣人」との間に成立しているということで、それを科学や工学のレベルに落としたときに、どういうことができるのか。

ドミニク　そうですね。最初は本当に「やってみたらおもしろいんじゃないか」くらいの感覚で始めてみたら、いつのまにかそれで研究予算を獲得したり、国際学会で発表したりと、だんだんシリアスになっていって（笑）。やっぱりこのぬか床ロボットのプロジェクトを通して、自分自身のテクノロジーの見方が更新されてきたところがあります。

今おっしゃったような伝統的な職人さんにもインタビューをしてきたんですが、何か共通する伝統的価値観があると思っています。テクノロジーを使って疑似的に声を聴くということも、僕たちはやっていますが、そこで満足してしまう関係性だとつまらない。ぬか床ロボットを介してぬか床と付き合っていくうちに、だんだんと職人の世界に自分の体がチューニングされていくというのがめざしたいことなんです。

たとえば、スマホとかパソコンは、人を中毒状態にして、これがないと生きていけないようにすることでお金が儲かる、そういうビジネスモデルで設計されています。でも、ぬか床ロボットは、それを使う人がいずれ「卒業」するような道具としてデザインしたほうがいいのではないかと。

中島　つまり、ぬか床が、どういう状態、場所がいいのかとか、いろんなコンディションをテクノロジーによって教えてくれるわけですよね。それによって、「そろそろ混ぜよう」とかいうインタラクションが生まれていく。場合によっては、ロボットを介さずとも、ドミニクさんに「菌の声」が聴こえてきたりするのでしょうか？

ドミニク　そうですね。Nukabotというシステムには、伝統的なぬか床を介して得られるすごくたくさんの情報があるわけです。かき混ぜるときに匂いもしますし、色がちょっと白っぽいなとか、味見してみるときの味覚、手で混ぜるときの触覚。押すと空気が抜ける音もします。そういう五感を全部使って、そのぬか床の状態がわかるようになってくる。僕ももう十五年ぐらい経つので、だんだん、データを見なくてもわかるようになってきているというのは実感しています。

人間の潜在能力をロボットが引き出す

ドミニク　僕たちはこのロボットをつくることを論文にするとき、テクノロジーの立ち位置を自分たちで説明しないといけないんで

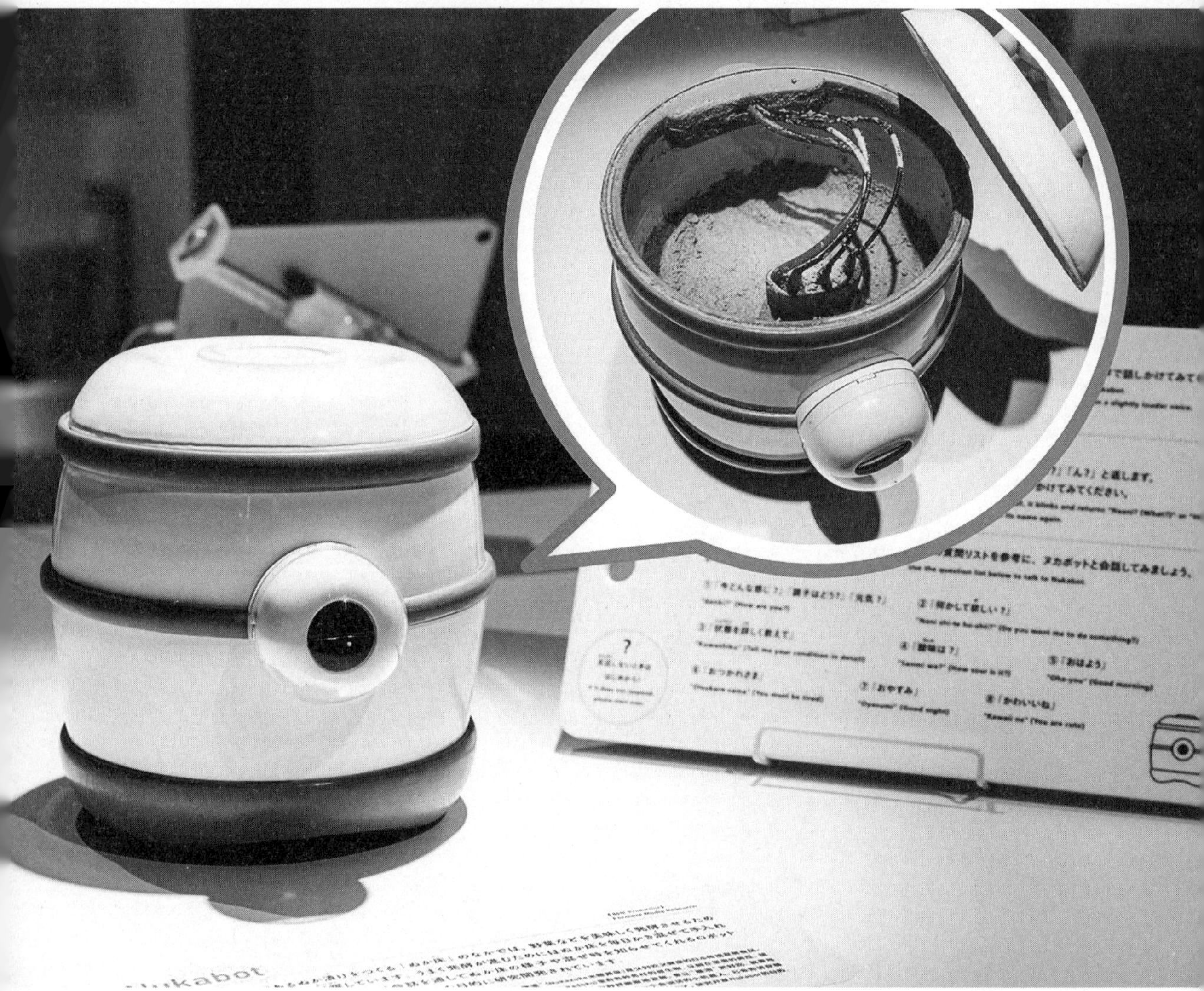

Nukabot　写真：日本科学未来館

す。従来のテクノロジーの研究は、利便性や効率性を追求していくところに価値が置かれていましたが、それに対する反省が二〇〇〇年代になって出てきた。「利便性を突き詰めていくと全部自動化して、人間が介在する次元がなくなっちゃうよね」という指摘だったり、「そんなに数値だけで測れるものなの？」という至極真っ当な批判が、テクノロジーをデザインするコミュニティの内側から起こってきました。

そこでたとえば、統計値だけではなくて、社会学や人類学のエスノグラフィや参与観察といった方法を使って、一切統計を用いない工学論文もいっぱい出てきています。それを突き詰めると、人文学的なコンセプトをベースにしたシステムの評価や設計の議論なども出てくる。

ぬか床ロボットも、「ロボットアームみたいなものが自動的にかき混ぜてくれると腐らないですよね」というコメントをいただくことがありますが、それは絶対にやらない。なぜなら、人間がぬか床をケアするというその関係性に対して、情報技術は「サポーター」でしかないと考えているからです。

最初に始めるときのサポーターとしてNukabotのようなテクノロジーがあるけれど、その先は、テクノロジーがなくてもわかるようになるほうが、効率的なんですよね。わざわざ電力を消費してCO_2を排出する電子開発を介さずに、わかれるようになったほうがいい。だから、人間が成長したり、学習するための「養成ギプス」としてのNukabot、という立ち位置で、今は考えています。

中島　人間が本来持っている潜在的な力を、テクノロジーが引き出してくれるという感覚が、僕は非常に強くあるんです。ぬか床ロボットによって私たちの本来持っている手の感触が取り戻されたりするのであれば、すごく利他的なロボットだなと。

ドミニク　ありがとうございます、すごく嬉しいです。能力を個人の中に見るのではなくて、関係性の中に見るという話は、伊藤亜紗さんの議論の中でもたびたび出てきますよね。ロボットがいて、人間がいて、微生物がいて……それぞれが独立しているのではなくて、絡まり合って生活するような状態にいかにするか、ということを、今もずっと考えています。

AIによって江戸化する囲碁の世界

中島　僕ね、長らく、AIは敵だと思っていたんですよね。あんなやつに人間を超えることなんてできるか、と思っていたんですけど、この四、五年でAIのことを見直すようになって。僕、囲碁をやるんですよ。子どものときにあまりにも落ち着きがなかったので、父親に、プロ棋士のところに行かされたんです。

囲碁は縦一九本、横一九本の線があり、その交差点が三六一点あります。打ち手にものすごくたくさんのパターンがあるので、AIがプロ棋士に勝つのは無理だろうと言われていたんです。それがあっという間にトップ棋士が勝てない状態になった。そこで、すごくおもしろいことが起きたんです。というのは、AIが出してくる手が、近代以降のこの百五十年ぐらいの手ではないんですよ。むしろ、江戸時代の古い棋譜にすごく似ているんです。

ドミニク　え〜、そうなんですね。

中島　今から二百年前や三百年前のプロ棋士……本因坊《ほんいんぼう》秀策《しゅうさく》とか、そういう人たちの手が今、見直されていて、逆に現代のプロ棋士の世界が江戸化してきているんですよ。

ドミニク　めちゃくちゃおもしろい。

中島　碁というのは合理的な陣取り合戦なので、近代以降はどの手を打てばどれぐらいの陣地ができるかという、ある種数理的な思考が優位になりました。そういう意味で、昔の手は全然理にかなっていないと言われて、近代で捨てられてきたものがいっぱいあったんです。けれどもＡＩにしてみれば、局所的には損な手に見えても、盤面全体で見ると非常に重要な一手である。何十手も局面が進んでから意味を持ってきたりする。つまり、近代の知とは違う「知」が復活してきているような、そういうところがあるんですよ。

もともと人間が持っていたポテンシャル、ある種の宇宙観を含めた、宗教的としか言いようがなかった感覚が、ＡＩの合理性によって復活する。近代人が持っていたものに対して、ある種の限界を突きつけてくるのがＡＩだったというのが、おもしろいなと思って。

ドミニク　引き上げているわけですよね、人間のポテンシャルを。それで見直して、実際人間も、本因坊秀策の手を打ち始めて……？

中島　そうなんです。秀策のコスミという手があって、僕が子どものころは、「これは非常に生ぬるい手だから、最近は打たれないんですよ」と習って、そうか、と思っていたんです。けれど、ＡＩはそれを進んで打つようになっているんですね。

ドミニク　それも効果的に打つわけですよね。

「野生の思考」と「最先端の科学」が重なる

中島　レヴィ＝ストロースが『野生の思考』という本を書いていますけども、彼は人類学者としていわゆる未開と言われる世界をいろいろと見た結果、近代人が下に見ているそういった世界の「知」は、じつは全然違う面において、彼らなりに非常に合理性を持った知であると言うんです。たとえば、風や波を何とおりにも分類したり、そういう「知」が、いわゆる未開社会の中ではたくさんある。

こういった「野生の思考」に対して、彼は近代人の知を「家畜化された思考」と呼ぶのですが、未開社会における「野生の思考」や「具体の科学」は、じつは最先端の科学と必ず合致するはずだと。これは非科学的なのではなく、知のあり方の違いであって、近代的な知能を必ずや補完する、非常に重要な知なんだということを言っているんです。

ＡＩが江戸の手を打ち出したのを見て、「レヴィ＝ストロースじゃん」と思ったんですよね。それで、ＡＩと話が合うかもと今思って、ChatGPTも楽しみだなと。僕みたいな現代人と話が合わない人間は、そっちのほうが、話し相手になるんじゃないかって。

ドミニク　めちゃくちゃおもしろいですね。「江戸化する」に引き付けて言うと、ぬか床カルチャーも江戸時代のほうが、やっていた人が多かったと思うんですよ。冷蔵庫がなかったですし、保存食メーカーとして、発酵食はいまだにすごく優秀なんです。

そして、だんだんみんながぬか床を育てなくなってきている理由の最たるものは、やっぱり、「駄目にしちゃって挫折した」。たぶん、駄目にする一歩手前で気づく力が大事なんですよね。かつ、ぬか床を育てていれば、微生物と触れ合うことができるので、たとえば環境問題の話を考えるにしても、土壌とか微生物を、人間以外の主体性を持つ存在として捉えることになる。

たとえば哲学では、人間しか言語を話さないから人間が自然を統御するべきだ、という「人間例外主義」が近代的な前提ですけれども、自然科学で人間以外の生命を研究している人たちが、「いや、ちょっと待てよ」と。クジラや象、キノコや植物とかも、言語みたいなものを持っていることがだんだんわかってきて、哲学の前提が、自然科学の最先端で崩れてきている。

人間が頭で自然を理解したり整

理をしたりするのではなくて、実際に触れあったり混ざったりしないと、関係性はそもそも生まれないんだというところに、自然科学が戻ってきている。それを「江戸化」と呼んでいいのかわからないですけど。前近代の方法が大真面目に最先端の議論の中に出てきているという話とつながって、おもしろいなと。

空海は、なぜ満濃池を改修できたのか

中島　僕、この三年間のコロナの中で考えたのが、空海という人だったんです。ずっと避けてきたんですけれども……。

ドミニク　あ、そうなんですね。

中島　密教って危ないなと思っていたんですけど、空海は満濃池という香川にある池の改修をしていて、なぜそれができたのかという問題が、重要だなと思ったんです。日本の土木の原点を辿っていくと、行基《ぎょうき》などの仏教僧がいるのですが、なぜ仏教僧が土木をできたのか。

　空海は、若いときに山岳修行をやっています。めちゃくちゃ頭がいい人で、トップエリートだったのですが、彼は書物からの「知」を疑ったんですね。これでは真理には近づけないということで、山に行き、明けの明星（金星）が口の中に入ってきて、宇宙と自分が一体化するような神秘体験をします。その経験を言語化したいと思って、遣唐使で唐に行き、密教を学んで日本に帰ってきます。ある種の身体的な神秘体験を、ちゃんと最先端の科学で捉えたいという、両側面があった人なんですね。

ドミニク　絶妙なバランスの人だったんですね。

中島　そんな空海が、誰もできなかった満濃池の改修を成し遂げるんです。なぜできたのか。歴史学者たちは、唐から何か最先端の技術を学んだのだろうと言ってきたのですが、僕は、それはたぶん違うと思っているんです。『日本紀略』という歴史書に、満濃池の改修に空海が選ばれたのは、「空海は山の中で座っていると獣や鳥と戯れられる。だからだ」と書いてあるんです。

ドミニク　そういう評価を下した人もすごい。

中島　つまり、空海は近代の土木とはまったく違う「知」によって山を「読めた」のだと思うんです。山岳修行をやっている人たちにとって非常に重要なのは、泉の場所です。だから、彼らは山の見方が僕たちと全然違っている。僕たちが「山ってきれいだなあ」と言うときは、緑とか地表を見ているけれど、山岳修行者は土中を見ているんですよね。

ドミニク　遠くから見ているときも、土中を見ている……？

中島　水蔵《みずくら》と呼んだりするようですが、つまり、水が詰まっているダムのようなものとして見ていて、その水がどう流れを伝っているのか、分水嶺《ぶんすいれい》がどうなっているのか、山に入って読むことができた。

ドミニク　エコシステムとして把握できるということなんですね。

中島　山岳修行者たちが水の在処《ありか》を読めて、「ここ掘れ」と言ったら水が出てくる。そういう能力が空海にもあったので、満濃池を治めるときにポイントがわかったり、アール（カーブ・丸み）がついたダムのようなものをつくったりした。今だと力学的に説明できるのですが、彼にとってはアールというのは、霊的な力を持った曲線だったのだと思うんです。そうして満濃池を改修していったのだろうと思います。

　おそらくドミニクさんがずっと探究されているのは、そういう人間が本来持っていた、近代になってどんどん弱ってきたような「知」が、最先端の科学とかロボットというツールを使うことによって、また蘇ってくるような関係性なのではないか……そう思っているのですが。

ドミニク　なるほど。その山岳修行者の人たちが、山を一つの水蔵として捉えることができるというのは、熟練したぬか床職人が、ぬか床をポンポンと触るとだいたい状態がわかるみたいなことと、ちょっと通じるというか（笑）。スケールがだいぶ違いますけれども。

　Nukabotをつくる際に、いろいろな発酵食職人の方たちに取材しました。僕は最初、テクノロジーに対して批判的な人が多いのかな、というバイアスを持っていたのですが、ふつうにセンサーとか空調とか、必要な機械は使っているんですね。だけど、たとえば、すごくおいしいお酒をつくる杜氏《とうじ》の方がいて、どうしてもこの麹《こうじ》カビの手触りは数値化できないので、こればっかりは触って理解してもらうしかないとおっしゃっていた。

　あるいは味噌蔵の方が居酒屋でお酒を飲んでいると、夜の十時半ぐらいにふと席を立って、「あ、麹が呼んでる」と言って味噌蔵に戻って、一時間ぐらいしたらまた帰ってくる、みたいなエピソードがあったり。

中島　ふっふっふ（笑）。

ドミニク　別に、自分のつくっているお味噌とスマホで電話しているわけじゃないけど……。

中島　「あ、呼ばれてる、今」って。

ドミニク　中島さんも、もしかしたら空海に対して「そういう身体知を自分も獲得したいな」と思われるかもしれないのですけど、僕は、ぬか床を駄目にしてしまった自責の念がずっとあるので、発酵食をつくっている方たちの身体知、身体感覚が得られたらいいな、という憧れに似た思いでNukabotをつくっているところは、大いにありますね。

都市にも微生物の多様性が必要

中島　僕は、土の中が見えるようになりたいという憧れがあって。

ドミニク　最近、土いじりを始められたとか……。

中島　そうなんですよ。僕がすごく尊敬している、『土中環境』という本を書いた高田宏臣さんは、やっぱり土の中が見えているんです。彼の庭づくりは、「菌をエンカレッジする」という感じなんですよね。

ドミニク　あ～。「がんばれ」っていうね。

中島　空気と水が土の中でどう循環するのか。そのことで菌糸がど

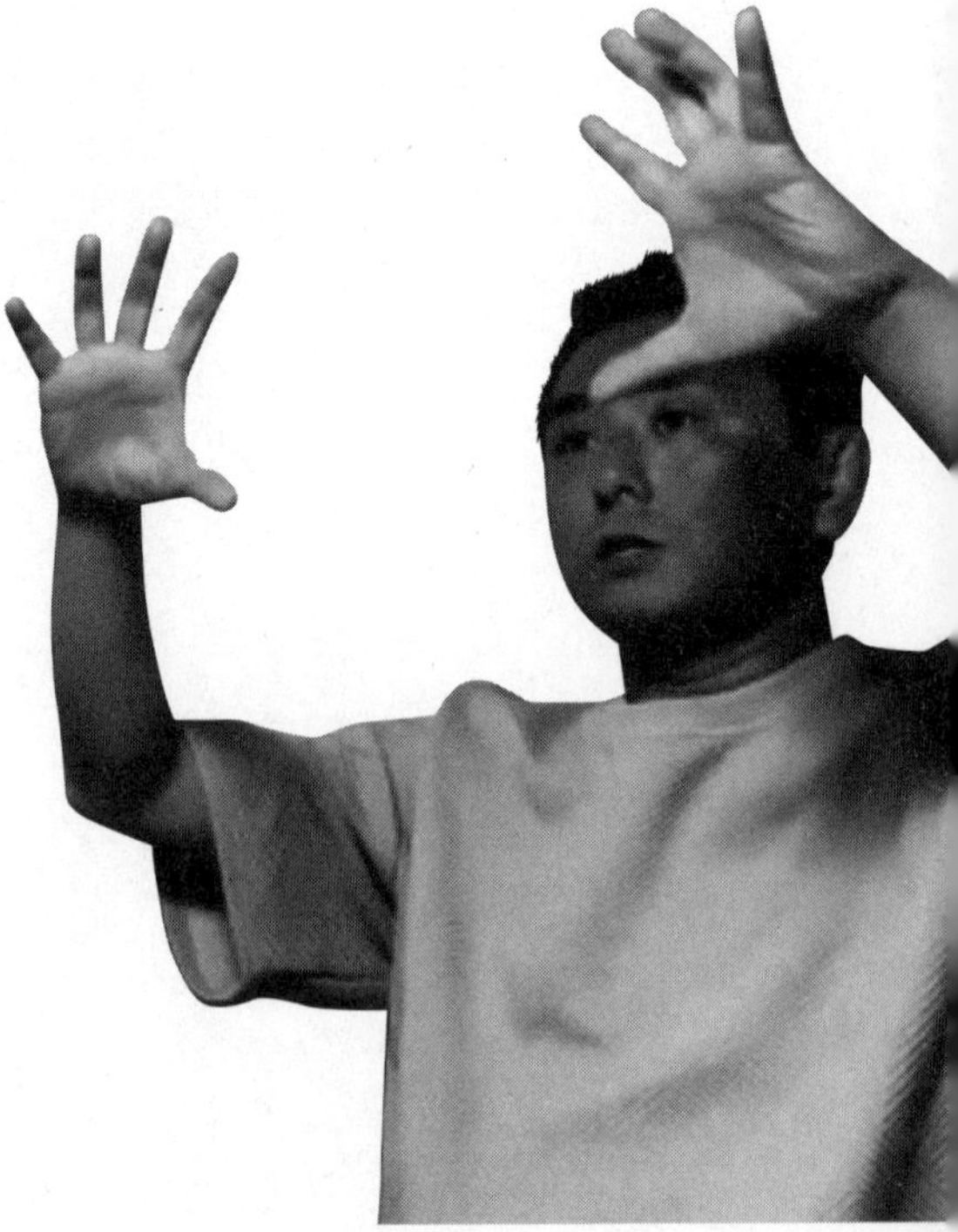

のように動くのか。人間がつくり上げるというより、菌が働いてくれるような環境づくりをしていくことによって、土の中の環境を再生していく、という考えの人なんです。

　それで、高田さんの考え方をいろいろ勉強させてもらったり、自分でも庭で土をいじって菌を意識し始めると、街を歩いていても「ここだったら菌糸がネットワークをつくっているな」と。あそことあそこは土だから、ここの距離だったら、根と根が菌糸を媒介にして連絡しているなとか……。

ドミニク　はははは（笑）。わかります、わかります。

中島　そういう土の中の水の流れを、歩きながら考えるようになってきて。

ドミニク　「現代版空海」ですね。高層ビルの間に水脈を見る人みたいな。

中島　いやいや、まだ全然そんな。ただ最近は、東京の真ん中の、土中のつながりというか、地表以外に気持ちが向くようになってきました。

　四年ぐらい前に、二子玉川のあたりで、多摩川の洪水の問題がありました。堤防をつくることも重要なのですが、あれはバックウォーターというのが起きていて、多摩川の流れがあまりに強いので、支流から入ってくる水の流れが邪魔されて溢れてしまっていた。複数の箇所で内水氾濫というのが起きました。東京の土地は水の浸透力を失っているので、全部下水道に流れてしまっている。それならやっぱり、浸透面を増やさないといけない。そうすると、菌が活躍するわけです。

ドミニク　そうですよね。

中島　どうやったら浸透面を増やせるのか。これは地方行政の問題ですから、政治学者としては重要なテーマです。気候変動が大きな政治課題となっている現在、政治学をやっていると、植物学や土木の知識がどうしても必要になります。土中の水の流れを読み、菌糸の動きが見えなければ、適切な土木行政を進めることができない。

ドミニク　都市部における微生物の多様性を増やさないといけないという議論が、微生物環境学の中でもあります。微生物学者の伊藤光平さんのBIOTA（バイオタ）という会社では、たとえば、高層ビルの空気循環システムの中に、微生物を散布するディフューザーを置くということを構想中なんですよ。

　人間が触れる微生物の多様性を増やさないと、どんどん体が脆弱化していってしまうという話もあります。前に会った、ある予防医学者の方は「子どものうちから犬を飼いなさい」と。犬と子どもを公園に連れていって泥んこで遊ばせることで免疫を強めないと、ということを主張されてました。

「タッチポイントを増やす」ということが、ぬか床ロボットでも根幹にある考え方なんです。GPT(学習済みトランスフォーマー）という人工知能技術を、ChatGPTが世界的にヒットする一カ月ぐらい前に、僕たちはこっそりNukabotに入れました。今では何を言っても適当に答えてくれるのですけど、最初に「かき混ぜてくれ」ということを言わせたかったんです。それがNukabotの「会話する」という機能の一番肝《きも》だと思っていて。

　ぬか床を駄目にしてしまう一番の原因は、「忘れちゃう」こと。キッチンの中でNukabotがいきなり「かき混ぜてくれ」としゃべると、みんなギョッとして、「お、そうかそうか」と言ってかき混ぜる。

　しばらくすると、その声が自分の中で聴こえ始めるんです。たとえば仕事中に「今、家でNukabotが何か言っているかもしれない」と想像し始める。さっき言った卒業のプロセスというのは、じつはもう、その段階で始まっているのかもしれない。こうやって、想像し始めるということが、見えるとか聴こえるということのプロセスの一つなのではないかと。

　空海も、すべてを科学的に把握していたわけではないけど、たぶん素人と比べて、「こうなんじゃないか」の解像度がめちゃくちゃ高かったのではないか。それには、土に触れるとか、ぬか床に触れるとか、そういった経験の時間をどれだけ増やせるのかということだと思うんですよね。

中島　いや本当に、そうですね。

「受け取る」感度を高めるには？

中島　すごく重要なポイントだと思っているのは、その「聴こえる」という問題なんです。「聴く」と「聴こえる」は、違った現象で。息子が幼稚園で習ってきて「かえるの歌が、聴こえてくるよ」と歌っているのを聴いたときに、なんとすごい歌だと思ったんです。

ドミニク　ふふふ（笑）。与格的……。

中島　そうなんです。「かえるが鳴いているから耳を澄まそう」というのと、「かえるの歌が聴こえてくる」というのは、すごく位相が違うと思ったんですね。「鳴き声」が「歌」になって聴こえてくる訳ですから、私の意思を超えていますよね。杜氏の方が「麹が呼んでいる」と感じるのも同じで、「私」と人間以外の存在とのインタラクションの中には、私に働きかけてくる力みたいなものが、あるのではないのかなと。

ドミニク　そうですよね。最初、僕が有頂天になって「これがおれの漬物だぜ」みたいな感じで配っていたときは、たぶん、過度に能動的にぬか床をやっていた。でも、だんだん、自分ではなくて、この微生物様たちにやっていただいてるんだ、ありがとうございます、ということに気づいてくるわけですよね。

　その「受け取る」ことが、利他的な関係においてもっとも大事なんだと『思いがけず利他』でも書かれていましたが、そこは、教育論的にもすごく奥深いと思います。たとえば、大学で僕が学生たちに、「受け取ることが大事なんです」と伝えることはできるのですが、何か技法として習得できるかというと……あれ、できるかもしれないな。

中島　あははは（笑）。

ドミニク　いや、そういうプログラムを考えたときに何をするかなと今、初めて想像してみると、やっぱりタッチポイント、経験を増やすということ。ぬか床だったら自分でぬか床をつくってみて、おいしさや、健康的な効果といった恩恵を受け取る。そこから、さらに、ただ一緒にいる感覚、みたいなことも生まれてくる。そういう経験を増やしていくことによって、受け取りやすくなる。「受け取る感度」は、鈍ったりなまったりもすれば、鋭敏になったりもするのでは？

　だから、突き詰めていくと、どういう生活をしていけばいいのか、というところにかかってくると思うんですよね。たとえば僕も二年三年さぼったら、すぐにぬか床の声が聴こえなくなるかもしれない。だから、常に関係し続けているということが大事なのではないかと。

　それと、さっきおっしゃっていた囲碁の江戸化とか、人間の能力が引き出されるというのは、個人の話なんですよね。でも、集合として一緒に引き上げられていくとか、微生物と一緒に人間も引き上げられていくという、一方的に受け取るのではなくて、同時に相手にも受け取ってもらえているという双方向のケアの関係が、そのさらに先にあるのではないかと思うんです。それはどうやったらいいのかということに、すごく興味があります。

中島　そうですね。

腹の中の虫が閻魔さんにチクりに行く

中島　私のいる大学は大岡山というところにあるのですが、この辺りは庚申塚《こうしんづか》という祠《ほこら》がたくさんあって、それにまつわる信仰があるんです。

　どういうものかというと、腹の中に三戸虫《さんしちゅう》という虫がいて、この虫がある一定周期で「こいつは、こんな悪いことを考えている」と、閻魔《えんま》さんとかにチクりに行くんです。夜寝るとその虫がチクりに行ってしまうので、起きていないといけない。なので、ドンチャン騒ぎをして飲み明かして、悪行がばれないようにするという信仰なんです。

　これって、僕たちの身体感覚とか「自分」「私」という主語とはだいぶ違うと思うんですよね。私という存在は常に別の存在と共にある。それはそうですよね。腸内細菌がないと私たちは生きていないわけだから。私の中に他者が存在していて、それが外に行って、私の何かを言いに行ってしまうかもしれない、という感覚がある。

ドミニク　おもしろいですね。そもそも制御不能であるという……。

中島　なかなか奥深いので、庚申塚の研究をしようかと思って、研究書をちょっと読んでいるところです。今、私たちは別の知を辿って、これまで、ある種の宗教世界における言語とか神秘と捉えられてきたものと、もう一度出会い直そうとしている可能性があると思うんです。ＡＩ碁の江戸化もそうだし、ドミニクさんの、ロボットを使ってぬか床により接近していくこともそう。

実証！「乳酸菌はぬか床から手に移動する」

ドミニク　それで言うと、ぬか床界にも信仰がありまして。

中島　ぬか床界（笑）。

ドミニク　長らく信仰されてきた言い伝えというのが、混ぜる人の手によって味が変わるということなんです。これはお味噌界とかでも言われています。

　僕たちの皮膚の上には常在菌がいて、体内には腸内細菌もいて、たとえば公園に行くだけでも、その微生物層がすごく攪乱《かくらん》を受けます。なので、合理的に考えて、ぬか床に手をつっ込んでかき混ぜて、日中どこかへ遠出して帰ってきたら、そういうものの一部が中に入って定着する。結果、味が混ぜる人によって微妙に変わっていく。ここにはある種のロマンティックな価値観もあって、僕はその考え方が好きだけど、エビデンスがないことにずっとモヤモヤしていたんです。

　去年、さっきお話しした微生物学者の伊藤光平さんと一緒にその謎に挑戦したんですよ。世界で初めて、ぬか床と人の間で微生物が

旗の台にある庚申塔（左）と石川台にある庚申塔（右）

どう移動しているかという実験をしました。一回目の実験を終えて、今はまだ査読中なんですけど、ぬか床から人間の皮膚に、乳酸菌の一部が引っ越しをしているということがわかったんです。その逆は、残念ながら今回は見つけられなかったんですけど、またチャレンジしようと思っています。

　僕は今も日々ぬか床をかき回しているのですが、そのときに想像するんですね。「あ、ここから乳酸菌が移ってるんだ」って。目には見えないですし、解析に少なくとも一週間から一カ月ぐらいかかるのでリアルタイムではわからないのですが、でも実験を通して実証したので、科学的な事実として「乳酸菌がやってきている」とわかる。そうなると、ちょっと愛おしくなる。さらにね（笑）。

中島　そうですよね。

ドミニク　メタゲノム解析という手法を使ってやっているんですけど、これは、そういう科学的な手法、遺伝子分析の技術がなかったら突き止められなかった。けど、それを突き止めたおかげで、その空海的な感覚が、今僕の中である確信と共に……（笑）。

中島　目覚めてくるわけですよね。

ドミニク　そうそう。目覚めてくるんです。これもだから、現代的なテクノロジーによって人間の身体感覚が変わるということで、中島さんのお話にすごく通じるところがあるなと思いました。

中島　いやあ、おもしろいですねえ。ミシマ社からも本が出ていますけれども、パンやお酒をつくっているタルマーリーのお二人は、従業員がストレスを抱えていると、そこの菌がうまくいかなくなって、場合によって腐ってしまったりするときがあると言うんですよ。

　同僚の詳しい先生に、そういうことって実証できるのかと聞いたら、「実証はできないけども、ストレスを抱いてるときにいろんなものが出てきて、それとなんらかの反応をするということは科学的に十分ありえる」と言われたことがあります。

　つまり、僕たちがある種、精神性、スピリチュアルと感じてきたものであっても、科学的なものによって実証され、フィードバックされることで、「私」の中でいろんなものが目覚めていく。そういうことが、科学や技術と私たちの付き合いの中で、今後より起こってくるのではないか。それが、昔の「知」がもう一回蘇ってくることにつながるのではないかなと思ったりするんですよね。

ドミニク　そういうムーブメントを起こしたいですね。

中島　ぜひぜひ。

保守と近代科学批判

中島　私は「保守」という問題をずっと考えてきたんですけれども、「保守」は、「設計主義」に対する疑問が非常に強いんです。

　フランス革命のときに、この革命に反対したエドマンド・バークという人の『フランス革命についての省察』（Reflections on the Revolution in France）という本があるのですが、その中でバークは、「フランス革命をやっている人たちの人間観がおかしい」と批判したんです。

　革命をやっている人たちには、自分の知性や理性に対する過信があると。社会的に改造の設計をし、それのとおりに革命をやれば必ずや進歩した社会が生まれると信じて、人間の力で改造していこうとする。けれども、人間というのはどんなに頭がいいやつでも、世界全体をすべて正しく理解することはできないし、どうしても誤認や誤謬《ごびゅう》が含まれる。だから、人間の不完全性こそが普遍的なものであるとするならば、そんな人間がつくっている社会はやっぱり不完全である、と。

　この不完全な社会の中で、単独の理性よりは、亡くなった人たちや今生きている人たちの経験値、慣習や良識の中に、じつは大変な叡智があるのではないか。けれども、世の中は変わっていくので、それにグラジュアルに対応していかないといけない。それが保守の考え方なんです。「これが正しい社会改造マニュアルだ、このとおりにやろうぜ」というものに対して、極めて懐疑的な考え方です。ここと今の科学技術の問題について、ドミニクさんはどういうふうに考えますか。

ドミニク　そうですね。バークよりさらに一、二世紀遡《さかのぼ》って、デカルトから始まって、その後ニュートンが出てきた。ニュートンの時代に、自然科学を物理学的にいかに記述し尽くすかというところで、物理学が非常に重みを得て、その後の自然科学の発展を引っ張っていきます。その科学主義が二十世紀にも非常に濃厚にあったわけですよね。

厳密な話はなかなか難しいですけど、二十一世紀に入ってから、それに対する反省が、とくに人文科学の世界の中では共通ボキャブラリーとしてあり、近代科学批判をしないと先に進めないよね、という認識が共有されてきている。

いかに設計主義的ではない世界を構想できるかという話が切実さを持ってきているのは、スマートフォンやSNS、ChatGPTという対話型AIや、生成AIと呼ばれているものが人間に及ぼす影響に関するエビデンスが、ようやく出てきたからなんですね。十年前にもこういう議論はあったし、六十年ぐらい前から、人工知能脅威論はあったんです。でも、当時はまだそれほど切迫するリアリティがなかったので、ズルズルと今に至った。

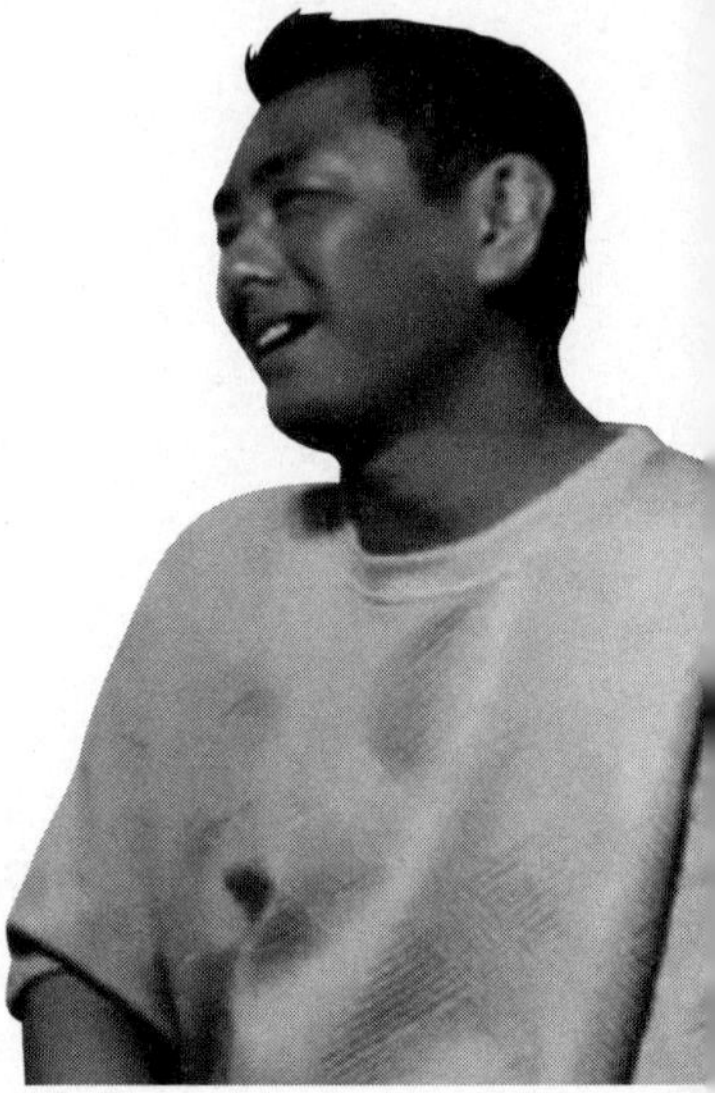

たとえば最近、過去十年間の世界中のスマホの利用形態と、人々の幸福度の指標値を突き合わせてその相関を見つけるという中で、ティーンエイジャーでスマホそのものやSNSに中毒状態になっている人ほど、有意にメンタルヘルスが低下しているということが、エビデンスと共に提示されるようになってきた。薄々気づいている人は多かったと思うのですが、普段生活している中だと、手放すのはなかなか難しい。

たとえば、テレビが出たとき、ラジオが出たときもそうですが、小説が出たときは小説も、批判されたわけですよね。こんな低俗なものに夢中になって、人間が馬鹿になると。だから、それらとインターネットや最近のAIは一緒なのではないかという反論が、この過去二十年三十年常にあった。

けれども、「いやそうじゃない」という議論があります。というのも、AIそのものが人間の行動データから学んで改善していくので、SNSやスマホのゲームは、どんどんアップデートされているわけです。それも、僕や中島さんそれぞれが、さらにはまりそうな特性というのを検知して、そこを突いてくるという非常に巧妙なテクノロジーです。これは、やっぱり過去のメディアの革新とは一線を画するものである。そういう議論が、ようやく真剣味をもって、その産業に従事している大企業の人たちにも届くようになってきているというのが、今ここなんですね。

中島　なるほどねえ〜。

新自由主義に対抗するため、まずは「寝よう」

ドミニク　今日ずっと話してきたような、人間の能力をテクノロジーが支えるということを、情報技術産業の企業たちはあまりにもないがしろにしてきた。いかに短期的に、瞬間的にクリックさせるか。かつ、どれだけの人が何時間そのサービスに滞在しているか。それが増えれば増えるほど広告収益が上がるので儲かる。表面的には、「我々のサービスを通して社会をよりよくします」とみんな言っているわけですけども、ユーザーと呼ぶ利用者を中毒状態にすることによって、今どんな問題が起きているかという議論が、それこそ政治学者や社会学者の人たちの間であります。

　政治思想の社会的分断であったり、先ほどのティーンエイジャーのメンタルヘルスの低下だったり、社会規模で弊害が出てきているので、これは技術をつくっている人たちが真剣に学んで、そのオルタナティブを提出しないといけないという話になってきているんですよね。そこで立ちはだかる一つの障壁としては、「じゃあどうやって、その空海的な身体知とかを評価するの？」ということ。

中島　うん、そうですねえ。

ドミニク　でもそここそ、エスノメソドロジーや社会学、人類学の手法に工学者やエンジニアが学べるところですよね。さっきのタルマーリーのパンにしても、数値評価は使わないかもしれないけども、実際に心身の調子のいい人がパンをつくると、食べた人もそれがわかってしまうということは、結果として実証することができるわけなので、科学的に構築する可能性は全然ある。

中島　今、東工大の同僚に睡眠の研究をしている方がいるのですが、その方は八時間以上寝ることはすごく重要だと。資本家はやっぱり、寝ないようにさせるんですよね。

ドミニク　あ、そうですよね。

中島　寝られると、スマホもいじれないし、消費しない。睡眠時間を短くしたほうが、消費の時間が増える。その分、有料の動画チャンネルを見たり、いろいろするわけですよね。だから、睡眠こそが資本家にとっては敵なのですが、それに対して、野生の思考を取り戻すためには、「まず八時間寝よう」と。「行きすぎた資本主義にあらがうために、もっと寝ようよ」というのが、今、政治学者として言いたいことで……。

ドミニク　あっはっはっは（笑）。政治学者として「寝よう」というのはおもしろいですね（笑）。でもたしかにスマホの見すぎで睡眠障害に悩む人は、学生でも社会人でもけっこう多い印象です。

中島　新自由主義に対抗するためには、まずは寝ようと。僕も最近、早く寝ようということをやっているんです。何かそういう、近代の合理主義の中では無駄だと思われてきたものの中に、じつは非常に大きな叡智がある。

　それをドミニクさんは、科学的に実証できる可能性があるし、それがフィードバックされたときにより豊かなものが僕たちにもたらされるのではないか、と考えてらっしゃる。それは、「別の声が聴こえてくる」という問題とおそらくつながっていて、それが設計主義に対する少し距離を置いたあり方なのかな、というふうに思ってお聞きしました。

ドミニク　ありがとうございます。

【質疑応答】

Q１　菌が見えたらさぞかしにぎやかで、楽しいだろうなと思う反面、見えないからこそ人間の想像力や感覚が鍛えられるような気もします。目に見えるものばかりに価値が見出される現在において、見えないものを思うことの重要性についても、お二人のお話をうかがえたらありがたいです。

中島　おっしゃるとおりで、「気配」という問題は、すごく重要だと思っています。僕は昔、インドに三年ぐらいいたのですが、ガンジス川とヤムナ川という、二つの「聖なる川」が合わさる合流点に、アラハバードという街があります。合流点のことを「サンガム」と言って、ヒンドゥー教にとってすごく重要な聖地なのですが、インド人は、もう一つ、サラスワティー川という見えない川もここに合流していると捉えます。「サラスワティー」というのは、流れそのものであり女神なんです。

　この合流点にボートに乗って行ったとき、たぶんアメリカ人のちょっと神経質そうな若い人も乗っていて、船頭さんは一応英語で説明するんです。「ここにはもう一つ、見えないサラスワティー川という川が流れていて、ここで合流しているんだ」と。すると、そのアメリカ人が「だからインド人はインチキだ」って言い始めたんです。

ドミニク　あっはっはっは（笑）。

中島　「見えないのに流れていると言うのはインチキである。そもそも、だからインドやヒンドゥー教というのは全体的にインチキなんだ」と。そしたら、船頭さんが急に、オールを激しくくうわーっと漕いで、けっこうなスピードが出たんです。そうすると、ばあっと風が当たるじゃないですか。そこでさっと止めて、“Have you ever seen the wind?”（君は風を見たことがあるのか？）と言ったんですよ。

ドミニク　お〜。かっこいい。

中島　「たしかに頬に風が当たっただろう。けれども、その風は見えるのか」と。「サラスワティー川というのは自分たちの心の中に流れている川なんだ。それがここで一つになっているんだ」と言ったときに、他のインド人が「ワーッ」て（笑）。僕も「ワーッ」てやって。見えないものが実在しないのかというと、そうではないはずなんですよね。けれども、今日のドミニクさんとの議論で非常におもしろいのは、それを科学的に実証することによって、僕たちが失っていた「眼」を回復させるということだと思うんですよ。

ドミニク　そうですね。

中島　目って、ふつうの「目」と、もう一つ、眼科の「眼」という字がありますよね。「目がいい」って、単に視力の問題ではなくて、眼利きのほうの「眼」が、先端の科学とか工学を使うことによって、もう一回アウェイクすることが、ありえるのではないか。

ドミニク　それで言うと、Nukabotも、なんで「声」なのかというところがあります。Nukabotのプロトタイプをつくっていたとき、最初はとにかくデータをたくさん取ってみて、自分たちの確認用にチャートをつくったのですが、毎日スマホやパソコンの画面を見てぬか床の調子を測るというのが、なんだか気持ち悪いと思ったんです。

それは今だから後付けで言えることなんですけど、つまり、能動的に目でグラフを追うというその見方自体に、非常に制御的な姿勢が生まれる。制御的な姿勢で相手と関係するというのは、ある種のバイアスを持って見ること。つまり、「このぬか床は、この数値で表されているものである」と思い込むということですよね。数値的な認識論で捉えてしまうというか。

僕たちの取っているグラフなんていうものは、あくまで近似値に過ぎないので、その思い込みをベースにするというのは、向き合い方として間違っている。なので、Nukabotは、声で「元気?」って訊くと「ぼちぼちだよ」みたいな、すごくアバウトなことしか言ってこない。想像の余地を残したいんです。

時々、上級者の人がもっと詳しく知りたいと言うので、「過去二十四時間の僕のpHの中央値は5.4321で……」みたいなことをベラベラしゃべる「詳しく聞くモード」というのを一応用意してあるんですけど、ふつうの使い方としては、Nukabotはある種の曖昧さでデータを包み隠すような設計にしています。このご質問にある「すべてを可視化しない」ということは、技術の設計のうえでもすごく大事だと思っていますね。

中島　そうですね。かつまあ、すべてはやりきれないものですよね。

ドミニク　そうです、そうです。

Q2　ぬか床がかき混ぜた人の味になると聞いて、ふと思ったのですが、ぬかや菌に感情のようなものはあると思いますか。

ドミニク　一応補足として言うと、ぬか床がかき混ぜた人の味になるというのは、僕たちは、科学的なエビデンスまではまだ至っていません。でも、おそらくそこにおもしろい価値があると僕は信じていて、科学的にチャレンジしようと思っているということです。

ぬかや、ぬか床の菌に感情があるかどうか。これはNukabotというものをつくっている「中の人」からすると非常に答えづらいところがあるんですけど（笑）、一応マジレスをすると、菌たちは僕たちと同じような神経系を持っていないので、人間が考えるような感情というもので統一して考えるのは、端的に言うと違うのではないかと思うんです。なので、Nukabotが感情表現をするというのも今やっているところなんですけど、あくまでロールプレイなんですね。

それはなんのロールプレイかというと、単純な擬人化ではなくて、人間が説明できない現象にとりあえずの形を与えて、なんとか自然との相互行為というか、コミュニケーションをできるようにするための、ある種のインターフェイスだと僕は思っているんです。

インターフェイスというのは「境界線」という意味なので、Nukabotも微生物界と人間界の境界線上の存在として考えています。伝統的には「妖怪」という表象がそのような境界上の存在を具現化してきたのですが、Nukabotにも一つ目の妖怪的な外形を持たせているのはそういう理由があります。つまり、人間が人間の言葉で考えているかぎりはわかり合えない、微生物たちとの間の通訳としている。

調子が良い悪いというのも、個々の微生物では考えづらいとは思うのですが、集合体としてぬか床をみたときに、そこには何十兆という酵母やら乳酸菌やら他のいろんな菌が住んでいる。それこそ、さっきの空海が山を見る話に近いのですが、ぬか床自体が、すごく多様な生き物たちが住んでいる一つのエコシステムなんですよね。エコシステムとして、今いい状態かどうかを翻訳するために、その感情表現をNukabotの語りの中で使っている。それで人間が気づきやすくなる。「今ちょっと声が裏返っているから調子悪いのかな」というふうに。そうやって触り続けているうちに、その声を内面化して、Nukabotがいらなくなって、自分でこの声が聴こえるような状態になっていくということができたらいいなと思っています。

中島　まさに、ある種の翻訳ですよね。東工大にいておもしろいなと思うのは、本当に地球外生命のことを研究している人がけっこういるんです。

ドミニク　あ、ＥＬＳＩ（地球生命研究所）ですよね。

中島　私たちの生命の定義とはいったいなんなのか。私たちが今見ている生命とはまったく違うもの、でも生命としか言いようがないものが、ありえるわけですよね。それはどうも、数十年くらいで十分発見される可能性があるという話で。人間はどうしても、人間のあり方ですべてを理解してしまうけれども、それを超えた、私たちの理解とはだいぶ違うものが存在していること。それを擬人化したりして理解しようとしているのが、たぶん「声が聴こえる」という問題なんだろうなと、思いました。

Q3　言語が身体感覚の解像度を上げるための障害になっている可能性があるように感じるのですが、しかし言語を使わなければならないというジレンマをどういうふうに超えていけばいいでしょうか。

ドミニク　今の話につながりますね。

中島　僕、関西人なので、「パッとやって」「サッと行って」とか言いがちですけど、それは僕にとってはかなりの真理で、「そこ、何十度こうやって」と言うよりも伝わるというか、言語になりきれない言葉みたいなものがある。

ドミニク　それって、言語と非言語のあわいみたいなものですよね、オノマトペとか。アスリートの為末大さんが走り方を教えるときに、「そこで膝を九〇度曲げて」みたいに正確に伝えようとすればするほど、ギクシャクしてしまうそうです。「そこパッ。グッ」とやると、うまく教えられる。でも、だからといって、科学論文では「ここでグッとさせて、ガッとデザインして」というふうには書けないので、難しいところなんですけれども（笑）。

でも、中間言語というのはすごくおもしろいですね。レヴィ＝ストロースの話に出てくる、風や波の表し方は、言語相対論の話ですよね。サピア＝ウォーフ仮説といって、イヌイットやエスキモーの人たちが、雪の白さをたくさんの言葉で言い表せるという話があります。言語学的には決着がついて

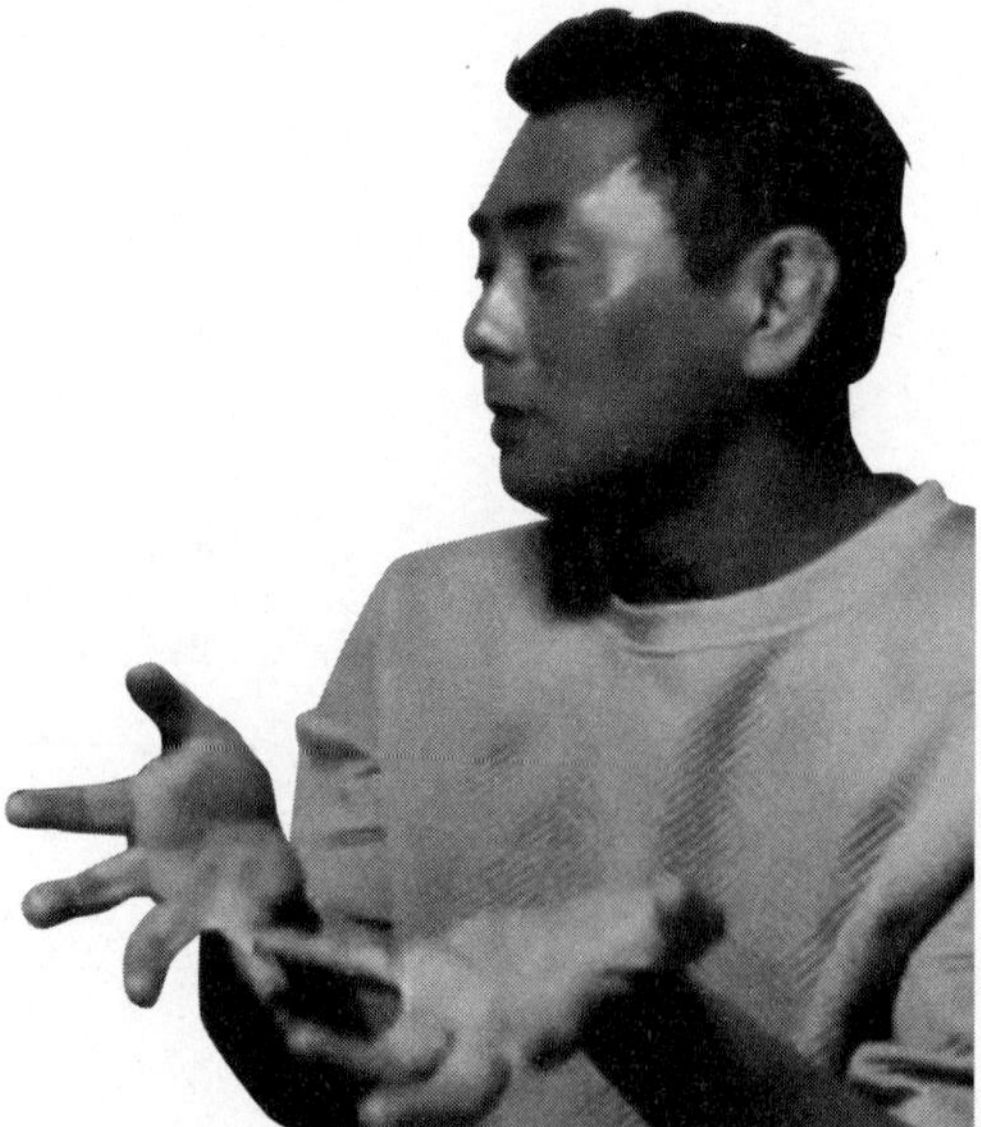

いないので、いまだ仮説と言われているんですけども。私は父親が七カ国語をしゃべるポリグロットで、祖父が台湾人で、祖母の一人がベトナム人で、母は日本人という多言語環境で育った身としては、やっぱり、使う言語によって世界の認識の仕方が微妙に変わるという「弱い言語相対論」には、非常にリアリティを感じます。

　フランス語、日本語、英語、それぞれをしゃべっているときは、人格も若干ずれますし、フランス語でしか思いつかないようなアイディアを相手にどう伝えるかみたいな問題がある。言語の中でも、違う言葉を使うことによって表せる、表せないというのがある。それと非言語が、どう相互作用しているのかというのは、非常におもしろいポイントだなとあらためて思いました。

中島　人文系の研究で言うと、いわゆる「わざ言語」と言われるものですね。伝統芸能などで弟子に何か伝えるときに、「九〇度」というような教え方は、まずしないですよね。「紙一枚分」とか、身体感覚に訴えるような言語で伝える。けれども、それは厳密に紙一枚分かというとそうではなかったりする。そこを技術やテクノロジーはどう解析できるのか。

　自動運転の開発をしている人に聞いたら、車間距離がどれぐらいまでいったら危ないのかという感覚は、なかなか自動運転に組み込むのが難しかったそうです。けれども人間は、車の運転なんて最近の話なのに、なぜか身に付けていて、それをうまく伝達していく方法を持っている。その辺りにある言語と非言語のあわいですよね。

ドミニク　たとえば、チョムスキーが生成文法という概念によって言語相対論を否定するとき、理知的な言語モデルというものが普遍的にあるはずだという考え方がベースにあって、設計主義的な発想だなと思ってしまいます。僕は言語ってもっとぐちゃぐちゃしているものだと思うんですよね。ある言葉を使っていて、それが自分の経験の中で独特に身体化されていくようなフィードバックループが常に走っているというか。

　さっきトークが始まる前に、エセ関西弁の話があって盛り上がりました。中島さんは関西ご出身ですが、僕は東京出身なので、一方的に関西弁に対して憧れを抱いていて、よくエセ関西弁をしゃべって関西人に怒られる（笑）。でも、自己正当化しながら言うと、正当な関西弁と偽物の関西弁というふうに分ける発想自体がもしかしたら良くなくて……エセ関西弁なるものの中に生まれる、新たな価値が、あるはずなわけですよね（笑）。

　僕たちは身体が先行して生きていると考えたときに、「あの感じ」

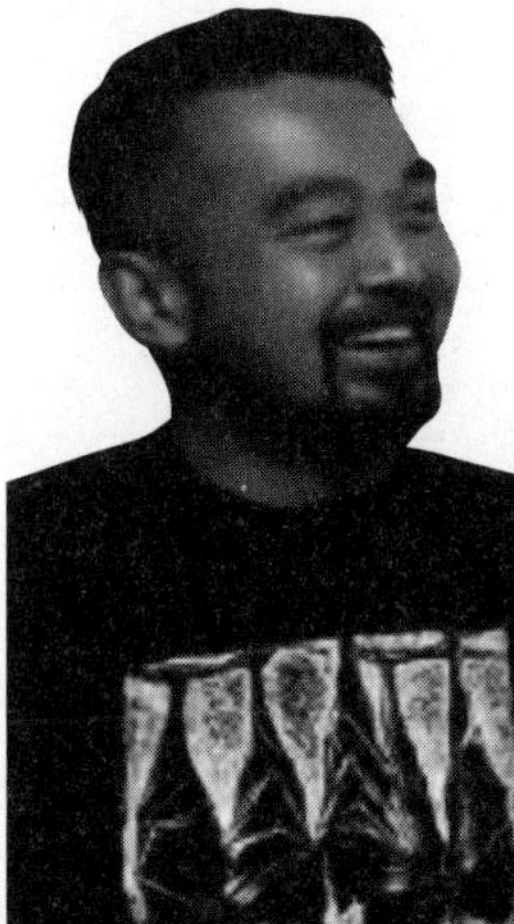

を「あわい」と呼ぼうとか、「ええ加減」と呼ぼうとか、ひとまずアンカーを打っておく。それで「あれってなんだっけ？　ああ、『ええ加減』な」みたいな感じで言う。

　でも、「ええ加減」というものがその言葉によって完全に理解されているわけではないので、言語をすごいものだと過大評価しすぎないということ。あくまでアンカーを打っているにすぎない。どれだけ解像度を高めたとしても、わかり合えていないということを受け止めることですよね。

中島　いや、本当にそうですね。言葉って、私たちにとってもあまりにも重要なものですけど、私たちを世界から疎外するものでもあるわけですよね。あるものを「紙だ」と呼んだ瞬間に、「紙」と「紙ではないもの」という分類が始まる。それまで私たちの間でもっと豊かに関係があったはずのものが、名付けることによって、どんどん細分化され切り離されて、認識の対象とされていく。言葉には、もっと言えばある種の暴力性もあるわけですよね。

ドミニク　そうですね。

Q4　ぬか床なのに反応がない、引きこもるようなぬか床菌はあるのでしょうか？

ドミニク　おもしろい……。

中島　ははは（笑）。

ドミニク　日和見菌というのが人間の皮膚や腸内にもいるんですけど、何をしているかよくわからない連中なんですね。よく使うメタファーが、ぬか床が一つの教室だったら、乳酸菌がめちゃくちゃ優等生なんです。乳酸菌が乳酸をつくることでpHを低めに設定してくれて、人間にとって都合の悪い雑菌が入りづらくなる。

　じゃあ、優等生の乳酸菌だけで構成されるぬか床っていったいなんなのかと考えると、それってただのピクルスなんです。多様性がない。ピクルス愛好家の人に怒られるかもしれないですけど（笑）。ぬか床とは何かといったら多様性なんです。酵母は、時々不良、時々優等生みたいな感じで、いい味を出してくれるんです。それにはプロピオン酸とか酢酸、グルタミン酸といった香気成分も関わっています。

　さらに、表面的に存在がわかるのですが、なんのためにそこにいるのかわからない、グラム陰性菌と呼ばれている菌が数十種類います。何をやっているかわからないけども、おそらく全体に何か寄与している――さっきの想像力の話ではないですけど、おそらくはぬか床をぬか床たらしめている重要なノイズなんですね。

　だから、一つの教室にたとえたときに、乳酸菌みたいな優等生だけでもクラスとしておもしろくないし、かといって一部の酵母などの不良っぽい人たちだけで構成すると学級崩壊してしまう。じゃあ、その不良と優等生だけでいいのかというと、そうでもなくて、グラム陰性菌のようなよくわからない人たちもそこにいないと、おいしいぬか床、おもしろいぬか床にならない。ただそこにいるだけで、役割が……役割という言葉もあまり使いたくないんですけど、その場になにがしかのフィードバックが、すべての存在から生じている。

　伊藤亜紗さんからこの間聞いた話で、彼女はいろいろな人にインタビューをしに行くのですが、これまで一対一でやってきたところに、最近はまったく事情を知らない学生を一人連れて行って、そこに座っておいてもらうそうです。そうするとインタビューがうまくいくとおっしゃって。あれもある種のぬか床理論かもしれない（笑）。

中島　バーのカウンターも、たぶんそうですよね。向こうによくわからない人がいるから会話がうまくいったりする。

ドミニク　ちょっとだけ意識して……適切な緊張感。

中島　今のお話と、僕自身がなぜ

政治学者なのかというのが、じつは、すごくつながっているんです。「どう考えてもお前、政治学者じゃないだろう」とよく言われるんですけれど。

ドミニク　言われるんですか？

中島　宗教のことばかり言っているので。けど、僕は自分では政治学者だと思っているんです。政治学は、「人はそう簡単にはわかり合えない」ということを前提としている学問なんです。一人ひとりいろんな人間がいて、それぞれ考えていることがものすごく違う。しかし、社会をやっていかないといけない。としたら、どういうバランスでどれぐらいの程度で折り合いをつけていけばいいのか。そんなルールとか、制度とか、法とかいろんなことを考えましょうというのが政治学なんですよね。

つまり政治学は、世界が有機的に成り立っているそのバランスをどう保っていくのかという、ある種の叡智だと思っているんです。なので、自分の根拠にしておきたいと思っているのは、そう簡単にみんなが一枚岩にわかり合えないよ、常に合意形成をしていくんだよということを念頭に置いた人間のあり方、あるいは世界のあり方。そこに、政治学の普遍性というものがあると思っているんです。こんなことをやりながら政治学をやっているというのは、たぶん、ぬか床の原理なんです。悪いやつもいないといけない。

ドミニク　そうですよね。もう、中島さん、明日からぬか床始めてください。お教えしますので(笑)。

中島　「これが政治学だ」って。あははは(笑)。

ドミニク　最近はマイクロバイオポリティクスという言葉もあって、環境倫理哲学とか微生物と人間の共生の議論などで出てきていて、もう本当に、環境と人間をひとつながりで議論しないと成り立たないんですよね。

なぜ環境が大事なのと言ったときに、今私たちの体の中に住んでいる微生物たちと、空間の中にいる微生物たちは、ひとつながりで一緒に共生しているものなので、百年後とか言っている場合じゃなくて、今すでに一緒に、わかりえないもの同士としてここに共生しているんだということ。そこをどう、もう一回捉え直すのかということ。喫緊の話につながってくる。

中島　いやあ、おっしゃるとおり。政治学者としては、やっぱり主権という問題になるんですよね。世界を構成している中には微生物も、亡くなった人も、未来の他者もいるのに、なぜ生きている人間だけに、一票が与えられているのか。それはおかしい、ということをやっぱり考えないといけない。

しかし、微生物を投票に行かせるわけにいかないので、「じゃあ、私の一票ってなんなの？」と言ったときに、微生物や周りの木々、他の動物や亡くなった人や、誰かまだ見ぬ他者が含まれたものであるという、その観念が必要なんだと思うんです。だから、主権という概念ももう少し、マルチスピーシーズに組み替えていかないといけない。

ドミニク　オーストラリアやニュージーランドだと、アボリジニやマオリの人たちの信仰を尊重した政策決定で、河川に法人格を与えたり、もしくは一個の生命体としての川の権利というものをちゃんと社会の中で認めていこうということが、実際に政治の動きとして出てきているそうです。それもものすごくおもしろいですよね。

中島　「マルチスピーシーズ人類学」というものが、この十年ぐらい非常に注目されているのですが、それは、まさに政治学のテーマであると思うんですよね。人間だけの主権ではないものを、どう考えたらいいか。そんなことにつながる話だったかなと思いました。

「共感」を前提とせずに「共にいる」

"Being together" without the premise of "empathy"

Chapter_ 3-1

- Shinya Yamamoto

Chapter_ 3-2

- Sekai Kobayashi

Chapter_ 3-3

- Kyohei Kitamura

人間と進化的に近いチンパンジーとボノボは似ている点も多いが、協力行動はかなり異なっている。競合の激しい環境で進化したチンパンジーは群れ同士だと敵対的な関係になる一方、安定した環境で暮らすボノボは協力的な関係を築く。両者の協力行動から私たち人間の集団のあり方や利他性が見えてくるだろう。

未来食堂では「まかない」で働いた人が「ただめし」をもらえ、置いていった「ただめし券」を別の誰かが使う。人を選別するのではなく、誰でも入れる場所がほしかったと話す店主は、施す人と施しを受ける人が直接対面しない独自の仕組みをつくり、利他につきまとう権力関係を無効化し、訪問客を迎え入れる。このシステムはジャック・デリダの無条件の歓待を考えるヒントを与えてくれる。

「歓待」という難しいテーマに迫ったのが映画『歓待』である。最後の論考では家という居住空間で見知らぬ者がいかに歓待されるのかを建築の構造から考えていく。このパートでは、他者を迎え入れ、「共にいる」ことを環境との視点から捉え、利他へと通ずる回路を探っていきたい。

——北村匡平

ボノボやチンパンジーに利他はあるか？

山本真也

RITA MAGAZINE
Is there any *rita* in technology?

Chapter_3-1

- Shinya Yamamoto

収録：2022年3月21日（第2回利他学会議 2日目）

山本真也（やまもと・しんや）
京都大学高等研究院准教授。京都大学野生動物研究センター兼任准教授。進化の隣人であるチンパンジーとボノボ、ヒト社会の隣人とも言えるイヌとウマを主な対象に、認知研究とフィールドワークの両方を通して「ヒトらしさ」の起源、とくに社会性と知性の進化の謎に取り組む。近年は対象動物の幅をさらに広げ、ヒトと動物のよりよい共生社会の実現に向けた取り組みも行う。

チンパンジーとボノボとヒト、同じところと違うところ

僕は最近、チンパンジー・ボノボだけじゃなくて、イヌとかウマとか、さらには学生と一緒に、ネコとかゾウとかいろんな動物を研究しています。その一つの大きなテーマとして「利他性」あるいは「協力行動」といったものを研究しています。

今日はチンパンジー・ボノボに焦点を当てるんですけれども、チンパンジー・ボノボというのは、ヒトにもっとも進化的に近い、非常に近縁な動物になります。ただ、その進化的に非常に近い動物を比べても、共通点と違う点がいろいろ知られています。

ここに挙げさせていただいたのは、ちょっと前まではヒトに特有であると考えられてきた行動なんですけれども、最近の研究から、ヒトと同じような行動を取る性質をチンパンジーやボノボも持っている、そういった知見が蓄積されてきています。

おもしろいことに、ヒトとチンパンジーが共通に持っていてボノボが持っていない、あるいはボノボとヒトが共通に持っていてチンパンジーは持っていないというような違いが、けっこうあるということがわかってきています。

もちろん、チンパンジーとボノボが一緒で、ヒトとは違うという点もたくさん知られていますので、今日はまず、そのお話をしたうえで、ヒトの「協力行動」

	ボノボ	チンパンジー	ヒト
道具を用いた採食	△（飼育下のみ）	○	○
繁殖に結びつかない性行動	○	×	○
集団間の致死的攻撃交渉	×	○	○
成熟個体に対する母の影響力	高	低	高
子殺し	×	○	○
成熟個体の遊び頻度	高	低	高
協力的狩猟	×	○	○
外集団個体との食物分配	○	×	○
男性間の同盟	×	○	○
女性間の集合性	高	低	高

ヒト科3種比較　Hare & Yamamoto 2015 Behaviour

「利他行動」の進化を考えてみたいと思います。

チンパンジーは自分から手助けをするか？

まず最初にやったのが、チンパンジーの「協力行動」「利他行動」の実験です。京都大学霊長類研究所（現・ヒト行動進化研究センター）で私が大学院生のときに行った研究で、チンパンジー二頭に実験ブースに入ってもらいます。

左のほうにはジュースを、床の手の届かないところに置いておきます。それを取るためにはステッキが必要ですが、そのステッキは隣の子に渡す。右側のほうにはジュースが壁に取り付けられてあって、それを飲むためにはストローが必要ですが、そのストローは左の子に渡される。そういった場面で、他者が必要としている道具を渡してあげるかどうか、というのを調べました。

結論を簡単に言ってしまうと、左の写真で見られるように、チンパンジーは手助けしてあげることがわかりました。相手から見返りをもらえない場面でも、手助けしてあげることがあります。

ただ、自発的に手助けすることは基本的に見られませんでした。この場面ですと、奥の子（ペンデーサ）には届かないところにジュースが置かれていて、最初はなんとかして下の隙間から手を伸ばして取ろうとしています。手前側のマリという子はそれを見ているのですが、自分の手元にあるステッキを自発的に手渡すということは、ありません。ペンデーサが明示的に手を伸ばすといった形で要求行動をしてこないと、手助けすることがなかった。

そこで最初に考えられたのは、「チンパンジーは他者の欲求を理解する能力に欠けている」、つまり認知能力の問題なのではないか、ということです。本当にそうかな、ということで、次の実験では、手助けする側に七つの道具をドサッと渡します。相手側は、ストローかステ

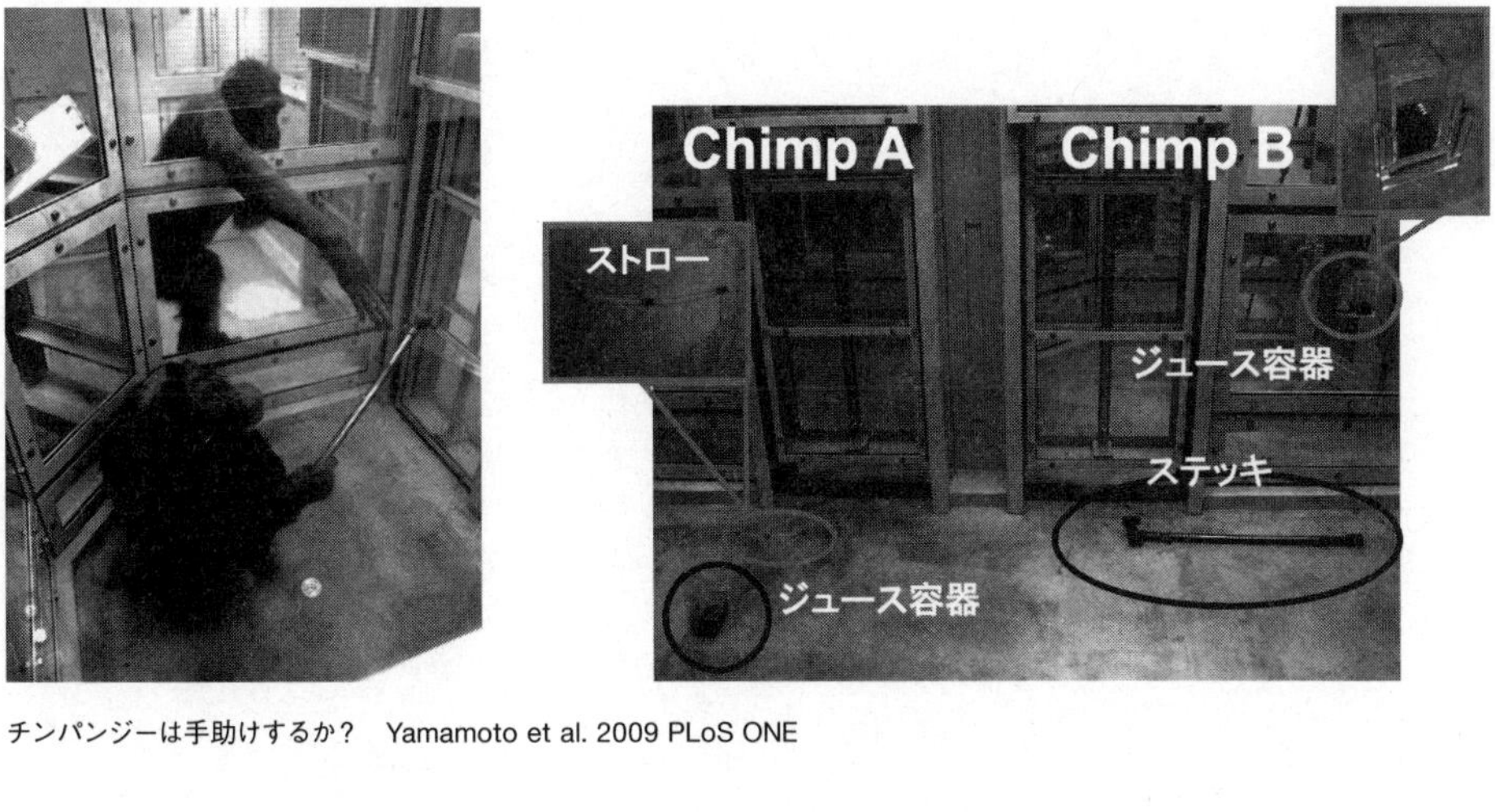

チンパンジーは手助けするか？　Yamamoto et al. 2009 PLoS ONE

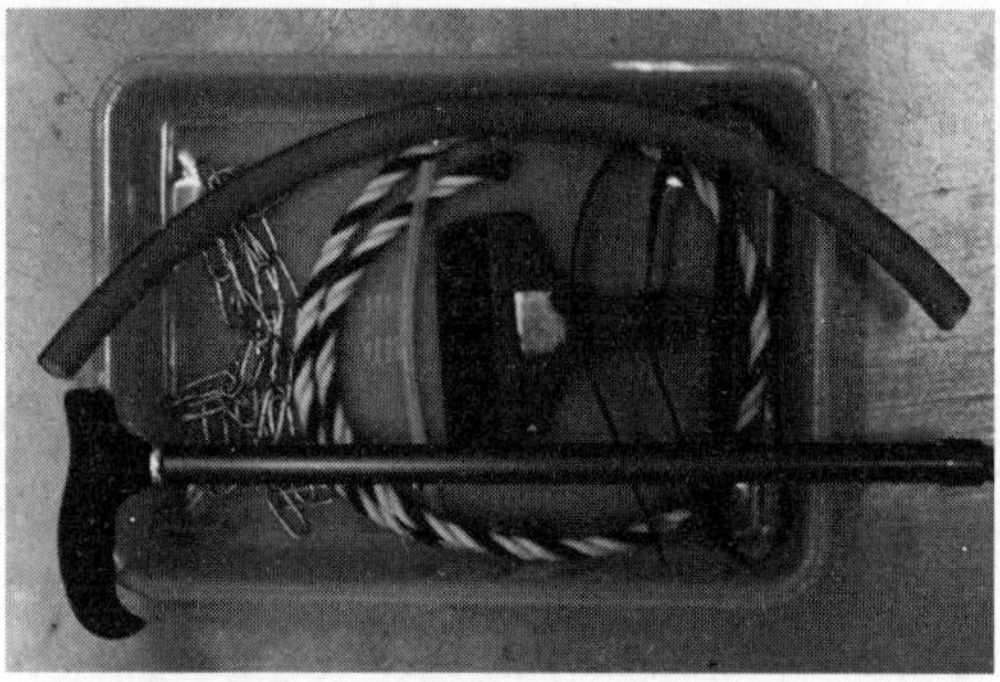

七つの道具　Yamamoto et al. 2012 PNAS

ッキのどちらかが必要な状況に置かれている。その場面で、適切な道具を手渡しするかどうか、調べました。

次の頁が実際の場面です。右側の子の部屋の壁にジュースが取り付けられています。左の子のほうに七つの道具が渡りました。

左の子は若い子で、いろんな道具をもらってうれしくなって、チェーンやロープを体に巻き付けたりして遊んでいましたが、右の子がしつこく、擬人的ですが「ストローをくれ」と言うと、ストローを探し出して渡してあげました。

チンパンジーは、相手がステッキを必要としているときにはステッキを、ストローを必要としているときにはストローをよく渡す。ただし、相手の場面が見えるときは、こういうふうに正しく道具を選ぶことができたのですが、相手の場面が見えない状況に置くと、正しく道具を選択できない、という結果になりました。

そのあたりから、相手の「手を伸ばす」という明示的な要求行動が直接「何かをくれ」と指示しているわけではなくて、相手の場面を見ただけで、ある程度、相手が必要としている道具を理解して、それを選択して渡す、ということがわかりました。

なので、認知能力としては、他者の要求・目的というものをかなり理解できているのではないか、と考えられます。

それにもかかわらず、自発的には助けなかったということで、ここにヒトとチンパンジーの大きな違いがあるのではないか。それは認知能力の違いというよりも、むしろ、手助けをしようという自発性、つまり動機付けの部分に違いがあるのではないか、と考えています。

七つの道具を渡される

チェーンやロープで遊ぶ

ストローを右の子に渡す

渡したあと右の子を見ている

Yamamoto et al. 2012 PNAS

ボノボは「もらう」ことで他者との関係を築く!?

次にボノボのお話をします。野生のボノボでの協力行動・利他行動の典型的な例として「食物分配」というのがあります。

これは、コンゴ民主共和国のワンバ村というところの、野生のボノボになります。左の子が「ボリンゴ」というパイナップルとマンゴーをあわせたような果物を食べているところに、右の子が近寄ってきてねだる。両方とも大人のメス同士で、血縁関係はありません。大人のメスなので、自分で見つけて食べることもできるのですが、右の子は左の子からちょっとずつ食べ物をもらっている。左の子はそれに対して非常に寛容に許しています。

ボノボの子どもも取っていきますが、基本的に邪険に扱うことはあまりなくて、平和的に仲良く食べ合っています。ただ、ボノボは、持っている側が持っていない側に自発的にあげる、ということは基本的にありません。相手が取っていくのを許してあげる、という寛容性が見られる食物分配になります。

積極性に欠けるという点では共通しているんですけれども、このような食物分配はチンパンジーではなかなか見られません。チンパンジーのほうは、基本的に貴重なもの——集団で狩りをして得た小動物の肉とかを、みんながよってたかってバーッと取っていくという形の分配が起こると言われています。またチンパンジーは、群れと群れは非常に敵対的な関係を持っていますので、出会うとケンカ、あるいは戦争みたいになって殺し合いになったりすることもあります。それに対してボノボは、群れと群れの関係性が非常に平和的で、出会うと一緒にいてグルーミングをしたりとか、食べ物を分け合って食べるといった行動も見られています。

ボノボの食物分配に関しては、食べ物そのものだけが目的ではなくて、ある意味食べ物を他者からもらうという形で関係性を築いているのではないか。ヒトの場合だと、「おすそわけ」という、「あげる」という行為を通して、他者との関係を築いていると思いますが、ボノボの場合は「もらう」という形で、他者との関係を築いている。とくに劣位な子が優位な子からもらう——新しく群れに加入した子が、もともといるメスから食べ物をもらうということが観察されています。そういった、かなり高度に社会化された食物分配がボノボでは見られます。

左の子が食べている

右の子が手を
伸ばしてねだる

取っていくのを許し、
ふたりで食べている

後からきた子どもも、
横から食べている

Yamamoto 2015　Behaviour

ギニア共和国ボッソウ村にて山本真也撮影

チンパンジーは集団で協力して道を渡る

ということで、一対一の二個体間の関係で見ると、チンパンジーよりもボノボのほうが協力的、あるいは平和的とも言えるかなと思うんですけれども、ちょっと視点を変えると、チンパンジーも得意な協力の分野というのがあります。それが何かと言いますと、集団でまとまる、集団で協力する、といった行動になります。

　これはギニア共和国のボッソウというところの野生のチンパンジーですが、住んでいる森が人の通る道で分断されていて、森を行き来するためにこの道を渡らないといけない。ここは車もたまに通りますし、自転車や人も通る。そういった危険な道渡りをするときにどういう行動を見せるかと言いますと……。

　左からチンパンジーの集団が出てきます。最初に出てきたのが、大人のオス二頭で、ほかの個体が出てくるのを待っています。続いて、メスとか年老いた個体、子どもたちが出てくるのですが、最初に出てきたオス二頭は、危険な道路上で見張り役のような役割を果たしています。擬人的になりますが、他の個体をエスコートするかのような行動が見られたりもします。他の個体たちが渡り終わると、最初のオス二頭も一緒に森に入っていきます。

　そしてこのあと、一番最後の個体、これも大人のオスが出てきます。チンパンジーの道渡りの典型例としては、一番先頭が大人のオス、殿《しんがり》も大人のオスがしめる。ある意味、大人のオスが集団を守るかのような行動を見せています。

　それに対してボノボも、先ほどのワンバにも同じように道が通っていて、道を渡らないといけないのですが、チンパンジーに見られたような協力的な行動はあまり見られません。見られたとしても、基本的に母親が自分の子どもを待つとか、そういった血縁関係にかぎられてくる。

最初に出てきたオス二頭

親子が通る

他の個体をエスコートして
いるように見える

一番最後に
大人のオスが出てくる

ギニア共和国ボッソウ村にて山本真也撮影

ヒトは、二種類の協力行動の性質を両方持っている

これはチンパンジーとボノボの違いを簡単にまとめた図で、一見、よく言われているように「ボノボは平和的、あるいは協力的な社会を築いていて、チンパンジーはかなり競合的な社会を築いている」と言えると思います。けれども、視点を集団「内」から集団「間」に変えるとどうなるか、ということなんです。

集団での協力行動と、二個体間での協力行動というのは、分けて考えられるのではないか。それぞれ別の道筋を通って進化してきたのではないか、ということを今考えています。あくまでまだ仮説の段階なんですけれども、チンパンジーが得意とする集団での協力行動というのは、ボノボに比べると比較的「貧しい環境」、その資源をめぐって集団間の競合が激しいところで、外集団の脅威に対応する形で、進化してきたのではないか。

それに対してボノボは、チンパンジーに比べると比較的豊かで安定した、熱帯雨林の環境に暮らしている。詳しい説明は省略しますが、「自己家畜化」というプロセスを通って、個体間の寛容性が高まった。それが二個体間の協力的なインタラクションを育んできたのではないか。

ヒトは、この両方の性質を持っているというところが、おもしろいところです。進化的にどういうふうに説明したらいいのかは、ちょっとまだまだわからないところなんですけれども。

	ボノボ	チンパンジー
進化的近縁度	ともにヒトと約99%のDNA塩基配列を共有、進化の隣人	
社会	平和的	競合的
順位制	オス・メスがほぼ対等	オス優位
隣接群との関係	平和的 群れが合流することもある	敵対的 殺しあうこともある
道具使用	野生では極めて稀	多種多様な道具を使用

ボノボ社会とチンパンジー社会

協力行動と戦争はコインの裏表

「協力行動」や「利他性」というのは、ヒトのプラスの特性として捉えられがちですが、場合によってはそれがネガティブな面、つまり戦争というものと、コインの裏表みたいな感じで関わり合っている可能性もあります。

ヒトの戦争においては、ある意味、国の外の脅威が高まることで、国の中の結束や団結が非常に高まりやすくなる。これを政治家がうまいこと利用することもあるのではないか。進化的な起源として、集団での協力行動というのは、集団「間」の競合、あるいは戦争といったものと大きく関わっている可能性がある。そういったことを少なくとも頭に入れておくということは、ヒトがどのように平和的な社会を築いていけるか、いくべきかを考えるうえで、非常に大事なポイントになってくると考えています。

狩猟採集民としてのヒトは、家族を核として、家族が集まって一つの血縁集団を築いて、血縁集団がいくつか集まって村落みたいなものをつくる。さらに村落みたいなものが集まって、県とか国とか、より大きなレベルをつくっていく。そういった重層社会を築いているのが一つの大きな特徴です。

仲間「内」と仲間「外」を非常に柔軟に組み替えているというところがヒトのおもしろいところなんですけれども、チンパンジー・ボノボを通して、こういった仲間「内」、仲間「外」の関係をどういうふうにすれば、平和的な社会を築いていけるのか、そういったものを考えるきっかけになればうれしいな、というふうに考えています。

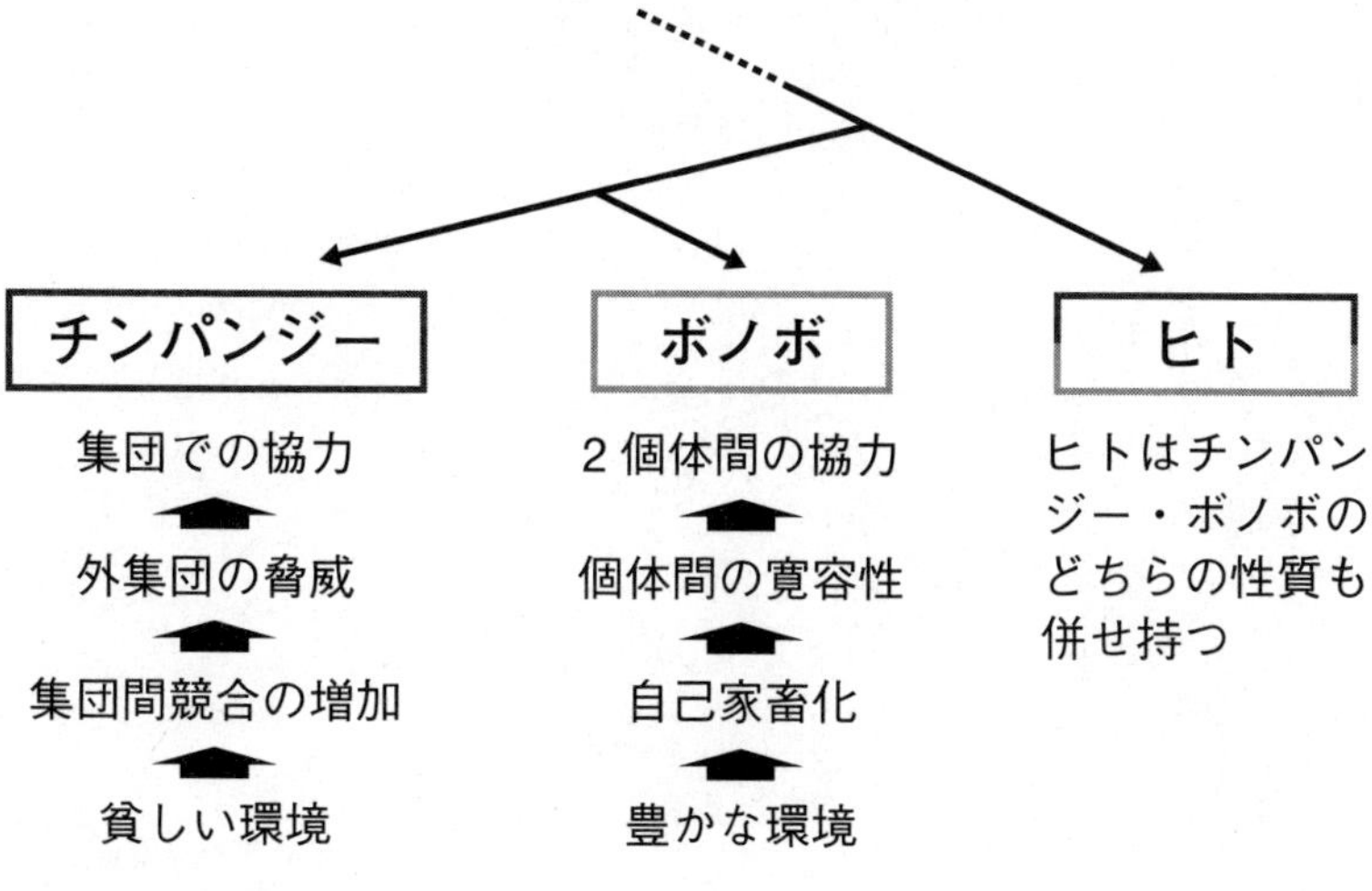

戦争と協力の進化的起源に関する仮説　Yamamoto 2020 Book Chapter in “Chimpanzees in Context”

ディスカッション

ゲスト

山本真也

山田拓司

未来の人類研究センターメンバー(当時)

伊藤亜紗

磯﨑憲一郎

北村匡平

中島岳志

Guest

山田拓司(やまだ・たくじ)
東京工業大学生命理工学院准教授。2006年京都大学大学院理学研究科博士課程修了、理学博士。京都大学化学研究所助手、ドイツ欧州分子生物学研究所研究員を経て現職。専門は生命情報科学。2020年令和2年度科学技術分野の文部科学大臣表彰科学技術賞(研究部門)受賞。

チンパンジーの二つの群れが協力することはあるか？

伊藤　「仲間性」というのを考えたときに、「利他」も「利己」もすごく複雑になりますよね。二つは切り離せないとは思っていましたけど、さらに集団となったときに、霊長類を通して見ると、人間のことが反省的によくわかるなあと思いながら、お話をうかがっていました。

山田　すごくおもしろかったです。チンパンジーの二つの群れが、坂本龍馬的にチームを組んで外敵と対応するような動きは、観察されないんですか。

山本　ないですね。少なくとも今まで五十年以上の長期研究がされていますけれども、そういった例は知られていないと思います。逆に言うとそこが、ヒトのおもしろい点だと思います。

これはかなり個人的推測ですが、ボノボはもしかしたら重層社会的なものを持っているんじゃないかと思います。一方で、チンパンジーは、群れと群れのさらに上位のものがないので、別の群れと一緒になって協力するということは基本的にないのではないかと思っています。

山田　なるほど。そうすると、チンパンジーの構成できる組織の大きさには、限界がありそうですね。じつはボノボのほうが大きいかもしれませんね。

山本　そう思います。チンパンジーの集団も環境によって違って、二〇頭から一〇〇頭ぐらいの集団をつくることがありますが、チンパンジーの場合は、一つの集団の中で付き合う相手を日々替えることによって、けっこう柔軟性を保っていて、それを「パーティー」と呼んでいます。

たとえば五〇頭の群れがいても、つねに五〇頭がずっと一緒にいるわけではなくて、ある日は一〇頭ずつ、五つのパーティーに分かれて移動している。でも次の日にはまた別のメンバーとパーティーを組んで一緒にいる。パーティーのメンバー構成はいろいろ変わっても、群れの五〇頭のメンバーシップは変わらないんですね。

ヒトがおもしろいのは、そのメンバーシップが固定した集団が、さらにいくつか集まって上位の集団を築いて、重層社会を築いていくところで、その点に関してはチンパンジーとヒトには大きな違いがあるというふうに考えています。

「評判」を気にする、というヒトの大きな特徴

山田　あとは、チンパンジーの実験のお話を聞いていて、やはりチンパンジーにも個体差はすごくあるだろうな、と。チンパンジーには自発性がない、という話でしたけど、そもそも自発性のないヒトもいるな、と思って。

ヒトによるカウンター実験みたいなものは、倫理的にできるのかわからないですけど、チンパンジーも、何頭か実験したら、時々自発行動するやつがいるんじゃないかな、という気がしました。

山本　そこは非常におもしろくて、実

際、チンパンジーは自発的に手助けしないという実験結果を発表したとき、僕はヒトとの違いを強調したのですが、アメリカの研究者からは「（ヒトと）一緒じゃねえか」という反応が返ってきた。「ヒトが自発的な利他行動なんか、するのか？」と、アメリカの霊長類の大御所の先生に言われたことがあるんです。

どこまでが自発性かというのは、すごく難しいんですけれども、ヒトに関しては無意識的であっても、周りの目を非常に意識して利他的な行動をとっている、というのはよく言われています。「評判」を気にする、というのがヒトの大きな特徴なんです。ヒト以外の動物が「評判」を気にするのかどうかはまだほとんど研究されていなくて、僕たちも今チームで取り組んでいる課題です。ヒトの場合だと、AさんがBさんを手助けしてあげると、Bさんからお返しをもらえなくても、それを見ているCさんからAさんがお返しをしてもらう、いいことをしてもらう。こういったトライアングルの関係、間接互恵的な関係というのが築けるんですけれども、基本的にヒト以外の動物はそれがないんじゃないかな、と。

自発的に手助けをするということは、ある意味リスクと言いますか、相手にとっておせっかいになると本当に無駄になってしまいますが、ヒトの場合は、おせっかいになってしまったとしても、それを見ているほかの他者、社会の目から「いいことをしている人だな」というふうに認識されると、将来的にはいい意味を持ちます。だから、それを自分が意識しているかしていないかは別としても、進化的には間接互恵の仕組みがあることによって、自発的な利他行動が非常に進化しやすかったのではないかというふうに考えています。

山田　ヒトで考えると、他者に対する自発的行動って、打算が多いと思うんです。打算じゃないのは、子どもとか親とか、すごく近い人に対する行動かなと思います。その場合、先ほどの自発的な実験のデザインにおいて、親子間で実験したらどういうふうになるのか、気になりました。

山本　チンパンジーの例ですと、先ほどお見せした道具を渡す実験もじつは親子だったんです。親子でも、基本的に自発性というのはないですね。私の先輩が、実験室で親子間の食物分配を見る研究をしていますが、母親が自発的に子どもにあげた食べ物は、ほとんどが果物のヘタとか皮とか、食べられない、あるいはおいしくないようなところばかりだったということがわかっていて。

山田　それ、もうあげてないですよね。ゴミを分けた。ふふふ。

山本　食べておいしい部分は、子どもが取っていくのは許してあげるけども、自分からあげることは基本的にしないという結果でした。

「いずれ自分に返ってくる」を想定した行動は、利他か？

中島　私は『思いがけず利他』という本

を書いたのですが、利他の一つの本質は、自発性の中にどれだけ「意志」があるのか、というのがポイントになると思うんです。間接互恵を前提とした利他行動は、はたして利他と言えるのか、という問題があると思うんです。

つまり、「これを山本さんにあげたら、いずれ私のところに返ってくる。利益があるからあげよう」というのは、利他的なような利己行為になるのではないのか。その自発性というものを、山本さんはどういうふうに見ていらっしゃいますか？

山本　そこが本当にヒトの難しいところだなあ、と思っています。簡単に言ってしまうと、そこを意識的にしているかどうか、だと思うんです。実験でアンケートをとっても、意識的なところを調べられるかというと、嘘をつかれてしまったりして、そこは「わからない」というのが正直なところなんですけれども。

ただ一つ、ヒトの場合は「規範に従って」利他行動をとることがあるということ。たとえば他者にいいことをするうえで、いい評判を得ようとしてするのは、ある意味ではすごく利己的なものだと思うんですけれども、これを「意識的にしているかどうか」の線引きは非常に難しいところです。たとえ意識的ではなくても、規範を内面化してしまっているのがヒトの大きな特徴だと考えています。

進化の観点では、間接互恵があることで、利他行動を取る人間に結果的に利益がもたらされるので、自発的な利他行動は進化しやすいと思います。そこを心理的なメカニズムの視点で見たときに、それを意識してやっているのか、あるいは意識はしていなくてもやってしまうという心理特性が埋め込まれているのか。ヒトの場合は、そのどちらのパターンも見せるんじゃないかなと考えています。

ヒト以外の動物は、ポジティブな感情の共感が弱い？

北村　先ほどの道具を渡す実験は、親子のチンパンジーでされたということでしたよね。自分が食べられなくても、道具を渡してあげることで、子どもなり親なりが喜んでいるのを自分も喜ぶ、というのはわかるんですけど、まったく違う関係性のチンパンジーの場合はどうなのでしょうか？

山本　先ほどの実験は、母子間と血縁関係のない個体、どちらでもやっていて、基本的に同じ結果です。割合的には母子間のほうが道具を渡す手助け行動は多く見られましたが、基本的に要求されないと渡さないし、要求されれば渡すという感じは、どちらにも見られるというのが特徴でした。

北村　なるほど。

山本　今北村さんが言っておられたように、ヒトだと、手助けすると相手が喜んでくれて、それが自分の喜びのように感じられるという、ポジティブな情動の共感というのが非常に強いと思うんです。これはまだ仮説の段階ですが、ヒト以外の動物——少なくともチンパンジーに関しては、そこが非常に弱いのではないかと感じています。

　ヒト以外の動物では、他者が困っている、苦しんでいるというネガティブな情動に反応するという共感性は非常によく見られますが、ポジティブな情動の共感性については、あまり研究の例がなくて、おそらく、あまり見られないのではないかと思っています。笑いの伝染も、チンパンジーではあまりなさそうだと考えています。

　逆に言うと、ヒトの場合はそれがあって、相手の喜びが自動的にフィードバックされる仕組みがあることで、ある意味、手助けするということに心理的な意味でもモチベーションが付与されてくる。

　先ほどの間接互恵性は「利益」という視点で見ていましたが、心理的なメカニズムという点で言うと、この「ポジティブな情動の伝染・共感性」が、ヒトの場合は非常に大きく働いてるのではないかな、と考えています。

北村　すごくおもしろいですね。

言語が、大きな組織を可能にする

山田　「間接互恵」と「共感性」についてチンパンジーの話を聞いていると、やはりいかに大きい組織をつくるかというのが、ヒトの大きな特徴だという気がします。

　国であったり、会社とか大学、ヒトの細胞もそうですが、大きな組織をつくろうと思ったら、それを構成する「個」は完全に自己を排除しないといけない。組織のほうが一個の「個」になり、その一つのプレイヤーとして自分がいて、組織としての喜びが自分の行動の喜びに入っていないといけない。

　それを全部コントロールするのはすごく難しいから、一個一個の個体の中に、それがプログラムされていないといけないような気がするんですね。「間接互恵性」と「共感性」のシンクロニシティのように、もっと他にも他人の感覚を共有する仕組みみたいなものがいっぱいあるんじゃないかなという気がすごくしました。

山本　他者と感覚を共有するというのは本当に大事なところで、間接互恵性がヒト以外の動物に見られないのではないか、と僕が考えている一つの理由に、その「共有」の問題があります。簡単に言うと「言語」ですね。言語の有無で、間接互恵性は非常に大きく変わってくると思っています。
　総合研究大学院大学の大槻久先生の研究によると、他者を評価するときに、「協力しているからいい人」と簡単には言えない。たとえば、ヤクザがヤクザに協力していると、それはむしろ「協力しない」ほうがいい、と捉えられる。あるいは、ヤクザに対して警察が罰する行為を、「そんなことをしてはダメだ」と考えて協力しないと、ヤクザがはびこってしまう。単純に協力している、協力していないという尺度で相手の行為を評価するのは難しい。

　ある二人がどういうやり取りをしていて、それぞれどういう評判をもっているのか。それによって、どう価値付けをするべきなのかという規範は、かなり異なってくると言われています。集団や社会の中で、他者の評判をある程度共有していないと、間接互恵がうまく働かないのではないか、というふうにおっしゃっているんです。

　それができるのは、言語を持っているヒトの大きな特徴なのではないかと考えています。チンパンジーやボノボは、基本的に自分と他者との関係性で成り立っていますが、ヒトになると、利他の関係性、協力の関係性というのが、ネットワーク状にどんどん広がっていく。そこの違いがあるのかな、と考えています。

ヒトは攻撃性を抑える方向に進化してきた⁉

磯崎　情動伝染の話を聞くと、僕は犬を飼っているのですが、「いや、うちの犬や猫は情動伝染あるよ」と思う人がけっこういるんじゃないかと思います。人間と一緒に暮らしていることによる、種を超えるまではいかないけど、ギリギリまではみ出しそうになる変化みたいなものが、やっぱりあるような気がしちゃうんですけどねえ。

山本　そこは今、二つ大きな仮説があります。一つは、イヌはヒトと暮らすようになって、ヒトの動きとか、顔の表情を読み取る力が生存に直接関わるようになったので、そういう能力を身につけてきたという考え方。

　もう一つは、「家畜化」による影響。「家畜化」というのは、攻撃性が低い個体が選択的に繁殖され、攻撃性が抑えられるプロセスのことです。この攻撃性抑制の副産物として社会的認知能力が高まったのではないかという仮説が提唱されています。イヌとかウマというのは、家畜化を通して、社会的な認知能力がすごく高くなっている可能性がある。それが種を超えてもできるようになってきているというのが、おもしろいところだと思います。

　先ほどレクチャーのときに、「自己家畜化」という言葉をチラッと出しましたが、ヒトとボノボは、自分たちで自分たちを家畜化した、つまり自分たちの攻撃性を抑える方向に進化してきたのではないか、ということが言われてきています。

　この自己家畜化のプロセスと、進化的には離れていますが、イヌとかウマの家畜化のプロセスをパラレルに見て研究をする、という取り組みが最近すごく行われてきていて、僕たちも今、研究を進めているところです。

磯崎　そうすると、家畜化されたチンパンジーだとまたデータが変わってくる可能性は……？

山本　可能性はあると思います。そういったチンパンジーがいないのですが。

磯崎　動物園のチンパンジーとかではダメなんですか。

山本　ここで「家畜化」と言っているのは、攻撃性を抑える方向に選択を加える、ということなんです。つまり、一〇頭の集団がいて、そのうち攻撃性が低い個体が五頭いたら、その子たちだけで繁殖させて、次の世代をつくる。次に生まれてきた中からまた攻撃性の低い子だけを選んで次の世代をつくる、というプロセスを続ける。そうすると副産物として、顔の形態の変化や、さらに認知的な変化が見られるというのが、キツネの研究などで実験的に示されています。

磯﨑　イヌも、顔が変わってきたのはその過程だと何かで読みましたねえ。

山本　はい。ヒトもそういったプロセスを経てきているのではないか、と言われています。

チンパンジーはあえてボケるか？

伊藤　チンパンジーの実験で、あれは人間だったら、相手がストローが欲しいと思っていることがわかっていても棒を渡したりとか、ボケたりすると思うんですよね。渡す直前まで、あのチンパンジーは道具で遊んでいたとおっしゃっていましたが、遊んでいる段階からいきなり相手のために渡すという、モードチェンジがすごく急な感じがしました。

なんと言うのかな、利他ということを考えたときに、一緒に遊ぶということの中にむしろ協力があったり、けっこう、遊びというのも複雑だと思うんですよね。つまり、「これは間違えたわけじゃなくて、ギャグでやってるんだよ」というところまでわかったうえでやるのが遊戯だと思うので、そういう意味で少しメタ的な部分があって、言語に近いとも言える。そういう意味で、チンパンジーとかボノボの遊戯を通して見えてくる生態みたいなものがもしあったら、うかがいたいなと思います。

山本　うーん、そうですねえ。正しい道具を選択できているとはいえ、正答率は半分くらいなのですが、わざと間違えているかというと……すごく感覚的なものですけれども、渡す側は、わかるときには正しい道具を渡しているのかなという気はします。

山田　ストローが必要なときにホースを渡して、「これ大きいわ!」みたいな……、なんというか、ボケとノリツッコミじゃないけど、いったん渡されたモノで試してみよう、みたいなことがあってもいいのかなと思ったんですけど、そういうのはないんですか？

山本　そうですね、チンパンジーはけっこう、道具的な知性に関しては高い能力を持っていますので、だいたいどれが使えるかというのはわかっています。ただ、ステッキが必要なときにホースを渡されると、最初そのホースで取ろうとしてみたりはしていました。でも二、三回やって「これダメだ」となると、またホースを渡されても、もう「いらねえ」というふうになっています。

ボノボは「もらうこと」、ヒトは「受け取られること」を通して関係を築く

中島　ボノボのところで、食べ物をもらうことによって社会関係が築かれていくというお話がありました。我々が利他の研究をする中で、利他を起動させるのは、何かを与えること以上に受け取ることだ、という側面があるのではないか、という話をしてきたんですね。たとえば、私が山本さんに、「これ、ぜひ食べてほしい」とお渡ししても、山本さんにとって、食べると蕁麻疹《じんましん》が出るようなものだったりすると、ありがた迷惑になるわけですよね。

むしろ受け取られることによってこそ、ある行為が利他として浮上するというふうに、人間の場合は思うんですけれども。ボノボの受け取り行為を山本さんが観察されていて、どういうふうに見られたのか、受け取りを拒否する場合があるのか、おうかがいできますか。

山本　そうですね、一つは「承認」、もう一つは「場の共有」というのがすごく大事なのかなと考えています。ボノボの場合、まだちゃんと分析ができていないんですけど、もらいに行って拒否されることは、ないことはないですね。承認されなかったというのは、ネガティブな意味合いが強いと思います。自分から「欲しい」という意思を伝えて、それが承認される。そのプロセスが、他者との関係を築いていくうえで非常に大事なのかなと思っています。

もう一つ、先ほど情動伝染のお話をして、これは情動ではないですが、他者と、同じ場で、同じものを食べている、というところが、すごく意味を持っているのではないかと思います。

ヒトの進化のほうでは、どこからか、むしろ「もらう」より、「おすそわけ」のように、「与えて、相手がそれを受け取ってくれる」ということが、非常に大事な意味を持ってきたと思います。ヒトの場合は自発的な利他行動をするし、それがかなり評価される。そういったあたりとも絡んでいると考えています。

チンパンジー研究者から見た、ヒト社会の戦争とこれから

中島　外集団の脅威が高まると内集団の結束やつながりが強くなるという話が出てきましたが、ウクライナの現状を見ていると、ゼレンスキーは大変支持率が低かったのが、ロシアが攻撃してきた瞬間、支持率が九〇パーセントを超えて、ウクライナが非常に団結しているように見えたりします。

一方でロシアでは、プーチンがむちゃくちゃなことをするものですから、逆にそのリーダーに対しては「このやろう」と言う人が出てきて、それを徹底的に弾圧していく。そういう集団内のいろんな動きが見えるんですけども、チンパンジーを研究されている山本さんから、このあたりはどういうふうに見えるのかを、おうかがいしたいです。

山本　内集団の結束が高まると、ある意味、外集団に対抗する意識も非常に高まっていく——副産物というか、ネガティブな面も持っていると、個人的には感じています。それを政治利用する政治家も実際にいると思いますが、そういう性質をもっているからといって——その性質をもっているかどうかも、まだ議論が続いているところですが——それを利用したらいい、というのはまったく別問題だというふうに考えています。

私たちの実験研究からは、チンパンジーも、知らない個体の音声を飼育集団に聞かせると、集団の中の結束が高まるという結果も出てきています。このような性質は、進化に根差しているのかもしれません。しかし、だからと言って、「ヒトはこうあるべきだ」と論じるのは間違っています。ましてや、政治的に悪用されたり誤った思想が広められたりするのは非常に危険だと感じています。

先ほど重層社会の話が出ましたが、今はグローバルになっていって、「これ以上」という単位が基本的にない状態だと思うんです。それもあって、大きな国家間の争いというのが非常に大きな問題になってくる。国家間のまとまりをつけるためにはどうすればいいかというのは、本当にわからない状況だと思います。

すごく仮想的な話をすると、宇宙人が出てきて地球を侵略しようとしているとなれば、全地球人が結束するんじゃないか。そういうことを言った政治家もいるという話を聞いたことがあります……。

山田　まあでも、COVID-19とかはそれに近いですよね。

山本　ああ、そうですね。ただ、外敵を設定したところで、やっぱりストレスの中で育まれる利他には、限界があるのではないか。何かしらもうちょっとボノボ的なというか、戦争とつながらない協力関係を築くことも必要だろうな、と思っています。そのあたり、まだちょっとわからないですけれども、ボノボから、あるいはチンパンジーからわかることがあればいいな、と感じています。

北村　現代社会に生きる人々って、非常に借りをつくることを嫌がるというか、もらうのをおそれるところがあると思うんですね。だから、ボノボとチンパンジーのその習性や特性から、すごく学ぶことがあるように思いました。

チンパンジーに関しては、まさに我々が直面しているナショナリズムの問題もやっぱりそこにあって、外部の脅威を利用して内部の凝集性を高めていくという部分がある。一方で、ボノボは攻撃性を抑えて「自己家畜化」していく、というお話がありましたが、人間にもそういう側面はある一方で、非常に攻撃性が高まっているようにも思えます。なので、ボノボの生き方に、何かすごくいろんなヒントがあるんじゃないかと、今日うかがって思いました。

「ただめし券」と「まかない」から利他を考える

小林せかい

RITA MAGAZINE
Is there any *rita* in technology?

Chapter_3-2

- Sekai Kobayashi

収録：2022年3月21日（第2回利他学会議 2日目）

小林せかい（こばやし・せかい）

1984年大阪生まれ。東京工業大学理学部数学科卒業。日本IBM、クックパッドで六年半エンジニアとして勤めたのち、修行期間を経て、2015年9月、東京都千代田区一ツ橋に、カウンター12席の「未来食堂」を開業。メニューは日替わり1種のみ、着席3秒で食事ができる、決算や事業書を公開、「ただめし」「まかない」「さしいれ」「あつらえ」などユニークで超合理的な仕組みを考え、飲食業に新風を吹き込む。こういった活動が評価され『日経WOMAN』ウーマン・オブ・ザ・イヤー2017を受賞。著書に『ただめしを食べさせる食堂が今日も黒字の理由』など。

レクチャー

私は未来食堂というお店をやっています。東工大の卒業生ということで、「おもしろそうだから、あんた、話しなさいよ」という感じで、今回呼ばれました。このお店の取り組みが、おそらくとても「利他的」なんですね、きっとね。「利他的な食堂って何よ」という感じだと思うんですけど、「ただめし券」というものがありまして、入り口に貼ってるんです。それを剝がして持ってくると、タダでご飯が食べられる。そういう仕組みをやっています。

ここからはせっかくなので、質問ベースで答えていきたいと思います。

「誰でも入れる場所」をやってみたかった

Q. どうして未来食堂を開こうと思ったんですか？

私自身は東工大の数学科を卒業してコンピューター会社にいました。まあでも、「食」という場――「食卓」というか、みんなが来られる場所をやってみたいな、というのはずっと小さいときからありまして、学園祭とかでお店をやったりもしていました。誰でも入れる場所。かなりざっくりしているんですけど、そういうのをずっと考えていましたね。それで、仕事としてはITエンジニアをやっていたのですが、やはりそういうことをやりたいなということで、修行して、開業して、というふうになりました。

Q. 「ただめし券」ってなんですか？

「ただめし券」は、文字どおりタダでご飯が食べられる券のことです。そんな仕組みがどうやって成り立っているかというと、未来食堂には、「まかない」というもう一つの仕組みがあるんです。このお店には、「まかない」と「ただめし」という、大きく二本の柱があるんですね。

で、「まかない」とは何かというと、未来食堂で五十分働くと、一食分無料でご飯が食べられるというシステムです。もともとなんでそんなことをやったのかというと、私が以前からつくりたかった「誰でも来られる場所」って、そもそもなんだろうと考えたときに、飲食店……というかお店って、そもそもお金を持っていないとその場に入れないですよね。お店の人がいくら「いらっしゃいませー」と言っていても、結局、お金がなかったら入れてもらえない。私はそれがちょっといやだな、と。

　昨日まで仲良くやってたのに、「お金がなくなりました」と言われて「はい、じゃあさようなら」って言えないじゃないですか。じゃあどうすればいいかと考えたときに、「お金の代わりに時間をもらえばいいんだ」と思ってつくったのが、この「まかない」という仕組みです。「誰もが受け入れられる場所」ってどういうところかな、という思いがまずあって、「未来食堂」という一つの形になりました。

　なかにはなんらかの理由でたくさん「まかない」をしに来る人もいるのですが、その場合は券をいっぱいもらうので、自分で使いきれないこともあります。たとえば、一日にたくさん働いて一○食分の券をもらっても、一人ではそんなに使いきれないでしょ。そういう人が、お店の入り口に券を貼って帰ります。これが「ただめし券」となるわけです。

Q．なぜ誰でも入れるところをつくりたかったのですか？

　こういう本質的な質問が来るんですね……。いやあ、なんでですかね。だけど、欲しくないですか、そういうとこ。昨日まで「おいしいなあ」と思って食べていたのに、今日になったら「お金ないから入れないな〜」なんて、いやじゃないですか。私は、いやですよ。

　そういう人がお店の前に来たら、入れてあげたいじゃないですか。「あなたがいい人だから入れてあげよう」とか、「常連さんでしたね」ということではなくて、うまく回るような仕組みをつくることで、誰でも入れるようにする。お店の前に赤いカーペットがあるんですけど、赤いカーペットを踏んだ時点で入れるんですよ。そういうの、よくないですか？　なので、どうして誰でも入れる場所をつくったかというと、それがいいと思ったからです。

一個の作品としての未来食堂

Q．未来食堂を開くにあたって、影響を受けた考えや取り組みなどはあるのでしょうか？

　影響を受けたものというのは、とくにないですね。飲食店で食事代が不要なお店はないわけじゃないと思います。ただ、ほかの人が代わりに払っているという仕組みがほとんどなんです。「誰かのために自分が二食分払います。私のほかに、誰かに一食、差しあげてください」ということですね。でも、未来食堂はそうじゃない。本当にお金をもらっていないですから、非常におもしろいシステムだと思います。こういうシステムは世界的に見ても珍しくて、いろいろな国の方からよく取材を受けたりしますね。

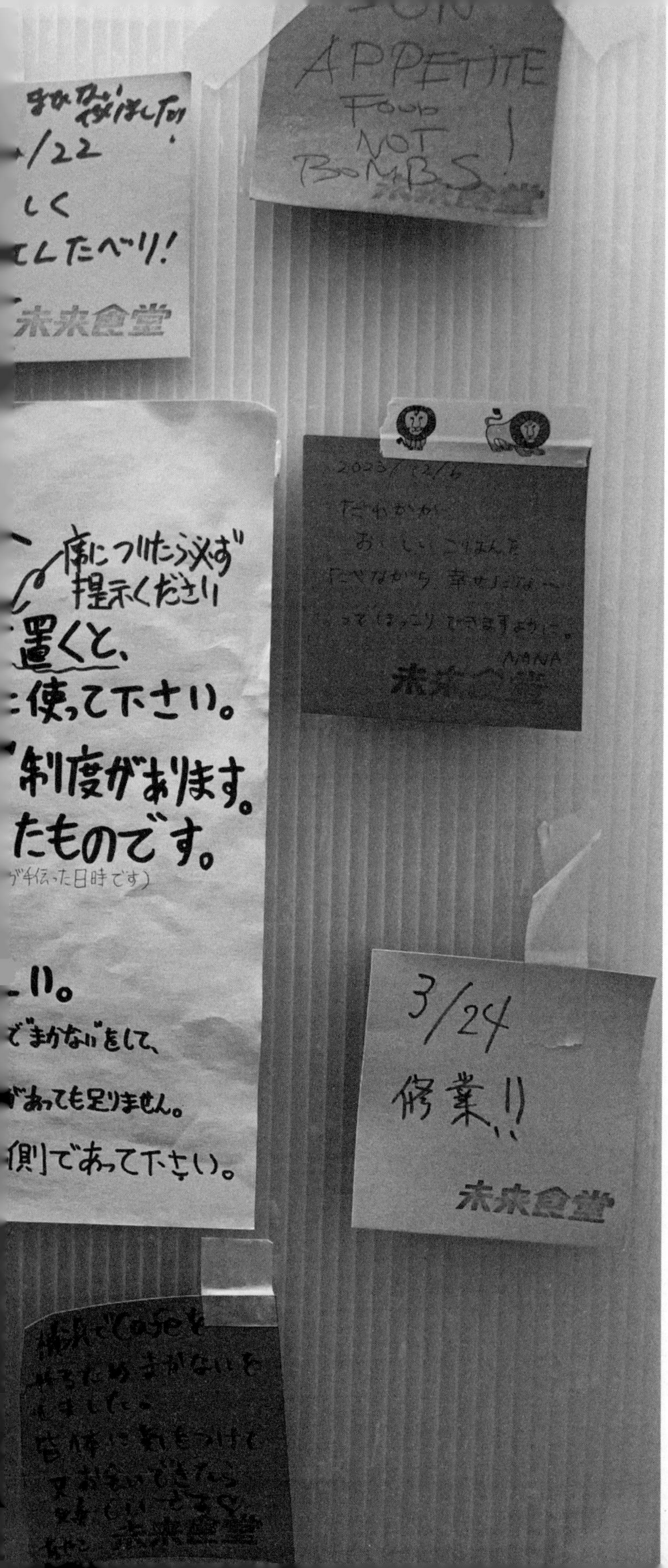

お店の入り口近くに貼ってある「ただめし券」

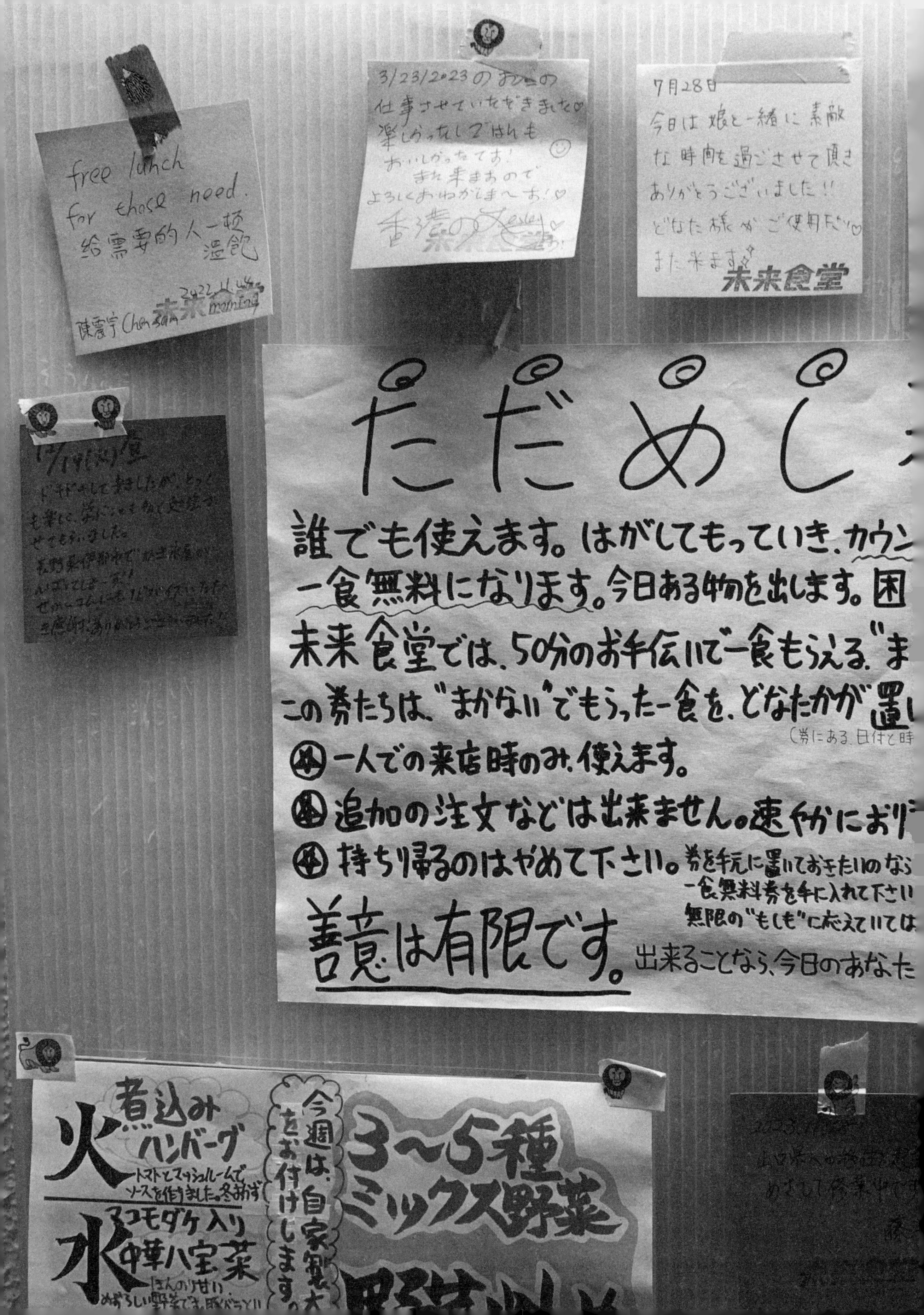
free lunch
for those need.
给需要的人一顿
温饱
未来食堂
3/23/2023のまかないの
仕事させていただきました♡
楽しかったしごはんも
おいしかったです!
また来ますので
よろしくおねがいしま～す!♡
香港の Lesley
7月28日
今日は娘と一緒に素敵
な時間を過ごさせて頂き
ありがとうございました!!
どなた様がご使用下さい♡
また来ます♪
未来食堂
ただめし
誰でも使えます。はがしてもっていき、カウン
一食無料になります。今日ある物を出します。困
未来食堂では、50分のお手伝いで一食もらえる"ま
この券たちは、"まかない"でもらった一食を、どなたかが置い
(券にある、日付と時
一人での来店時のみ、使えます。
追加の注文などは出来ません。速やかにお
持ち帰るのはやめて下さい。券を手元に置いておきたいのなら
一食無料券を手に入れて下さい
無限の"もしも"に応えていては
善意は有限です。
出来ることなら、今日のあなた
火 煮込みハンバーグ
トマトとマッシュルームでソースを作りました。
水 マコモダケ入り 中華八宝菜
ほんのり甘い
今週は、自家製
をお付けします
3〜5種 ミックス野菜

Q. 未来食堂のような取り組みは、他に例がないのはどうしてだと思いますか。他の国や地域でも成立する運営方式だと思いますか？

これねえ、おもしろいですよね。未来食堂は今七年目くらいで（二〇二二年三月現在）、「まかない」と「ただめし」というシステムは開店以来ずっと続けています。そして、未来食堂で修行した方がやっているお店が今一四店舗くらいあるのですが、興味深いことに、その中で「まかない」の仕組みを取り入れている方は、いません！「ただめし」なんてなおさらですよね。ゆくゆくは「まかない」を運営の中に取り入れたいという方は一人いるのですが、軌道に乗せることが先だということで、今はまだやっていないそうです。

未来食堂をやっていると、「いいお店だなあ」「いい仕組みだなあ」「いい話だなあ」と言われますけど、実際に現場にいた人ほど、同じ仕組みを取り入れたりはしないというね。現場にいると、いろんなことが見えてくるんじゃないですかねえ……。おもしろいですよね。

あと、「私たちの場所でもその仕組みを使えますか」と聞かれたり、「あなたがやっているのは一つの小さいお店だから、できるんじゃないですか」というのもよく言われますけど、それは考え方次第なわけであって。たとえば、吉野家のような大きなチェーンであったとしても、「五分間掃除してくれたら生卵サービス」とか、なんでもいいじゃないですか。そのやりようを考えよう、ということです。だから、はじめから「無理です」なんて、誰も言えないと思いますよ。気の持ちようですから。

Q. 未来食堂の未来はどんな未来を見ているんですか？

どんな未来ですかねえ……。未来食堂には、一つのエコシステムがあるんです。発生して、それを消費して、また発生して、という循環の輪があります。それを見て、「ああ、こういう形もあるんだなあ」と、みなさんに知ってもらう。だから、やっていることは他の飲食店とそんなに変わらないように見えても、言ってみればこのお店自体が、博物館とかサーカスみたいなもので、「あー、すごいねえ」って言いながら見てもらう。そういうことを変わらずやっていきたいですね。ただそこにあるだけでも、一個の作品だと思っているので。

前例のない方式を「仕組み」で実現する

Q. 朝昼営業で、どのくらいの方が来店して、「ただめし」の割合はどれくらいですか？

以前は一日五〇人くらい来ていましたが、今はコロナの影響で、二〇人台後半くらいですね（二〇二二年三月時点）。早く情勢が落ち着いてほしいと思ってます。だいたいオフィス街なんで、オフィスの人が多いですね。あと私、本が好きなんで神保町にしたんですよ。便もいいですしね。
「ただめし券」を使った人は、券の裏に、その日の日付と、もしあれば何かメッセージを書くということになっています。使用済みの券は保管しているので、その日付を見ればどれくらい使われたかわかるのですが、週五日お店を開けていて、「ただめし券」はだいたい一～二枚くらい使われますね。一日にざっくり二五人来るとして、五日間で一二五人くらいだから、「ただめし」の割合は、全体の一パーセントくらいでしょうか。

Q．学生時代に専攻された数学という学問と、未来食堂の運営の間に、関連はありますか？

これがおもしろいことに、じつは非常に関係があると思います。というのも、未来食堂の「まかない」は、五十分働くと一食無料になるわけですが、これを実現するには、どんな人が働きに来ても効率よく動ける仕組みをつくらないといけないんです。

飲食業は、「十年間は鍋洗いをしろ」といわれるような、職人気質なところが古くからある業界でもあります。一方で、数学のような理系の学問は、「何が原因になっていて、何をどうすれば能力差を埋められるか」という考え方をします。本当に数学の概念を使うこともあって、たとえば、場の境界線とか、そういったことをよく考えていますね。

Q．お手伝いする際の作業の指示にどんな工夫をしていますか？

いろいろありますけど、情報の取捨選択と、数値を明確にすること。この二点はすごく大事ですね。たとえば、今Aさんと私が一緒にいて、水色のバケツとピンク色のバケツがあったとします。私が「Aさん、水色のバケツを取ってください」と言ったら、Aさんは迷わず水色のバケツを手に取れますよね。ここではこれが一番わかりやすい指示なんです。

でも、だいたいの人は「Aさん、雑巾をしぼりたいので、雑巾を入れる水色のバケツを取ってください」って言うんですよ。Aさんの視点から見ると、雑巾とか関係ないでしょ。自分が持っている情報の中で、何を伝えれば相手が一番ストレスなく行動できるか。そこの意識がないと効率的に指示するのがちょっと難しくなりますね。

あと、個数を伝えるとき「二、三個」と言ってしまいがちなのですが、言われたほうは「いや、二個か三個か決めてくれ」ってなるんです。数をきちんと決めるのは、言う側の責任だと思いますね。そんな工夫をしています。

Q．「まかない」が殺到したとき（＝お願いする仕事がないとき）はどうするのでしょうか？

これも、仕組みで回避できることだと思っています。未来食堂のウェブサイトを見ていただくとわかるんですけど、まかないは一日何枠というふうに、あらかじめ枠が決まっているんですよ。だから、「まかない」をしたい人はその枠に

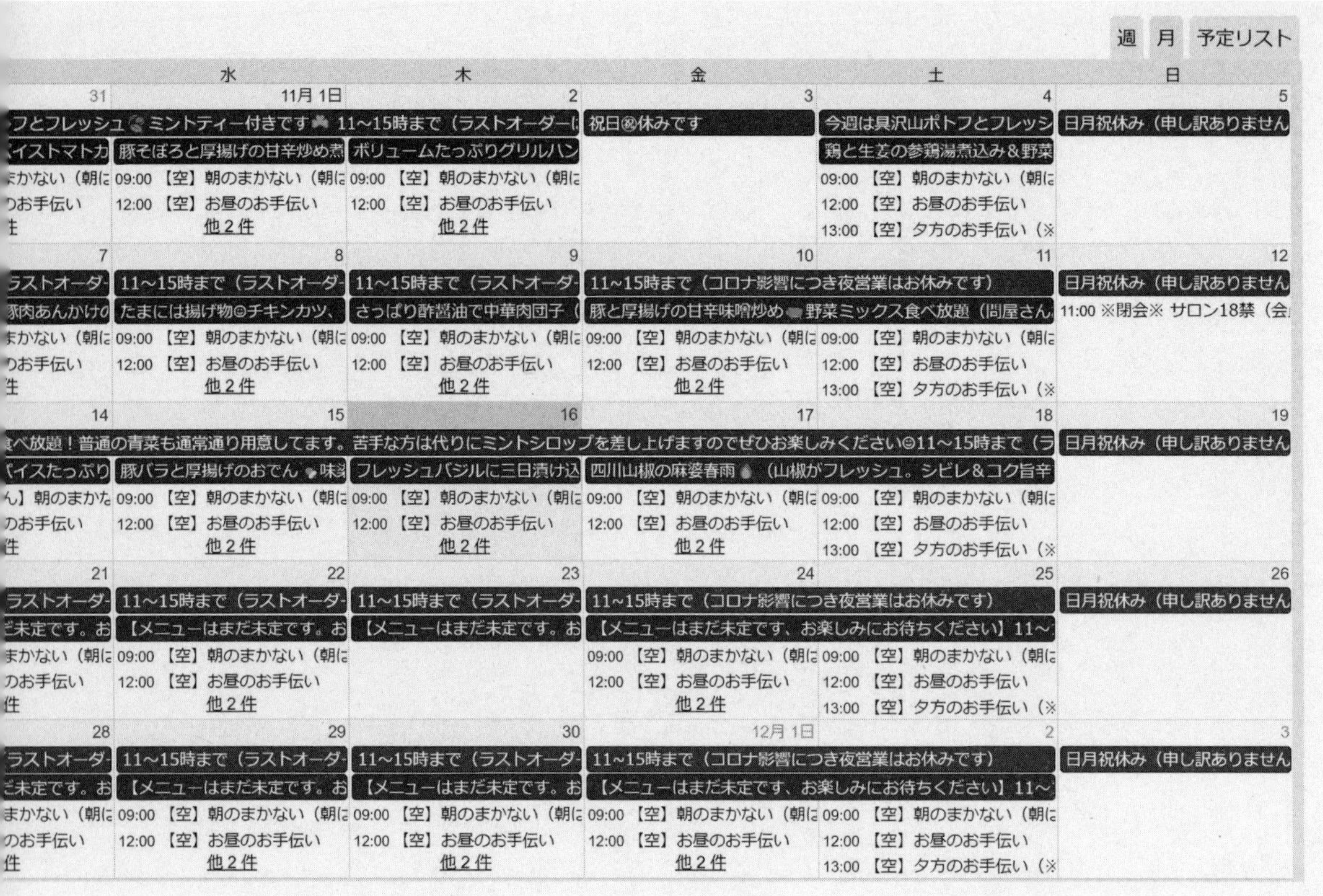

「まかない」の枠がわかるカレンダー

対して申し込むという形です。そうすれば、「今日はいっぱいなので、来週どうですか？」とか、「明日どうですか？」という感じになる。楽チンですね。「こういうことがあったらどうしよう」と不安に思うかもしれないけど、仕組みで九割、防げますから。

得をするより、損をしないことが大事

Q. 保健所や税務署から何かいちゃもんつけられたり、介入されたりしませんか？

たとえば、未来食堂がテレビに出たあと、保健所の人が来て、「視聴者の方から連絡を受けて見回りに来たんですけれど、どのようなことをされているのですか」と聞かれたり、いろんなことがあります。でも、別に大丈夫です。というのも、まず飲食店として営業許可をもらっています。飲食店の営業許可というのは、こういう建物でこういう衛生的な管

理があって、衛生責任者がいて、ということを登録するのですが、飲食店営業の可否はそれがすべてなので、許可を取っていれば営業できます。

　未来食堂の「まかない」は、衛生面ではふつうのアルバイトと変わらないわけですから、その点もとくに何か問題があるわけではないですね。あと、税務署の関係は、要するに「雇用とは何か」という話になるんですけど、「まかない」の場合は雇用していないから税金はかからないんですよ。まあボランティアみたいなものですからね。なので、みなさん不安がったり、「それでほんとに大丈夫なの？」と言いますが、お役所関係で問題になるということはないですね。

Q．「まかない」の条件に、「著しく健康を害している方、衛生的に問題のある方、日本語／英語に不自由のある方などは当方の判断により参加をお断りする場合があります」とあります。誰でも受け入れる場でありつつ、ビジネスとして、線引きも必要だと思いますか？

　日本語と英語、どっちかが話せる人じゃないとダメですよ、というふうに言ってます。手話でもいいんですけどね。耳が聞こえない人が来たことは何回かあります。

Q．（未来食堂をすることに）なんの「トク」があると思いますか？

「トク」って、カタカナで書いてあるあたりがおもしろいですよね。道徳の「徳」とか、メリットの「得」とか、いろんな「トク」がある。道徳の「徳」という意味だと、未来食堂の話をすると「いい話が聞けたなあ」「世の中捨てたもんじゃないね」というようなことをよく言われるんですけど、果たしてどうですかね。徳を積んでいるのか積んでいないのかというのは、正直なところよくわかりません。

　たとえば、未来食堂の「ただめし券」はお店の入り口に貼ってあるわけですが、これを貼っているのは、私ではないんですね。「まかない」をした人が、自分が働いた分の券を持っていて、その人が貼っていくんです。なので、私は別に得もしないし、かといって徳も積んでいない、という感じでしょうか。はい、うまいこと答えました。

Q．損ではなく、得と思うことをされているから続いているのでしょうか？

　どうですかね。私がどう思うかというか、事実がすべてなので、続いているから続いているという感じですね。「続けたいですか？」と言われたら、損なことより得なことをして続けたいですけど。

お店に「ただめし券」が貼られていて、それを使えば誰でも無料でご飯を食べられるわけですが、お店の財布からお金が出ているわけではない。これは事実ですよね。誰かが「ただめし券」を貼って、誰かが使っている、その場所が未来食堂というだけで、私がそれを損と思っているか、得と思っているかとは関係なく回っていますね。得になるというよりり、損にならないことは、非常に大事だと思います。ダメージがあっては続けられないですからね。

山崎（司会） 小林さんはこれまで、未来食堂に関する本を四冊出していらっしゃいます。そのうちの二冊目、『ただめしを食べさせる食堂が今日も黒字の理由』という本に、「まかない」と「ただめし」の関係についてとても興味深い言葉があります。

小林さんは、こんなふうに書いています。「ただめし」を食べた人は「助かりました」と言いますが、その言葉が「ウソでもいい」。「本当に必要なことは、感謝の気持ちも含めて何の〝お返し〟も期待しないこと、最後の一〇〇番目が〝本当に困っている人〟だとして、その前の九九人がたとえ〝使ったことをすぐに忘れてしまうような施しがいのない人〟だとしても施しをする、そういう覚悟を決めることだと思います」（八八頁）。つまり、一〇〇人のうち九九人が、じつはそんなに困ってないのにタダだからという理由で「ただめし券」を使ったのだとしても、一〇〇人目に本当に困った人が使うかもしれない。だからそれでいいんだ、という覚悟ですね。

また、「まかない」という仕組みを使わずに「ただめし券」をお金で買って、それを貼っておけばいいんじゃないかという発想もあると思います。でも、それに対して小林さんはこう言います。

「『誰かが自分の代わりにお金を払ってくれたんだ』と思うよりも『誰かが自分のために五十分を使ってくれたんだ』と思うほうが、よりありがたみが増して感じられませんか？……お金というのは少し抽象的というか、そのありがたみを覆い隠してしまうような性質があります」（九八頁）

「施す側と施される側が直接対面しないようなあり方。〝いつかの誰か〟に思いを馳せながら券を貼り、〝いつかの誰か〟に感謝しながら券を剝がす」（一〇一頁）

「いつかの誰か」という匿名性に思いを馳せるということですね。その想像力が「この世界をより豊かに彩ってくれます」と書いていらっしゃいます。

たとえば、昨今の生活保護受給をめぐる問題で、受給には厳しい基準があるにもかかわらず、実際に受給する人に対しては世間から厳しい目が向けられていて、これは日本社会の特徴のような気がします。こうした、過剰な自己責任論に結びついていく最近の傾向に対するアンチテーゼのようなものが、小林さんの発想の中にはあるのではないかと感じました。

カウンター12席の店内の様子

ディスカッション

ゲスト

小林せかい

戸田京介

未来の人類研究センターメンバー（当時）

伊藤亜紗

國分功一郎

中島岳志

山崎太郎

Guest

戸田京介（とだ・きょうすけ）
元・三軒茶屋醸造所杜氏。東京工業大学生命理工学院在学中の2018年よりWAKAZE・三軒茶屋醸造所にアルバイトスタッフとして関わり、入社。2022年まで三軒茶屋醸造所での醸造を担う。

「誰でも参加できる」ことのおもしろさ

中島　小林さんは東工大のご出身ですが、東工大は明らかに理工系ですから、「統御」という概念を非常に強く意識している学校だと思います。さまざまなものを統御していき、それが再現可能であると立証していくこと。これこそが科学の重要な役割であるという考えが、大きな前提としてあるわけですね。

一方で、小林さんはどちらかというと、そのような観念を疑っているところがあるように思います。あらゆることを統御しようとするのではなく、むしろ人間には統御できない何かがあることを認める。そして、それこそが豊穣なものを生み出してきたという認識をお持ちなのではないかと思うんです。

小林さんのお話で非常におもしろかったのが、本来は職人的な要素が大きい飲食店において、あえてそういった世界を遠ざけているというところですね。「まかない」というシステムを導入することによって、誰でもそこに参画できる、いわば「参画可能性」のようなものを広げていく。

たとえば私たちが格差社会について考えるとき、派遣労働のように、働き手の代わりがいくらでもいて、いつでも切ることができるというシステムが問題視されてきました。そういう「代替可能性」のようなものによって個人の尊厳が奪われている、という議論がよくされてきた。

でも、未来食堂の場合、「まかない」というのは単なる労働ではなく、ある種の「贈与」の性質があると思います。「まかない」をすることを通して、無名性に還《かえ》っていくことや、あるいは誰でもそこに参与できるシステムをつくるということが、逆の経済を動かしていく。そういうことにチャレンジされていると思いました。

そのあたりのところ、お話を聞いてみたいなあと思ったんですけれども、いかがでしょうか。

小林　（だまってサムズアップ）

中島　（サムズアップを返す）

小林　おもしろいですよね。このお店をやる中で、私は「おいしい」という言葉をじつはあまり使わないようにしているんです。お店のデザインとして、職人性のようなものが、あえてないように見せています。注意深く見ていただくとわかると思うのですけど、「私という人がつくるからおいしいんですよ」というふうにはしていないんです。

うーん、その、言語化できない何か、「こうすればおいしい」「こうだからおいしい」と説明した途端に抜け落ちるものがある。「職人がつくるからおいしいよ」とか「職人軸」のようなものをつくってしまうと、そこからこぼれ落ちてしまうものがあるというか。まあ、何か軸を立てるかぎり、なんでもそうなんですよね。集合と補集合があるわけですから。そういう話ですかねえ。

　未来食堂って、砂場みたいなものなんです。そこで何をしてもいい場所。別に用事がないと思う人もいるし、夢中になって遊ぶ人もいる。「これはおもしろい日本のカルチャーですね」と、何かを考える人もいるかもしれない。そんな感じで、未来食堂がやっていること自体は別にたいしたことじゃないんですけど、「これはすごく利他的だね」とか、「食品ロスの問題につながっているね」とか、いろんなふうに見る方がいますよね。

「主」と「客」がひっくり返る

國分　未来食堂には、お客さんがそのときの気分に合わせておかずをつくってもらえる「あつらえ」というシステムもあるそうですね。

小林　はい、あります。

國分　この「あつらえ」は、すばらしい仕組みだなあと思います。家庭だと「何か食べたいものある?」「こんなのあんだけど」とか言って、その時々の気分でご飯をつくりますよね。「あつらえ」はまさしく、先ほど中島さんが言った「職人的な世界を遠ざける」ということの、一つのパターン、完成形ですよね。

　いわゆる消費社会は、レディメイドのものをバンバンつくって、その質を上げていくという仕組みじゃないですか。それに対して、この「あつらえ」はカスタムメイドですよね。その人に向けてつくられている。まあもちろん、冷蔵庫に入っている材料だけでできているのかもしれないけど。そういうものをお店に導入するということ自体が、非常におもしろい。

　未来食堂には、一方では先ほど中島さんが言った「誰でも参加できる匿名性」があるけれど、この「あつらえ」のほうは逆に、ある種の個人性が出てくる。「マヨネーズたっぷりで食べたい」みたいなことがOKになっている。そういった意味で、匿名性と個人性を行ったり来たりしているような。

小林　「あつらえ」に関して言うと、私は、その人がおいしいと思うものがすべてだと思っているんです。お店のおすすめじゃないっていうのがね、おもしろいですよね。

國分　そうそう、僕も本当にそう思うんですよ。僕は、自分でつくる味噌汁が世界で一番おいしいと思っている。なんでかと言うと、僕が、僕にとっておいしくなるようにつくっているからなんですね。

小林　いやあ、本当にそうですよ。

國分　「ただめし」も「まかない」も大変おもしろいなと思ったんですけども、この「あつらえ」には、そういう意味で非常に惹かれました。

小林　そうですね。価値の軸がお客様側に移ったという意味で、「あつらえ」の仕組みのほうが、パラダイムシフトがあ

まずは定食を選んで
にくじゃが定食
さばの塩焼き定食
根菜ごろごろ
カレー風スープ定食
さばの塩焼き定食
ください
材料一覧
・にんじん
・ごぼう
・ほうれん草
・にしん
・あぶらあげ
・豚バラ
・塩ザケ
調味料
・しお
・しょうゆ
・さとう
・みそ
定食の小鉢をあつらえたい時は
材料を選んだり(2品まで)、
その日の気分をお話しください。
(1あつらえにつき400円戴きます)
にんじんと豚バラを
使って……
暖かい感じで
ご要望に合わせて、
おかずを提案させてもらいます。
それでしたら、
中華風のスープか、
とろみをつけた煮物は
いかがですか？
じゃあ煮物が
いいな
店内の本を読んだり
して、今しばらく
お待ちください。
JAPAN EXPO '70
お待たせいたしました！
どうぞごゆっくり
お召し上がりくださいね。
人参と豚肉の
とろみ煮
お会計は
900円
+400円
=1,300円
となります。
小鉢以外の
あつらえも
できます。
お気軽にご相談
ください。

「あつらえ」の仕組み

ると思います。まあ、どれもありますけど。

國分　なんというか、主と客がひっくり返ってしまっているということですかね。それは、先ほどの「まかない」もそうかもしれません。誰かをお店に受け入れて、その受け入れた人がお店のために働いてくれている。

　フランス語では、「ホスト」と「ホステス」にあたる言葉として「オットゥ」「オテス」というのがあって、これは「受け入れる主人」という意味なのですが、不思議なことにこの言葉には「客」という意味もあるんです。「客」であり「主人」である、「主人」であり「客」である。「ホスピタリティ（歓待）」という言葉はそこからきています。

小林　だから未来食堂は知恵の輪みたいというか、「飲食店って見方を変えるとこういうふうにも見えるんだ」というね。別に「主」が「主」でなくてもいいし、雇われているから働くのではなくて、働きたい人が働けばいい。

その人が困っていても困っていなくても、かまわない

伊藤　でもなんか、実際に未来食堂に客として行った感覚からすると、一般的なホスピタリティではまったくないですよね。

小林　そうなんですよ（笑）。はっはっ！

伊藤　すっごく緊張するんですよ、入るときとか。こわい。はっきり言って（笑）。こわくて、まず、ほんと「砂場」という感じで、中に入っても、せかいさんはこっちを振り向いてくれないわけです。でも、席に着くとスッとご飯を出してくれる。それを食べて、ようやくホッとするんですね。そして、本当においしい。

　たぶんそんなにおいしく感じるのは、私が「客」になっていないからだと思うんですよね。「お客さん」を演じなくていいし、お店が押し出したいものを食べている感じもしない。お店がプレゼンしている「こういうのおいしいよ」とか「こうすると気持ちいいでしょ」というようなのでは全然なくて、お客ではない素の状態で食べているから、ものすごく解像度高く味覚を感じるんだと思います。そこが体験としてとてもおもしろかったです。

小林　これには納得してもらえる理由があるんですよ。未来食堂を調べてもらうと、「未来食堂がこわい」っていうのが出てくるんですけど。「まかない」も「ただめし」も、じつは非常に危うい仕組みなんですね。「悪意」が入ってきたらもう一発でダメになっちゃう。

　たとえば「ただめし」の話を聞いて、「それなら俺が『ただめし券』を全部剥がして使ってやるぜ」なんてことだって、やろうと思えばできてしまいますよね。あるいは、「まかない」のほうも、

「女性が一人で働いているんだったら、飲み屋に行くよりもこっちに行ったほうがいいじゃん」というような人が手伝いに来たら、困るじゃないですか。誰が困るって、お客様が困りますよね。そんな人が働いていたら嫌ですから。

だから、仕組みとしては完全にフラットなんだけれども、うまーく「空気」というものをコントロールしないと、非常に危うい。誰でも受け入れるがゆえの「もろさ」があるんです。だから、無愛想ってわけじゃないんですけれども、必要以上に手を広げちゃうと、ほんとにガードがないですから、なんでも来ちゃうんで。手をどれくらい広げるかというのは、非常に独特なんですよね。

伊藤　寛容さの限界という論点は非常に重要だと思います。移民の問題なんかともつながってきますね。そこであらためて重要なのは、かといって小林さん自身が人を選別していないということですね。「ただめし」を食べる人が困っていても困っていなくても、どっちでもかまわないという。それは本当にすごいことで、とても感動しました。

「利他」は、「困っている人を助けましょう」になりがちですが、どちらでもいいんですよね。ただ受け入れる態勢を示しているということが大事で。本の中で、茶道をずっとやられていて、「細かく語らない」「言葉少なく、その場の関係で成り立つんだ」という話があったんですけど、本当にそういう感じがして。

未来食堂に行くと、最初は緊張するんだけど、だんだん自分とテーブルが等価に思えてくるというか、別にしゃべらなくてもいいし、無理に社会性を発揮しなくてもいいんだなと感じるんです。私、人前でしゃべるのがじつはあんまり好きじゃないし、得意じゃないので、そういう意味で「しゃべんなくてもいいや」みたいな。最終的にとても楽な気持ちになったように思います。

ロールプレイでも、機械的対応でもない

國分　お店って、よく考えるとロールプレイみたいだなと思うんです。お客さんはお客さんとして、お店の人は「いらっしゃいませ」と言ったりして、それぞれのロール（役割）をこなす。それが古典的なあり方だと思うのですが、最近のお店はそういった役割を演じるということもなくなってしまって、「〇〇カード、ポイントお貯めしますか」とか、ＡＩが機械的に対応しているかのようになってきていると思うんです。

ところが、今回の未来食堂のお話は、そのどちらでもないという感じがします。単なるロールプレイでもないし、機械のように対応しているわけでもないですよね。

小林　お店に入るのがこわく感じるのは、そのロールが見えないからじゃないですかね。

國分　ロールが見えないから、かもしれないですね。未来食堂も、慣れると入りやすくなっていくんでしょうか。先ほど、未来食堂を「砂場」とたとえていらしたけれど、砂場も子どものころ最初に入るときはこわかったですよね。でも、毎週、毎日行くうちに、「あそこに行けばあいつがいるから」みたいになってくる。未来食堂の場合も、そういうところがあるんですかねえ。

小林　そうですね。たとえば、「お店の人」と「お客さん」というロールがそれぞれあって、お店のポイントカードがあったりすれば、そのお店に対するお客さんの貢献度を可視化できますよね。ポイントカードを持っていないお客さんよりも持っているお客さんはお得意様だし、五〇〇ポイント貯めているお客さんは、一〇〇ポイントしか持っていないお客さんよりもさらにお得意様であるわけです。

　お店に対する貢献度とか愛情を数値化できたら楽だし、みんなが共有しやすい。でも、それでいいのかと言うと、またちょっと違う気もしますね。

間口を広げすぎると、条件が必要になる

中島　未来食堂のお話を聞いていて思い出したのですが、私が大学院生時代に京都に住んでいたころ、出町柳《でまちやなぎ》という駅に「王将」がありました。今はもう閉店したのですが、ここは、お店の手伝いをしたらご飯が無料になることで有名だったんです。

　これって一見、未来食堂の「まかない」とよく似ていますが、そのコンセプトは真逆なんですよ。このお店の張り紙には、「めし代のない人　お腹いっぱいただで食べさせてあげます。但し仕送りが遅れているか昨日から御飯を食べていない人に限ります」と書いてあって、この条件に当てはまる人は手伝ったらタダになるというシステムなんです。

小林　これは同業者としての勘ですけど、そのお店は初めからそうではなかったのではないかと思いますね。最初は、たとえば吉田寮の人たちが来たりして、「また麻雀負けたのか、いいよいいよ。そこの皿洗っときな。チャーハン食う？」とか、そんな感じだったんじゃないかと。でも、それが有名になると、さっき私が言った間口じゃないけれども、「京都に来たついでに寄りたい」とか、いろんな動機の人が出てくると思うんです。

　そうなると、やっぱりフィルタリングせざるをえないんですよ。お店の空気をこちらがコントロールしていないと、「あなたはどれくらい困っているのかを、私に教えてください」というふうになってしまう。それがその張り紙だと思いますね。

中島　その点、小林さんのお店は、「ただめし券」を使うときに匿名性があるか

ら、真逆ですよね。僕は学生のころ、この王将のことはよく知っていたけれど、お店のおじさんとすごく人間的な付き合いをしないといけない気がして、中には入れなかったんです。なんというか、上下関係ができてしまうような気がしたんですね。小林さんのところとはまた違う入りにくさだと思います。

小林　いいこととか正論って、すごく強い力があるから、そういうことを掲げている人に対して受け手側は身構えてしまうように思います。こちらが相手のスタンスに合わせせないと関係性が続かないように思えて、それだけ敷居が高くなってしまいますよね。

中島　そうなんですよね。

山崎　小林さんの未来食堂では、「ただめし」に関して一つだけ、「一人様での来店でのみ、使えます」という条件があります。テレビなどのメディアに取り上げられるようになって、いろんな人が来るようになったのですが、あるとき若いお客さんが二人組で見えて、一枚ずつ「ただめし券」を剥がして「ただめし」を食べて帰っていくということがあってから、この「一人様のみ」という条件に変えたそうです。

本当に困っている人、救われる価値のある人だけが救われるべきだとは思っていないし、「ただめし」というネーミングにもあるように、道徳面や感情面に訴求しない、なるべくフラットな形にするというねらいがあり、悪ノリする人がいてもいいと考えているそうですが、ただし、「悪ノリしたいんだったら一人でやれ」という思いがある。だから、ダメなことははっきり「ダメ」と線引きすることで、この「ただめし」という仕組みを成り立たせているのだと感じました。

「悪ノリ」と「統御」と「マヌケ」

戸田　小林さんのお話を聞いていて思ったのは、誰でも来れるけど、来ても悪ノリが発生しにくいような空間にしているというのは、僕も、発酵をやっていて似たものを感じるなと。

最初に日本酒の勉強を始めたときは、「いっぱいいろいろな菌を入れてつくったほうが楽しくない？」と思ってやってみたら、とんでもない匂いがしだして、「いや、これはさすがに……」ということが、起こったりしました。

腐敗ではなく発酵、人にとっての「悪ノリ」みたいなものではなくて、ちゃんといいものにしたい。でも、たとえば条件付き——仕送りがなくて食べられていないような人だけにするというのは、微生物で考えたら、選ばれた酵母だけを添加するのと同じなんですよね。

悪ノリを発生させず、条件を付けるのでもなく、ちゃんといい空間をつくってあげるというのは、ホストの役目であって。そこで思うのは、僕はホストとしてて、菌たちを従えているわけではなくて、そこにどんどん入り込んでいく。なんて言うんでしょうね、酵母たちも生き物なんで、日に日に変わっていく中で、一緒に何かやってあげたときのほうが、自分にとってもうまくいくな、と思っているんです。

國分　今の悪ノリの話、めちゃめちゃおもしろいと思います。「統御」と「悪ノリ」が対立しているわけじゃなくて、なんかこう、菌がうまくノッて何かやってくれなきゃいけないわけですよね。だけど、それを完全に統御するというわけでもない。そしてもちろん「悪ノリ」されても困る、みたいな、なんかこう、そういうことですよねえ。

伊藤　一個付け加えると、小林さんの本の中では、「利他」というのはマヌケな行動だって書いてあるじゃないですか。だから、「悪ノリ」と「統御」に、「マヌケ」というのがさらにある気がして。我々は「利他」について「余白」とか「余裕」という言い方をしてきたけど、それって要はヌケてるということなんだな、と思ってすごく納得したんですよね。

國分　マヌケね。うっかり、とかね。最近熊谷晋一郎さんと話していたときに、「本音」と「本心」という区別を熊谷さんがしていました。「本音」は、自分の中にある、ちょっといやな感じを、みんなでマウンティングしつつ吐露し合う、みたいなことなんですよね。でも「本心」というのは、何かある過程を経て出てくる、その人の心の本当のあり方みたいなもの。ちょっとうまく説明できないんですけど、ふつう「本音」って、「建前」と対立させられるじゃないですか。それって、「悪ノリ」と「統御」を対立させるみたいな感じですよね。

でもそうじゃなくて、「本音」と「本心」というのを対立させたときに、「悪ノリ」と「良いノリ」みたいなことが考えられるというか、まあちょっとうまく概念化できていないんだけど、つまり「統御」か「アナーキー」か、みたいなのとは違うものを出せるんじゃないかな。そこは今日の話を聞いていて、おもしろいなというふうに思いました。

歓待と利他——住まいの空間と構造

北村匡平

RITA MAGAZINE
Is there any *rita* in technology?

Chapter_3-3

- Kyohei Kitamura

北村匡平（きたむら・きょうへい）
映画研究者／批評家。東京工業大学リベラルアーツ研究教育院准教授。単著に『椎名林檎論——乱調の音楽』『アクター・ジェンダー・イメージズ——転覆の身振り』『24フレームの映画学——映像表現を解体する』『美と破壊の女優 京マチ子』『スター女優の文化社会学——戦後日本が欲望した聖女と魔女』、共著に『彼女たちのまなざし——日本映画の女性作家』、共編著に『川島雄三は二度生まれる』『リメイク映画の創造力』などがある。

論考

1　歓待をめぐる環境

グローバリズムによって人の移動が加速化し、それにともないナショナリズムの昂揚《こうよう》も顕著になった現代社会に私たちは住んでいる。他方で、「社会的包摂」や「多様性」をスローガンとして掲げながら、マイノリティに対する差別や排斥がさまざまな場所で生じている。日本でも少子高齢化によって、ますます外国からの移民を受け入れなければ労働力が維持できない状態へと向かいつつあるが、日本からの海外移住者も年々増えてゆく一方である。

グローバル社会の到来と共に「多文化共生」という言葉が喧伝されるようになって久しい。物理的なレベルのみならず、ソーシャルメディア上では、日常とはかけ離れた、想像もしなかった生活を強いられた「他者」が突如として可視化されることもあるだろう。メタバース空間では、現実世界でなんの繋がりもなかった「他者」と出会い、話をする機会も頻繁にある。私たちの生は、現実空間であれ仮想空間であれ、かつてないほど見知らぬ「他者」との遭遇に開かれており、これからの未来社会において「歓待」はきわめて重要な主題の一つになるに違いない。そして歓待の思考は、利他に通じるヒントを与えてくれるように思う。

「歓待」(hospitalité)をめぐる考察は数多くある。現在、もっとも影響力があるのはジャック・デリダによる歓待論であろう。アルジェリア生まれのユダヤ人だったこのフランスの哲学者が、一九九六年に「歓待」を講義のテーマに据えたのは、彼の出自に加えて、移民の入国や滞在の規制が強化されていった一九〇年代という時代と無関係ではない。デリダがここで批判しているのは、イマヌエル・カントの世界市民法と歓待をめぐる議論である。人間が地球で共存するために認められるべき「歓待の権利」に関して、カントは外国からの訪問者が要求できるのは「客人の権利」ではなく「訪問の権利」だという(※1)。永遠平和のための条件として、異邦人が認められるのは滞在権ではなく、訪問権だというのである。

デリダは、法・権利について語り、異邦人の到来を制限するカントの「条件付きの歓待」と区別した、「絶対的ないし無条件の歓待」を主張する（※2）。絶対的な他者、知られざる匿名の他者に対しても、名前さえ訊ねず、アイデンティティの同定をも禁ずること――。ただし、デリダはけっして楽観主義的に「無条件の歓待」を捉えていたわけではない。それは絶えず「条件的な歓待」と隣り合わせで切り離すことはできず、侵食され、自ずから「条件的な歓待」を要求する決定不可能性があり、アポリアに陥ってしまうという。

しかし、本稿で試みたいのは、デリダの議論を参照しつつも、国家レベルの抽象度の高いものではなく、より具象的かつ日常的な生活レベルの歓待のありようを捉えることである。その点で参考になるのが、デリダの歓待論に対する人類学の応答だろう。文化人類学者の河野正治の整理によれば、人類学者たちは、デリダの議論が集団のスケールと歓待の概念の結びつきに無頓着であったとし、人と人の関係性のみならず、スケールの移行にともなう「空間的・物質的な構成」を考慮に入れ、具体的なモノや形式と不可分なものとして歓待がいかに立ち現れるかを捉える必要があると応じた（※3）。

わかりやすいように、スケールの移行の例をあげておこう。たとえば、ある国家に異邦人として入ることと、ある町をよそ者として歩くこと、あるいは個人の家屋に足を踏み入れることとはまったく意味が異なる。法を無視して国境を越えることと扉や玄関を通ることはまったく違う。それに村の通りや広場をよそ者として歩くという経験には「叩くべき扉や通るべき玄関がない」（※4）。さらにそうした門の佇まいによっても歓待の生じ方は決定的に変わってくるだろう。こうして空間や環境をかたちづくる物質性にも私たちは意識を向けなければならない。

歓待をめぐる空間的・物質的な構成と人々の振る舞いを具体的に考えるために、ここで一本の映画を取り上げたい。デリダの『歓待について』を読んだことから影響を受け、タイトルにその名を冠した、深田晃司による『歓待』（二〇一〇）である。この映画では一つの家を舞台に、突如、異邦人たちが押し寄せ、住み込み、居住空間を占有してしまう。果たして主人たる住人はこうした事態にいかに振る舞い、どのような変化がもたらされるのか。ここでは歓待をめぐるヒントがつまった本作を題材として、居住空間という舞台において、身体・環境・行為の相互作用の中で、歓待実践がどのようにして生起するのかを捉えてみたい。

2　深田晃司『歓待』が描くもの

『輪転』と題された短編映画の脚本を受け取った共同プロデューサーの杉野希妃は、監督に長編化を提案し、深田晃司が『歓待』というタイトルに変更して改稿を重ねた。『歓待』は下町の印刷所で平穏な暮らしをする小林家のもとに突然ふらりと訪れた加川花太郎（古舘寛治）という胡散臭い闖入者《ちんにゅうしゃ》が寄生するかのように住み着き、不法滞在者たちを住まわせて一家を掻き回していく物語である。小林印刷の店主・小林幹夫（山内健司）と一緒に暮らしているのは、再婚した若い妻の夏希（杉野希妃）と前妻との娘・エリコ（オノエリコ）、出戻りの妹・清子（兵藤公美）。ある日、加川が不意に訪れ、一家の内部に入り込み、平和だった日常は一挙に安定した秩序の崩壊へと突き進んでゆく。

映画がはじまるとすぐに加川が小林家の家の境界を越えて侵入する。ここで踏み越えられる物質的なモノは家屋に備えつけられている戸口である。その扉は、内部に暮らす者を外部から守る役割を担う。だからデリダがいうように訪問者にとって、この戸口（seuil）の通過＝侵犯が歓待の一歩となる（※5）。しかしながら注意しておくべきなのは、この家が通常の居住空間とはやや異なっている点であろう。小林印刷は住居であると同時に職場でもある。一般の家とは違って、門や玄関というものがない。入り口の引き戸が通りに面していて、ドアをあけると印刷機などが置かれた作業場がまずあり、そこを抜けると居間と二階にあがる階段がある。すなわち、居住空間と仕事場が連続的で、一つの空間に重なりあっているのである。だからこの場所は基本的に、入り口から内部に入る訪問の権利が誰しもに認められていることになる。最初に加川がこの家の境界を越えるのは、前の来客者があけたままのドアから、すっと店の中に入る序盤のシーンだ。

どうやら一家が飼っていたインコが逃げ出してしまい、チラシをつくって家族で探しているらしいことが会話から伝わってくる。この張り紙を見たという加川はインコの話題をきっかけに作業場に入り、幹夫の知り合いだと妻に告げる。実際、見知らぬ男が自然に中に入り込んでも、夏希は訪問を拒絶することなく「いらっしゃいませ！」と声をかけている。ここでは見知らぬ者であれ、まず「客」として迎えられるのである。

別の視点からこの独特な空間を捉えることもできるかもしれない。そもそも我が家の内側／外側という明確な境界線は、西洋的な家屋を前提にしている。この映画の家屋の構造は、戸口をあけるとまず作業場があり、その奥が小上がりになっていて、その先に居間がしつらえられている。この作業場には外部から業者がふつうに入ってきて話をするし、序盤に近隣住民が回覧板をもって小上がりの空間に座って世間話をするシーンもある。はじめて加川が訪れたときも、この小上がりの場所に腰掛けて夏希と話をする。すなわち、ここは内側でもあり外側でもある「縁側」のような空間として機能しているのだ。このような意味で、小林印刷の家屋は外部に積極的に開かれている空間＝構造であることがわかるだろう。

空間的にも機能的にも、内／外を明確に切り分けがたいこの曖昧な空間が、外部からの侵入を構造的に許容しているのは間違いない。加川は以前アルバイトが住み込みで働いていたことを知ると、幹夫に頼んで同じように雇ってもらう。何も知らずに帰宅した妹の清子は、加川に「おかえりなさい」と突然声をかけられ、戸惑いを見せる。ついさっきまで「客人」だった部外者が、あたかもこの家の「主人」であるかのように振る舞うのだ。この物語の妙味は、主人（ホスト）／客人（ゲスト）の役割が倒錯してゆく滑稽さにある。

家に住み込みで働くことが決まると、すぐに加川は外国人女性を家に連れてきて「家内」だと紹介する。その白人女性はアナベルと名乗り、ブラジル出身だという（ちなみに別の人物にはボスニアと答えている）。その日、彼らは食卓を囲んで食事を共にし、互いの距離感が近づく。『四運動の理論』を著《あらわ》し、「空想的社会主義者」と称されたシャルル・フーリエは「結合美食術」について独自の議論を展開した。彼は退屈さや単調さを避けるため、固定されたメンバーで食事を共にするのではなく、食卓の快楽には「刺戟的で変化に富んだ寄合を設ける技術」が大事だという。調和世界への到達に「美食」を掲げるこの夢想家は、食事のたびごとにその組み合わせが年間を通じて何度も変わることを是とし、そのメンバーには「恋人や家族や団体や友人や外国人その他」が含まれるのである（※6）。加川は当然のようにアナベルを住まわせ、一緒に暮らす。日常の単調さを掻き乱す存在として、加川とアナベルは固定された共同体の内部に入り込む。そしてこの居住空間は、さらなる異邦人の闖入によって次第に大きく変質しはじめる。

夏希はエリコに英語を教えていたが、アナベルにその役目を奪われてしまう。幹夫はアナベルと関係をもったせいで、加川が勝手に従業員を雇い、社長のような役割を担いはじめる。こうして終盤にいたると次々と加川が異邦人たちを家に招き入れてゆく。もとの住人たちは彼らがどこから来たのか、何者なのか、いっさい問い尋ねることはできない。この家の主人は、カントが外国からの訪問者が要求できないとした「客人の権利」を認め、デリダのいう「絶対的ないし無条件の歓待」が成立する。いうまでもなく、ここで生成した歓待は、家という物質的構造が可能にしたものでもあるだろう。狭い部屋に大人数の異邦人たちが集い、集団生活が開始される。彼らは大量に舞い込んだ仕事をテキパキとこなし、小林夫婦はなすすべもない。多国籍の不法滞在者たちから成るこの空間は多様性を体現し、彼らは圧倒的なマイノリティと化す。いつの間にか主人としての主導権は奪われ、関係性が転倒するのである。

3 歓待と変容

映画の終盤、夏希が誕生日を迎え、加川と異邦人たちが突然彼女の誕生日を祝う。家の主人であったはずの小林夫婦はサプライズ・パーティに招かれる。この家でホストとしてイベントを主催するのは、ほかならぬ異邦人たちであり、小林夫婦は招待されたゲストにしか見えない。到来者であったはずの加川も、物語中盤から、小林夫婦以上にこの家の主人として振る舞いはじめ、次々に異邦人たちを歓待してゆく。ここに法外の歓待空間が実演され、最後には誰が歓待される者で誰が歓待する者か、まったくわからなくなる。映画『歓待』で描かれるのは、歓待をめぐる主人／客人の倒錯のダイナミズムである。

パーティを主催する者たちが民族音楽を奏でて踊り出すと、疎外感を味わっていた小林夫婦も誘われて次第に体を揺らしはじめ、二人は息苦しかった生活から解放されたような表情を浮かべる。全員が居住スペースに入り乱れ、リズムにのって部屋を抜け、廊下や階段など家中を列になって練り歩いてゆく。狂喜乱舞する彼らの居住空間はカオス状態となり、やがてその列は家の外部まで進出、内／外の境界が決壊する。自己の主権・領土であった空間を他者へと譲り渡し、主人／客人の関係は無効化され、共に踊る。この居住空間の新たな主人となった加川は驚くべき人数の異邦人たちを家に招き入れるが、彼は到来者を迎え入れつつも、決して丁重にもてなさない。小林夫婦も、国外からの来訪者たちに出自や理由を尋ねるでもなく、あるいは共感するでも同情するでもなく、ただ一緒に居る。共に働く。共に踊る。そういう特殊な時空間である。

　デリダは歓待論で「寄生者《パラサイト》」という言葉を使い、客(guest)と寄生を区別するのは「法」であり、歓待権や庇護権を享受していなければ、到来者は「客」として迎え入れられることはなく、追放されたり逮捕されたりすると述べる(※7)。法外の歓待空間であったこの家も、この後、警察が侵入してきて、加川と共に異邦人たちは逃走してストーリーは終わる。だが、この物語は異邦人たちが安定した家庭の秩序を破壊して去っていくという単純なブラック・コメディではないだろう。エピローグに不法滞在の斡旋をやっていたらしいと噂する近隣住民たちが登場し、幹夫に「大変でしたね……」と声をかける。すると彼女たちに対して幹夫は「友達の悪口は言わないでください」と伝えるのである。外部から突如、見知らぬ者たちが家に押し寄せ、占拠され、穏やかな生活が掻き乱されたにもかかわらず、この家の主人は彼を庇うのである。これはいったいなぜだろうか。

　物語の展開からして、幹夫が加川と彼が強引に連れてきた不法移民たちを「寄生者」と断罪してもなんらおかしくはないだろう。けれども、歓待に巻き込まれた主人は、すっかり別人のように変わっているのだ。デリダはバンヴェニストの語源学の議論を参照しながら、古いラテン語から派生する二つの意味——客ないしは敵として迎え入れられる異邦人(hostis)という語に、歓待(hospitalité)と敵意(hostilité)を見出し、「敵意の歓待」(hostipitalité)という造語を提唱した(※8)。歓待は絶えず敵意と隣り合わせにあり、この作品においても敵意に反転してもおかしくない。けれども、幹夫は闖入者たちに敵意を向けることとなく、どこか清々しい表情さえしている。そして不法移民たちと戯れた幹夫は、「友達の悪口は言わないでください」という台詞によって真の歓待者になったといえるだろう。この振る舞いは、どこか法的な論理を超越している。哲学者の國分功一郎は、ピエール・クロソウスキーの『歓待の掟』というテクストを読み解きながら、「歓待」と「寛容」を次のように定義する。

> 歓待とは他者を受け容れることによって、受け容れる側も受け容れられる側も変わることである。それに対して寛容はまさしく無変化によって定義される。つまりそれは自分を維持しつつ他人を受け容れることです。それは寛容の原語が tolérance つまり「我慢すること」であるということからも明らかです。十六、十

七世紀の場合でも、自分と信仰が合わない人間がいても、その存在を我慢していた。我慢するということは他者には触れず、したがって他者が変わることもないし、自分が変わることもない。〔……〕歓待では相手を受け容れることによって自分が変わってゆく。寛容では単に相手に触れず、我慢をする。（※9）

別の場所でも國分は「寛容 tolerance」と「歓待 hospitality」を対照させ、後者が「相手を受け入れて自分が変わっていくこと」で、「歓待においては自分が客なのか主人なのか、それすらわからなくなってしまう」と話している（※10）。この物語で起こっていることは、まさに歓待空間に身を置くことを余儀なくされた主人公が、自分が主人なのか客なのかわからなくなるような関係性に巻き込まれ、到来者たちと共に暮らし、共に踊り、触れ合うことによって変容するという事態である。そして踊りを介した遊戯的身体の相互作用によって、内／外の境界は徐々に崩れると同時に、居住空間それ自体も拡張され、つくり直される可能性が映像的に示唆されている。

境界づけられた領土を主人が開放し、見知らぬ訪問者を招き入れてもてなすもの。歓待をこのように捉えるならば、そこに固定化された主従関係／権力関係が構築されてしまう。一方的な施しは、相手に負債感を抱かせてしまいかねないだろう。ここには利他行為と似たような困難さが見出される。小林一家は加川の闖入を契機として大勢の異邦人たちを住まいの空間でもてなし、彼らの祝祭の空間によってもてなされた。

歓待とは、自他と環境の相互作用の中でその領域が次第に形づくられ、時に主客が入れ替わり、時に自他が変容していくことで生成するものなのではないだろうか。おそらく、はじめから制御され、意識された空間では歓待実践は成立しにくい（※11）。むしろ、行為を通じて効果として空間に意味が与えられ、「歓待」と事後的に名指されるようなものなのかもしれない。こうした歓待のありようは、中島岳志が利他論で展開した、行為者の意図せぬところで、受け取ることによって起動する利他の問題、あるいは不確定な未来から事後的にやってくる利他の問題とも響きあう（※12）。このような受け取りと時制の視点には、歓待が利他へと通じる回路があるように思われる。

※1 イマヌエル・カント『永遠平和のために／啓蒙とは何か 他3編』中山元訳、光文社古典新訳文庫、二〇〇六年、一八五頁。

※2 ジャック・デリダ『歓待について――パリ講義の記録』廣瀬浩司訳、ちくま学芸文庫、二〇一八年、六六頁。

※3 河野正治「序」（特集：歓待の人類学）、『文化人類学』八五（一）、二〇二〇年、四六-四七頁。ここで主に参照されているのは、歓待を主題としたシンポジウムとその成果として刊行されたJournal of the Royal Anthropological Institute vol.18の特集企画「歓待への回帰――異人・客人・曖昧な出会い」（The Return to Hospitality: Strangers, Guests, and Ambiguous Encounters）である。

※4 同前、四七頁。

※5 デリダ、前掲、一〇六頁。

※6 シャルル・フーリエ『四運動の理論』巌谷國士訳、現代思潮新社 新装版（上巻）、二〇〇二年、二八一-二八二頁。

※7 デリダ、前掲、九四頁。

※8 デリダ、前掲、八三頁。

※9 國分功一郎「クロソウスキーと歓待の原理、再び」、『コメット通信』二〇二一年八月臨時増刊号、六頁。

※10 岸政彦・國分功一郎（討議）「それぞれの『小石』――中動態としてのエスノグラフィ」、『現代思想』二〇一七年一月号、四七頁。

※11 デリダがいうように、無条件で絶対的な歓待は、近代において法に依拠する条件付きのものとして、異邦人を同定せざるを得ず、「寄生者」として捉えることになってしまうというパラドックスの問題がある。

※12 中島岳志『思いがけず利他』ミシマ社、二〇二一年、一二八-一三四頁。

あとがき

東京工業大学未来の人類研究センターでは、この四年間、「利他」について共同研究を進めてきました。私もメンバーとして活動し、利他について考えてきたのですが、その際に「この人の話をじっくりと聞きたい」と思った人が何人かいました。

真っ先に対話を重ねたのが、料理家の土井善晴さんでした。土井さんは、家庭料理のあり方を探究してこられた第一人者ですが、料理の本質は「味つけ」ではなく、「素材のおいしさを引き出すこと」だとおっしゃいます。レシピによって素材をコントロールしようとするのではなく、八百屋さんなどの店頭に並んでいる食材を眺めて、「きれいだな」と思うものを買い、味噌汁の中に入れる。出汁はとらない。人間の余計な計らいを捨て、味噌の力に委ねると、おいしさが自ずと引き出される。これが土井さんの「一汁一菜」論の根本にある考え方です。

私は土井さんのお話を聞いていると、いつもスピッツの曲「ロビンソン」の一節が、頭の中で流れました。

大きな力で　空に浮かべたら
ルララ　宇宙の風に乗る

うまく宇宙の風に乗れたとき、そこにできあがるのが料理である。人間が自然にうまく応答し、その潜在力を引き出すことができたとき、「おいしさ」が私たちのもとにやってくる。そんなことを土井さんから学びました。

同時に、繰り返しお話をうかがったのが、造園家の高田宏臣さんでした。高田さんは二〇二〇年に『土中環境』を書き、土砂崩れなどの自然災害は、自然の平衡状態が崩れていることに要因があると指摘しました。

高田さんが注目するのは土の中のあり方です。水と空気の流れが機能している土壌では、雨水が深部にまで染み込み、大地が穏やかに呼吸を行います。すると菌糸《きんし》が活発に活動し、大地全体に養分、水、情報が伝達され、植物の生命活動が健全に維持されます。逆に、このあり方が崩れると大地は呼吸不全を起こし、問題が次々に現れてきます。

高田さんにとっての土木は、菌糸の働きをエンカレッジすることに集約されます。菌糸の潜在能力を引き出すために、環境を整える。これが土木の本質であり、強引にダムや砂防堰堤《えんてい》などを造ると、地下水脈や伏流水が人工物で分断され、水は停滞してしまいます。そうすると菌糸は働かず、川底に土砂が堆積し、水が濁ります。川底の通気浸透機能が低下すると、水の湧き出す場所が塞がれ、ヘドロ化が進みます。この悪循環が、大地を窒息させ、さらなる土砂崩れを引き起こしてしまいます。

――環境を整えることで、潜在能力を引き出すこと。

この原理は、人間も同じなのではないかと思います。拙著『思いがけず利他』では、「NHKのど自慢」という番組のバック・ミュージシャンについて言及しました。「のど自慢」の伴奏は、二〇二三年春からカラオケに代わってしまいましたが、それまではミュージシャンが生演奏を行っていました。番組にはさまざまな「素人」が登場し、歌を歌いますが、時折、イントロの途中で歌い始めてしまう高齢の方がいます。そんなときバック・ミュージシャンたちは、歌い手に修正を迫るような演奏はせず、巧みに歌っている箇所に合わせていきます。テンポがずれていたら歌い手に合わせる。キーがずれていたら、これも歌い手に合わせる。そんな演奏をしていると、歌い手はのびのびと歌いはじめ、人柄が歌に表れていきます。会場は温かい雰囲気に包まれ、万雷《ばんらい》の拍手が湧き起こります。バック・ミュージシャンが歌い手をコントロールするのではなく、主体にうまく沿うことで、その人の魅力を引き出すことに成功しているのが、この場面なのでしょう。

テクノロジーの追求は、従来、人間の能力を凌駕するものの開発に心血が注がれてきました。人間にはできないことを叶えてくれるもの、人間の代わりにやってくれるもの、生活の利便性を向上させてくれるもの。そんなことが技術開発の中で探究されてきました。

しかし、このようなテクノロジーは、時に人間の主体性を奪い、人間と敵対的な関係に陥ってしまいます。機械工業の発達は、人間から手仕事を奪い、現代ではＡＩによって多くの雇用機会が奪われるという危惧が広まっています。この延長上に、人間がテクノロジーに支配されるのではないかという恐怖が待ち受けています。

私たちがいま探究すべきなのは、人間や自然の力を凌駕し、コントロールするテクノロジーではなく、人間や自然の持っている潜在能力を引き出すテクノロジーなのではないでしょうか。

たとえば、本書で取り上げた「OriHime」の例は、重要な示唆を与えてくれると思います。ここで議論になったのは、人と人が対面でコミュニケーションをとることよりも、場合によってはロボットのようなテクノロジーを介したコミュニケーションのほうが、「存在にふれる」という経験をもたらすという点でした。私たちは、無機質に見えるロボットに対して、対話が深まるにつれ、表情以上のものを見るようになります。テクノロジーによって、人間の「想起する力」が引き出されたと言えるでしょう。

これはかつて岡倉天心が、芸術の「余白」について論じたことと通じていると思います。たとえば水墨画には、何も描かれていない「余白」部分が大きくあります。この「余白」を前にして、鑑賞者の心の「眼」が働き、風景が立ち上がります。この「想起する力」によって、作品は躍動し、美が生成する。そう天心は説きました。

人間や自然が持っているポテンシャルを引き出すテクノロジーの探究が、いま求められていると思います。そして、そこに「テクノロジーと利他」の未来があるのではないかと思います。

本書が、読者の方々の「想起する力」を引き出すことになれば、うれしく思います。

中島岳志

中島岳志（なかじま・たけし）

任期：2020年2月〜2022年3月

1975年大阪生まれ。北海道大学大学院准教授を経て、東京工業大学リベラルアーツ研究教育院教授。専攻は南アジア地域研究、近代日本政治思想。2005年、『中村屋のボース』で大佛次郎論壇賞、アジア・太平洋賞大賞受賞。著書に『思いがけず利他』『朝日平吾の鬱屈』『保守のヒント』『秋葉原事件』『岩波茂雄』、共著に『料理と利他』『ええかげん論』『現代の超克』などがある。

伊藤亜紗（いとう・あさ）

任期：2020年2月〜

東京工業大学科学技術創成研究院未来の人類研究センター長、リベラルアーツ研究教育院教授。専門は美学、現代アート。主な著作に『目の見えない人は世界をどう見ているのか』『どもる体』『手の倫理』『体はゆく』など、共著に『ぼけと利他』などがある。雑誌『ちゃぶ台』にて「会議の研究」を連載中。

磯﨑憲一郎（いそざき・けんいちろう）

任期：2020年2月〜2022年3月

1965年、千葉県生まれ。早稲田大学商学部卒業。2007年『肝心の子供』で文藝賞、2009年『終の住処』で芥川賞、2011年『赤の他人の瓜二つ』で東急文化村ドゥマゴ文学賞、2013年『往古来今』で泉鏡花文学賞、『日本蒙昧前史』で谷崎潤一郎賞をそれぞれ受賞。他の著作に『眼と太陽』『世紀の発見』『電車道』『鳥獣戯画』、共著に『アトリエ会議』などがある。

北村匡平（きたむら・きょうへい）

任期：2022年4月〜2023年3月

映画研究者／批評家。東京工業大学リベラルアーツ研究教育院准教授。単著に『椎名林檎論——乱調の音楽』『アクター・ジェンダー・イメージズ——転覆の身振り』『24フレームの映画学——映像表現を解体する』『美と破壊の女優 京マチ子』『スター女優の文化社会学——戦後日本が欲望した聖女と魔女』、共著に『彼女たちのまなざし——日本映画の女性作家』、共編著に『川島雄三は二度生まれる』『リメイク映画の創造力』などがある。

若松英輔（わかまつ・えいすけ）

任期：2020年2月〜2022年3月

批評家・随筆家。「三田文学」編集長、読売新聞読書委員、東京工業大学リベラルアーツ研究教育院教授（2022年3月まで）などを歴任。1968年生まれ、慶應義塾大学文学部仏文科卒業。2007年「越知保夫とその時代 求道の文学」にて第14回三田文学新人賞評論部門当選。著書に『小林秀雄 美しい花』『悲しみの秘義』『生きる哲学』『弱さのちから』など、共著に『現代の超克』などがある。

國分功一郎（こくぶん・こういちろう）

任期：2020年2月〜2022年3月

1974年、千葉県生まれ。早稲田大学政治経済学部を卒業後、東京大学大学院総合文化研究科修士課程に入学。博士（学術）。専攻は哲学。現在、東京大学大学院総合文化研究科教授。2017年、『中動態の世界——意志と責任の考古学』で、第16回小林秀雄賞を受賞。主な著書に『暇と退屈の倫理学』『来るべき民主主義——小平市都道328号線と近代政治哲学の諸問題』『スピノザ——読む人の肖像』など。

木内久美子（きうち・くみこ）

任期：2022年4月〜2023年3月

東京工業大学リベラルアーツ研究院准教授。専門は比較文学（翻訳論、メディア・ジャンル論、都市表象分析）。『コモンズ』2号編集長。編著書に『ベケットのことば』、「東京のエコロジー——赤羽自然観察公園の事例」（『ポリフォニア』13号）、『The Botanical City』『Beckett and Politics』『時間のランドスケープス——パトリック・キーラー「ロビンソン三部作」』など。文芸雑誌『SNOW lit rev』（http://abar.net/snow.pdf）に散文作品を複数掲載。

山崎太郎（やまざき・たろう）

任期：2021年4月〜2022年3月

1961年生まれ。東京工業大学リベラルアーツ研究教育院教授。専門はドイツ文学およびドイツのオペラ。とくに長年、リヒャルト・ワーグナーの楽劇を主な研究対象として、テクスト解読・上演史と演出分析・書簡研究などさまざまな方向からアプローチを重ねている。主な著書に『《ニーベルングの指環》教養講座』、訳書に『シューマンとその時代』（A・エードラー著）など。

本書は、東京工業大学の未来の人類研究センターが主催した「利他学会議」(2021年3月13〜14日、2022年3月20〜21日)のレクチャーおよびディスカッションと、ミシマ社が主催したMSLive!(2023年4月24日、5月10日)の内容の一部を再構成し、書き下ろしを加えて書籍化したものです。

日本音楽著作権協会(出) 許諾第2400129-401号

未来の人類研究センター
2020年2月、東京工業大学科学技術創成研究院の中に創設され、リベラルアーツ研究教育院の多様な研究者が集結している。理工系大学のど真ん中で、手と心を動かしながら、人類の未来について考え、発信しており、最初の5年間のテーマとして「利他」を掲げる。関連する書籍として『料理と利他』『ええかげん論』『思いがけず利他』『ぼけと利他』(以上、ミシマ社)、『「利他」とは何か』(集英社新書)、『はじめての利他学』(NHK出版)などがある。https://www.fhrc.ila.titech.ac.jp/

RITA MAGAZINE
テクノロジーに利他はあるのか?

2024年2月22日　初版第1刷発行

編者　未来の人類研究センター

発行者　三島邦弘
発行所　株式会社ミシマ社
〒152-0035　東京都目黒区自由が丘2-6-13
電話　03(3724)5616
FAX　03(3724)5618
e-mail　hatena@mishimasha.com
URL　http://www.mishimasha.com/
振替　00160-1-372976

編集協力　中原由貴
ブックデザイン　尾原史和、加藤 玲、藤巻 妃(BOOTLEG)
印刷・製本　株式会社シナノ
組版　BOOTLEG／有限会社エヴリ・シンク

ISBN　978-4-911226-00-1

好評既刊

料理と利他

土井善晴・中島岳志

「自然－作る人－食べる人」という関係のあいだに、利他がはたらく。
料理研究家と、政治学者。異色の組み合わせの二人が、
家庭料理、民藝、地球環境、直観、自然に沿うこと…等々、縦横無尽に語りあう。

ISBN978-4-909394-45-3　1500円（価格税別）

ええかげん論

土井善晴・中島岳志

正解は、いつも同じではない。
けれど、自分のコンディションを整え、「今・ここ」を感じていれば、
おのずと「ある一点」がわかるようになる。料理、保守、仏教の思想から考える、
自立して豊かに生きるための智恵がここに。

ISBN978-4-909394-76-7　1800円（価格税別）

思いがけず利他

中島岳志

誰かのためになる瞬間は、いつも偶然に、未来からやってくる。
意思や利害関係や合理性の「そと」で、私を動かし、喜びを循環させ、
人と人をつなぐものとは？今、「他者と共にあること」を問うすべての人へ。

ISBN978-4-909394-59-0　1600円（価格税別）

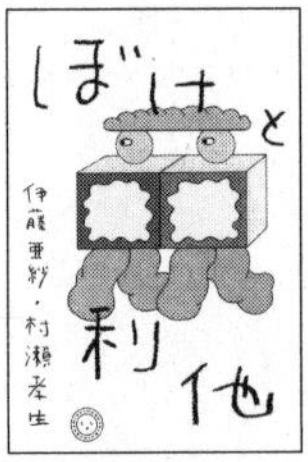

ぼけと利他

伊藤亜紗・村瀬孝生

ぼけは、病気ではない。自分と社会を開くトリガーだ――
ここを出発点に始まった、美学者と「宅老所よりあい」代表の往復書簡。
その到着点は…？二人の「タマシイのマジ」が響き合った、圧巻の36通。

ISBN978-4-909394-75-0　2400円（価格税別）